"Em cada momento da história, Deus levanta os líderes certos para realizar as mudanças que ele quer no mundo. Assim como no passado Martinho Lutero, John Wesley, D. L. Moody e Billy Graham, entre tantos outros, fizeram parte do grupo de homens usados por Deus, Rick Warren é um dos que comporão esta lista no futuro. *Uma igreja com propósitos* iniciou uma revolução na igreja moderna: a igreja está aqui com um propósito! Indispensável a todo pastor e líder!" — *Pr. Mário Kaschel Simões, diretor-executivo da Associação Willow Creek do Brasil e pastor da Igreja Ágape, Atibaia - SP*

"Nenhum livro depois da Bíblia impactou e tem impactado mais minha vida e ministério do que *Uma igreja com propósitos*. Abriu-me os olhos e ajudou-me a ver a igreja voltada para o mundo perdido, o inverso do que tantos veem. É indispensável para uma igreja saudável e impressionante!" — *Rev. Miguel Uchôa, pastor da Paróquia Anglicana do Espírito Santo em Jaboatão dos Guararapes - PE*

"Os pastores de hoje transpiram teoria, mas falta a eles o mais importante: a prática. Rick Warren segue o caminho inverso. Com clareza, ele toca o ponto nevrálgico, mostrando-nos como é simples o processo de crescimento." — *Bispo Tito Oscar Almeida, escritor, bispo da Igreja Nova Vida, São Paulo - SP*

"Minha vida e visão de ministério foram transformadas pela leitura e estudo do livro *Uma igreja com propósitos*. O mais marcante é que os princípios, além de bíblicos, procedem de uma experiência prática com resultados palpáveis. É leitura obrigatória a todo líder que quiser ser bem-sucedido no ministério." — *Pr. Edison Queiroz, pastor sênior da PIB em Santo André - SP*

"Toda igreja que tiver acesso a este livro nunca mais será a mesma. Os princípios que Rick Warren nos apresenta são os princípios eternos da Palavra. O que ele fez, iluminado por Deus, foi apresentá-los numa apropriação sistêmica em que o conjunto nos leva a viver, como igreja, de acordo com o Grande Mandamento e a Grande Comissão." — *Pr. Erasmo Vieira, pastor sênior da Igreja Batista em Morada de Camburi, Vitória - ES, e psicólogo*

"*Uma igreja com propósitos* mostra-nos como ser simples sem ser superficial, prático sem perder a paixão e atual sem perder a fé. Mesmo após dez anos continuo a desafiar nossos lideres à leitura desta obra." — *Pr. Fadi F. Faraj, pastor sênior da Comunidade Cristã Ministério da Fé, Brasília - DF*

RICK WARREN

Uma IGREJA com PROPÓSITOS

2. edição revista e atualizada

Vida
ACADÊMICA

Editora Vida
Rua Conde de Sarzedas, 246 Liberdade
CEP 01512-070 São Paulo, SP
Tel.: 0 xx 11 2618 7000
atendimento@editoravida.com.br
www.editoravida.com.br

©1995, de Rick Warren
Título original
The Purpose-Driven Church
edição publicada por
ZONDERVAN PUBLISHING HOUSE
(Grand Rapids, Michigan, EUA)

■

Todos os direitos em língua portuguesa reservados por Editora Vida.

PROIBIDA A REPRODUÇÃO POR QUAISQUER MEIOS, SALVO EM BREVES CITAÇÕES, COM INDICAÇÃO DA FONTE.

■

Editor responsável: Sônia Freire Lula Almeida
Tradução: Carlos de Oliveira
Revisão de tradução: Judson Canto
Revisão de provas: Josemar de Souza Pinto
e Daniel Yoshimoto
Revisão técnica: Carlito Paes
Diagramação: Set-up Time
Capa: Arte Peniel

Scripture quotations taken from Bíblia Sagrada, *Nova Versão Internacional, NVI*®
Copyright © 1993, 2000 by International Bible Society®.
Used by permission IBS-STL U.S.
All rights reserved worldwide.
Edição publicada por Editora Vida, salvo indicação em contrário.

Todos os grifos são do autor.

1. edição: 1998
2. edição: 2008
1ª reimp.:   mar. 2009
2ª reimp.:   set. 2011
3ª reimp.:   jun. 2013
5ª reimp.:   nov. 2015
6ª reimp.:   jun. 2016
7ª reimp.:   out. 2018
8ª reimp.:   out. 2019
9ª reimp.:   out. 2020
10ª reimp.: out. 2021
11ª reimp.: out. 2024

Dados Internacionais de Catalogação na Publicação (CIP)
(Câmara Brasileira do Livro, SP, Brasil)

Warren, Rick.
    Uma igreja com propósitos / Rick Warren; prefácio de Carlito Paes; posfácio de Ary Velloso; tradução Carlos de Oliveira. — 2. ed. rev. e atual. — São Paulo: Editora Vida, 2008.

    Título original: *The Purpose-Driven Church*
    ISBN 978-85-7367-371-5

    1. Liderança cristã 2. Missão da Igreja 3. Vida cristã I. Título.

07-7986   CDD 262.1

Índice para catálogo sistemático:

1. Igreja : Ministério : Cristianismo 262.1
2. Igreja : Propósitos : Cristianismo 262.1

Dedico este livro aos pastores bivocacionados ao redor do mundo: pessoas que, com fidelidade e amor, trabalham em igrejas que não são grandes o suficiente para proporcionar-lhes um salário integral. Para mim, vocês são os verdadeiros heróis da fé. Que este livro possa encorajá-los grandemente.

Também dedico estas páginas aos professores de seminários e faculdades teológicas: educadores chamados para formar a próxima geração de pastores. Que obra santa e grandiosa vocês realizam! Que Deus os abençoe no importante exercício ministerial.

Finalmente, ofereço esta obra aos pastores e líderes que trabalham comigo na Igreja Saddleback. Tem sido uma grande aventura para todos nós. Amo vocês de todo o meu coração.

Sumário

Prefácio comemorativo dos 10 anos da edição brasileira – Carlito Paes   9

Apresentação   13

Surfando nas ondas espirituais   15

Parte um • Observando o todo

1. A história da Igreja Saddleback   25
2. Mitos sobre crescimento de igreja   45

Parte dois • Tornando-se uma igreja dirigida por propósitos

3. O que motiva sua igreja?   69
4. Alicerces para uma igreja saudável   77
5. Definir os propósitos   85
6. Comunicar os propósitos   99
7. Organizar os propósitos   109
8. Aplicar os propósitos   123

Parte três • Alcançando a sua comunidade

9. Quem é seu alvo   139
10. Conhecendo quem você pode alcançar melhor   153
11. Desenvolvendo a estratégia   165

Parte quatro • Atraindo as multidões

12. Como Jesus atraía as multidões	185
13. A adoração pode ser um testemunho	213
14. Planejando o ambiente para os não-cristãos	223
15. Selecionando a música	249
16. Pregando para os sem-igreja	261

Parte cinco • Construindo a igreja

17. Transformando frequentadores em membros	277
18. Desenvolvendo membros maduros	297
19. Transformando membros em ministros	325
20. O propósito de Deus para sua igreja	351

Posfácio – Ary Velloso   357

Prefácio comemorativo dos 10 anos da edição brasileira

De tempos em tempos, em todos os ramos da cultura, surgem algumas obras que entram para a história da literatura como referência em sua área, contribuindo para que leitores de diferentes gerações sejam influenciados e impactados com seu conteúdo. Não tenho nenhuma dúvida de que *Uma igreja com propósitos* é uma dessas obras, já um clássico da literatura evangélica.

Apresentar esta obra é para mim um prazer e uma grande honra, porque Deus usou este livro para mudar minha vida e ministério.

Eu pastoreava havia dois anos em São José dos Campos, quando li este livro em 1998. Fui tremendamente impactado, porque vi o resgate do equilíbrio dos propósitos de Deus para a igreja e a aplicação de princípios bíblico fundamentais, que, ao longo do tempo, em razão do tradicionalismo, foram perdendo lugar na vida dos cristãos. Ler o livro foi como "o abrir das cortinas" para ver algo grande que Deus faria em nossa igreja e em todo o Brasil. Graças aos princípios apresentados neste livro, saímos de 800 para 2,7 mil membros em menos de oito anos; um crescimento forte e consistente, tendo como alvo batismos e vidas transformadas. Nossa igreja nunca mais foi a mesma: ganhamos agilidade, contextualização e foco. Pouco depois houve a fundação, no Brasil, do Ministério Propósitos, para auxiliar outros pastores e igrejas a experimentar o mesmo que temos experimentado em nossa cidade.

Adotado em quase todos os seminários e faculdades teológicas como livro-base de crescimento de igreja, administração eclesiástica e eclesiologia, *Uma igreja com propósitos* tornou-se, em dez anos, um livro de referência para milhares de seminaristas, pastores e líderes cristãos de todo o Brasil e em outros paises. É uma obra de referência em todas as boas bibliotecas. Posso afirmar que poucas obras sobre ministério pastoral têm causado um impacto tão grande e duradouro quanto esta. Vale ressaltar que, embora seu autor traga uma proposta clara para estruturação e organização de uma igreja equilibrada e saudável — dirigida pelos cinco propósitos bíblicos: *adoração, comunhão, discipulado, ministério e evangelismo* —, mesmo pastores que não a têm aplicado integralmente em suas igrejas podem atestar a influência positiva que esta obra trouxe para sua vida e ministério.

Certamente, historiadores, ao escreverem sobre a igreja e a transição histórica para a chamada pós-modernidade, na virada do século XX para o XXI, não deixarão de indicar a influência desta obra, e do movimento gerado por Deus na instrumentalidade de seu autor, Rick Warren bem como de sua igreja, a *Saddleback Valley Community Church*. Rick Warren é um dos homens que Deus tem levantado para escrever este capítulo da história da igreja evangélica neste tempo tão desafiador da globalização.

Como disse Thomas L. Friedman, "o mundo é plano", e este livro tem sido fator indispensável para aplainar o universo das igrejas evangélicas, criando pontes, não abismos, entre elas; gerando reavaliações, novos paradigmas e conceitos e promovendo contextualizações.

Com quase 2 milhões de cópias vendidas, em mais de 40 idiomas, e plena aceitação no mercado brasileiro, esta obra chega aos 10 anos de edição com uma proposta atual e relevante para toda e qualquer igreja. Ao longo desses anos, esteve vários meses seguidos nas listas dos mais vendidos na história da Editora. É por causa do movimento vivo e crescente de igreja com propósitos, no Brasil e no mundo de língua portuguesa, que estou convicto de que este livro continuará influenciando futuras gerações de pastores e líderes por muito tempo.

A proposta bíblica e pragmática de *Uma igreja com propósitos* está definitivamente provada e comprovada; é viável para o Brasil, de fácil contextualização e adaptação às diferentes realidades de uma nação plural como a nossa. Não se trata de modelos humanos, igrejas dirigidas por personalidades, regras nem de tradições cegas e limitadas. Particularmente tenho visto o que Deus pode e quer fazer por meio dos conceitos bíblicos compartilhados neste livro, a começar da igreja que tenho o privilégio de pastorear.

Hoje existem milhares de ministérios no Brasil e no mundo que foram transformados pela aplicação desses princípios e dessa proposta organizacional, isso sem afetar a essência doutrinária e visionária de cada realidade local. Naturalmente, o sucesso da implantação desse modo de ser não se restringe à leitura do livro por parte do pastor e da liderança, mas começa por esse caminho, e posso afirmar que o fator definitivo para o sucesso da implantação é a sabedoria de cada líder em seu processo de liderança.

Se você já leu esta obra há alguns anos, releia-a. Se não a leu, comece agora mesmo. Certamente Deus vai usá-la para abençoar sua vida e ministério!

Você tem em mãos um clássico que continuará falando e influenciando as próximas gerações de líderes cristãos por muitos anos. Parabéns!

CARLITO M. PAES
Pastor sênior da Primeira Igreja Batista em S. J. dos Campos-SP,
presidente do Ministério Propósitos Brasil e coordenador para o Brasil
do *Purpose Driven Ministries*, conferencista e escritor.

Apresentação

Deus não poderia ter-me dado um "filho no ministério" tão amado e tão trabalhador quanto Rick Warren. Conheci-o em 1974, quando ele ainda era um universitário ousado que dirigiu 500 quilômetros para participar da Convenção Batista em San Francisco. Por meio das mensagens que ouviu, Deus chamou-o para investir a vida como pastor e educador cristão. Para mim, é grande honra ser chamado seu "pai no ministério".

Em 1980, Warren formou-se no Seminário Teológico Batista do Sudoeste [Southwestern Baptist Theological Seminary], na cidade de Fort Worth, Texas, e mudou-se com a mulher para o sul da Califórnia a fim de iniciar a Igreja Saddleback, que começou na sala de estar da casa deles, com apenas uma família. Hoje [27 anos depois], ela é conhecida como a igreja batista que mais cresce na *história* americana. A média de frequência no fim de semana é superior a 25 mil pessoas, numa bela e espaçosa área de 300 mil metros quadrados. Isso é suficiente para comprovar que Rick Warren sabe o que diz. Em 1995, a Igreja Saddleback foi eleita "Igreja-Chave do Ano", pela Junta de Missões Nacionais da Convenção Batista do Sul dos Estados Unidos.

Uma igreja com propósitos conta a emocionante história de Saddleback. Este livro explica as convicções, os princípios e as práticas que contribuíram para a edificação de uma das mais eficazes igrejas do continente americano.

O ministério de Rick Warren tem suas raízes e fundamento na infalível Palavra de Deus, na liderança ungida pelo Senhor e num coração que genuinamente ama o povo de Deus. Alguns chamariam Saddleback de "megaigreja", mas ela tem crescido *sem prejudicar a missão ou a doutrina* da igreja neotestamentária. O que Deus tem feito entre eles é maravilhoso.

Nas últimas duas ou três décadas, o crescimento de muitas igrejas tem sido meramente biológico ou resultado da transferência de membros. Isso não ocorre na Igreja Saddleback. Ela defende a ideia de que as igrejas dinâmicas do século XXI devem comprometer-se em crescer por meio da conversão de almas. Rick Warren compreende a forma de pensar dos sem-igreja dos dias de hoje. Se nosso povo realmente deseja ser bem-sucedido na evangelização da sociedade — que está se tornando mais pagã a cada dia —, precisa entender a forma de pensar dos não-cristãos.

Warren desencoraja as igrejas que tentam se tornar "cópias" da Saddleback. Na verdade, o autor estimula cada uma a invadir esta sociedade materialista e humanista com a mensagem transformadora de Cristo, utilizando métodos contemporâneos, mas sem corromper as verdades bíblicas. Essa é a razão de ser deste livro.

Uma igreja com propósitos ajudará todas as igrejas, independentemente de tamanho, a recuperar a missão da igreja neotestamentária. Minha oração é que milhares de pastores, líderes, professores de escola bíblica e outros líderes espirituais leiam este livro. Certa vez, ouvi alguém dizer: "A mente é como o pára-quedas: só funciona quando está aberta". É assim que este livro deve ser lido.

Que Deus possa abençoá-lo, qualquer que seja seu ministério. Seja fiel a Cristo e à sua Igreja até que ele volte.

W. A. Criswell
Pastor emérito da Primeira Igreja Batista de Dallas, Texas

Surfando nas ondas espirituais

*Eu sou o Senhor, o seu Deus, que agito o
mar para que suas ondas rujam.*
Isaías 51.15

O sul da Califórnia é bem conhecido por suas praias. É a parte dos Estados Unidos onde se popularizaram as músicas dos Beach Boys, os filmes de festa na praia e, principalmente, o *surf*. Embora o *skate* seja mais praticado pela maioria das crianças americanas (que não têm praia para surfar), o surfe ainda é popular na região. Esse esporte faz parte do currículo de muitas de nossas escolas.

Se você assistir a uma aula de *surf*, aprenderá tudo que precisa saber: como escolher o equipamento certo, como usá-lo apropriadamente, como saber se uma onda é "surfável", como "pegar" uma onda e permanecer nela o máximo de tempo possível e, o mais importante de tudo, como cair da onda sem ser engolido por ela. No entanto, você nunca irá achar um curso que ensine "como criar uma onda".

Surfar é a arte de "pegar" as ondas criadas por Deus. Ele faz as ondas, e os surfistas somente as "pegam". Nenhum surfista tenta criar ondas. No dia em que não há ondas, eles simplesmente não podem surfar! No entanto, quando o mar está bom para o esporte, eles tiram o máximo proveito dele, mesmo que tenham de surfar durante um temporal.

Muitos livros e conferências sobre crescimento de igreja pertencem à categoria "Como criar ondas". Tentam fabricar a onda do Espírito de Deus, usando artifícios, programas ou técnicas de *marketing* para gerar crescimento. *Isso, entretanto, não pode ser criado pelo homem!* Só Deus pode soprar nova vida no vale de ossos secos. Somente ele pode criar ondas, sejam de avivamento, sejam de crescimento ou de receptividade espiritual.

Paulo disse sobre a Igreja de Corinto: "Eu plantei, Apolo regou, *mas Deus é quem fez crescer*" (1Co 3.6). Observe a parceria: Paulo e Apolo fizeram a parte deles, mas Deus deu o crescimento. A soberania do Pai é um fator negligenciado em quase todos os livros que hoje se produzem sobre crescimento de igreja.

Nosso trabalho como líderes, assim como o dos surfistas experientes, é reconhecer a onda do Espírito de Deus e "pegá-la". Não é nossa responsabilidade *criar* ondas, e sim reconhecer que Deus está atuando no mundo e unir-nos a ele nessa jornada.

Ao observar os surfistas, temos a impressão de que surfar é muito fácil. Na verdade, é um esporte que requer grande habilidade e equilíbrio. "Pegar" uma onda de crescimento espiritual também não é fácil. Requer mais que desejo e dedicação. É preciso discernimento, paciência, fé, habilidade e, o mais importante, *equilíbrio*. Pastorear uma igreja em crescimento, assim como surfar, pode parecer fácil para o leigo, mas não é. Requer maestria em certas habilidades.

Deus está criando ondas de pessoas receptivas ao evangelho. Por causa da abundância de problemas em nosso mundo contemporâneo, muitos estão abertos às boas-novas de Cristo, mais que em qualquer outra época. Infelizmente, nossas igrejas estão perdendo as ondas espirituais que podem trazer reavivamento, saúde espiritual e crescimento explosivo, pois não há quem lhe ensine as habilidades necessárias.

Na Igreja Saddleback, jamais tentamos criar uma onda. Isso é serviço de Deus. Contudo, *temos* tentado identificar as ondas que ele põe em nosso caminho e estamos aprendendo a "pegá-las". Aprendemos a utilizar o equipamento certo, bem como a reconhecer a importância do equilíbrio. Também aprendemos a cair fora da onda quando ela começa a morrer, o que ocorre tão logo percebamos que Deus deseja fazer algo novo. O mais impressionante é que, *quanto mais habilidosos nos tornamos em "pegar" as ondas de crescimento, mais ondas o Pai nos envia.*

Em minha opinião, vivemos o período mais empolgante da história da Igreja. Excelentes oportunidades e tecnologias poderosas estão disponíveis para nossas congregações. E o mais importante, experimentamos um mover do Espírito de Deus sem precedentes em muitas partes do mundo hoje.

Creio que Deus envia as ondas de crescimento para onde seu povo esteja preparado para "pegá-las". Nunca, na história do cristianismo, houve igrejas tão grandes como as de hoje. E a maioria delas não está nos EUA. Embora a história dessas igrejas seja muito interessante, acredito que a maioria delas ainda está para ser construída. Talvez você seja a pessoa escolhida por Deus para fazer isso.

O Espírito de Deus está se movendo poderosamente em todos os lugares. Minha oração ao iniciar o dia é esta: "Pai, sei que hoje irás realizar coisas admiráveis no mundo. Por favor, concede-me o privilégio de tomar parte em algumas delas". Os líderes de igrejas deveriam parar de orar assim: "Senhor, abençoa o que estou fazendo", e começar a orar desta maneira: "Pai, ajuda-me a fazer o que estás abençoando".

Neste livro, identifico alguns princípios e métodos que Deus está usando para alcançar esta geração para Cristo. Não pretendo ensinar você a criar uma onda do Espírito, pois isso não é possível, mas *posso* ensiná-lo como reconhecer o que Deus está fazendo, como cooperar com o que ele está fazendo e como tornar-se mais hábil em "pegar" as ondas de bênçãos divinas.

> A pergunta errada:
> *"O que fará nossa igreja crescer?"*.
>
> A pergunta certa:
> *"O que está impedindo o crescimento de nossa igreja?"*.

O problema de muitas igrejas é que começam com a pergunta errada. Elas perguntam: "O que *fará* nossa igreja crescer?". Isso é sinal de falta de compreensão da questão, é como perguntar "Como podemos construir uma onda?" A pergunta correta é: "O que está *impedindo* o crescimento de nossa igreja?". Ou: "O que está bloqueando as ondas que Deus põe em nosso caminho? O que está impedindo o crescimento?".

Todas as coisas vivas crescem. Não é necessário um trabalho especial para que isso ocorra. É um processo natural em seres vivos saudáveis. Não preciso *mandar* meus três filhos crescerem, por exemplo. Eles crescem naturalmente. Desde que eu evite determinados obstáculos, como alimentação e ambiente inadequados, o crescimento deles será automático. Se não estiverem crescendo, algo deve estar errado. A falta de crescimento geralmente indica algum problema de saúde, possivelmente uma doença.

Da mesma forma, sendo a igreja um organismo vivo, é natural que cresça, se estiver saudável. A igreja é um corpo, não um negócio. É um organismo, não uma organização. Ela está viva. Se uma igreja não cresce, ela está morrendo.

Quando o corpo humano deixa de funcionar normalmente, dizemos que ele está *doente*. Se o corpo de Cristo sofre algum desequilíbrio, ele adoece. Muitas doenças podem ser identificadas nas sete igrejas do Apocalipse.

> A chave para as igrejas do século XXI será a *saúde* espiritual, não o crescimento.

A saúde é restabelecida quando todas as coisas são trazidas de volta ao equilíbrio.

A tarefa da liderança da igreja é descobrir e remover as barreiras e doenças que restringem o crescimento, para que haja um desenvolvimento natural e sadio. Setenta anos atrás, Roland Allen, em um dos seus escritos sobre missões, chamou a esse desenvolvimento "expansão *espontânea* da igreja". É o tipo relatado em Atos dos Apóstolos. Sua igreja experimenta isso? Se não está acontecendo, você deve perguntar por quê.

A chave para as igrejas do século XXI será a *saúde* espiritual, não o crescimento. E este livro é exatamente sobre isso. Se nos concentrarmos apenas no crescimento, estaremos nos desviando da verdadeira meta. Quando a igreja é saudável, ela cresce conforme Deus determinou. Igrejas saudáveis não necessitam de atrativos para crescer: elas crescem naturalmente.

Paulo explica: "Trata-se de alguém que não está unido à Cabeça, a partir da qual todo o corpo, sustentado e unido por seus ligamentos e juntas, efetua o crescimento dado por Deus" (Cl 2.19). Note que Deus *quer* que a igreja cresça. Se sua igreja é genuinamente saudável, você não precisa se preocupar com o crescimento.

Vinte anos de observação

Tenho dedicado mais de trinta anos ao estudo do crescimento de igrejas, independentemente de tamanho. Em minhas viagens como professor da Palavra de Deus, evangelista e, mais tarde, treinador de pastores, visitei centenas de igrejas ao redor do mundo. Em cada visita, fazia anotações sobre os motivos de algumas estarem saudáveis e em expansão e de outras se mostrarem doentes e estagnadas. Conversei com milhares de pastores e entrevistei centenas de líderes e professores sobre o que eles observavam nas igrejas. Há alguns anos, escrevi para as cem maiores igrejas dos Estados Unidos e passei um ano pesquisando o ministério de cada uma. Já li quase todos os livros publicados sobre crescimento de igreja.

Passei muito tempo estudando o Novo Testamento. Li-o várias vezes, estudando-o com os olhos voltados para a questão do crescimento, buscando os exemplos, princípios e procedimentos. É o melhor livro já escrito sobre o tema. Para as coisas *realmente* importantes, não há nada a ser acrescentado. É o manual do proprietário para a igreja.

Aprecio também os escritos sobre a história da Igreja. Fico surpreso com o fato de que muitos conceitos "inovadores" ou "contemporâneos" não apresentem ideias novas. Tudo parece novo se você não conhece a História. Muitos métodos que levantam a bandeira da "mudança" são recursos antigos ligeiramente modificados. Alguns funcionam, outros não. É uma verdade bem conhecida que quem desconhece as lições da História fatalmente repetirá os erros cometidos no passado.

Minha maior fonte de aprendizado tem sido compartilhar o que Deus tem feito na igreja que pastoreio, onde aprendi o que nenhum livro, seminário ou professor poderia me ensinar. Em 1980, Fundei a Saddleback Valley Community Church, no condado de Orange, na Califórnia, e durante esse tempo testei, apliquei e avaliei os princípios, processos e práticas contidas neste livro. A Saddleback tem servido de laboratório, e aqui estão nossas conclusões. Como em uma pesquisa laboratorial, experimentamos todos os tipos de técnicas de evangelismo, ensino, treinamento e envio de missionários, e os resultados têm sido gratificantes, para a glória de Deus. Frequentemente, sinto-me humilhado pelo poder divino, ao ver como Deus usa pessoas comuns de maneira extraordinária.

Demorei vinte anos para escrever este livro porque não queria fazê-lo prematuramente. Deixei que os conceitos tomassem forma, se desenvolvessem e amadurecessem. Nada neste livro é teoria — a última coisa que precisamos é de outra teoria sobre crescimento de igreja. Precisamos de respostas eficazes para os problemas reais enfrentados pelas comunidades.

Os princípios deste livro foram testados muitas vezes, não somente na Igreja Saddleback, mas em muitas outras igrejas com propósitos, nos mais diversos lugares e de todos os tamanhos, formas e denominações. A maioria dos exemplos são da Igreja Saddleback porque estou mais familiarizado com nossa comunidade. Todos os dias, porém, recebo uma carta de alguma igreja que também adotou esses princípios e que tem sido capaz de "pegar" as ondas de crescimento enviadas por Deus.

Aos pastores, com amor

Este livro foi escrito para qualquer pessoa interessada em ajudar sua igreja a crescer, embora, como pastor, meu jeito de escrever seja naturalmente inclinado à perspectiva de outros pastores. Venho de uma longa tradição de pastores na família. Meu bisavô converteu-se por meio da pregação de Charles Spurgeon em seu histórico trabalho em Londres. Ele veio para os Estados Unidos como pioneiro no ministério itinerante.

Meu pai e meu sogro são pastores — ambos recentemente celebraram o 50º aniversário de ministério. Minha irmã é casada com um pastor. Quanto a ministério, passei parte de minha infância no *campus* de um seminário, onde meu pai trabalhava. Por causa disso, sinto um grande amor pelos pastores e gosto muito de estar com eles. Sofro quando eles sofrem. Creio que são os líderes mais desprezados em nossa sociedade.

Minha maior admiração é pelos milhares de pastores bivocacionados, que complementam sua renda com trabalho secular quando a igreja que pastoreiam é pequena demais para oferecer-lhes um sustento de tempo integral. Para mim, eles são heróis da fé e receberão grandes honras no céu. Tenho sido abençoado com a oportunidade de custear treinamentos e experiências que não estão disponíveis a eles e sinto-me obrigado a compartilhar neste livro o que me ensinaram.

Os pastores são os mais estratégicos agentes de mudança para lidar com os problemas da sociedade. Muitos políticos já admitem que um avivamento espiritual é a única solução. Recentemente, li uma declaração de um ex-secretário de Estado, William Bennett, na revista *American Enterprise*:

"Os problemas que mais afetam nossa sociedade hoje se manifestam nas áreas moral, comportamental e espiritual. Assim, são bastante resistentes aos remédios do governo". Não parece irônico que políticos estejam reconhecendo a necessidade de uma solução *espiritual* enquanto muitos cristãos acreditam numa solução política? Não há dúvida de que o declínio moral de nossa sociedade nos posicionou num campo de batalha e, ao mesmo tempo, num imenso campo para missões. Devemos lembrar que Cristo também morreu pelos que estão do outro lado da peleja.

> Os pastores são os mais estratégicos agentes de mudança para lidar com os problemas da sociedade

É um grande privilégio e uma tremenda responsabilidade ser pastor de uma igreja local. Se eu não acreditasse que os pastores fossem instrumentos adequados para fazer diferença no mundo, estaria fazendo outra coisa, porque não pretendo desperdiçar minha vida. Hoje, o ministério pastoral é centena de vezes mais complexo que na geração passada. Até nas melhores circunstâncias, o trabalho é extremamente difícil. Mas há também vários recursos que não existiam antes, e temos de fazer uso deles. A chave é nunca parar de aprender.

Se você é pastor, minha oração é a de que este livro possa encorajá-lo. Espero que ele possa ser tanto instrutivo *quanto* inspirador. Os livros dos quais tenho recebido maior ajuda misturam fatos e fogo. Meu desejo é que você assimile não somente os princípios que compartilho, mas também a paixão que sinto em relação aos propósitos de Deus para a Igreja dele.

Amo a Igreja de Jesus Cristo de todo o meu coração. Independentemente das falhas (por causa do *nosso* pecado), ainda assim é o mais magnífico de todos os conceitos. Ela tem sido um canal para as bênçãos de Deus há dois mil anos. Sobreviveu a persistentes abusos, perseguições terríveis e negligência universal. Organizações paraeclesiásticas e outros grupos cristãos vêm e vão, mas a Igreja existirá por toda a eternidade. Vale a pena dar a vida por ela, que merece o melhor de nós.

"Já ouvi isso antes"

Tenho certeza de que você, ao ler este livro, diante de determinados conceitos e pensamentos dirá: "Já ouvi isso antes". Espero que sim! Este livro contém muitos dos princípios ensinados no seminário "Uma igreja com propósitos", que já ministrei a mais de 400 mil pastores. Além disso, líderes de igrejas de cem países e centenas diferentes denominações encomendaram as fitas. Por isso, alguns conceitos ensinados aqui já são bem conhecidos.

Na estante de meu escritório, tenho mais de uma dúzia de livros escritos por pessoas que treinei e que publicaram minhas ideias antes de mim. Isso não importa. Estamos no mesmo time. Fico satisfeito que pastores estejam sendo ajudados com isso. Honestamente, uma das razões pelas quais esperei vinte anos para escrever este livro é que estava muito ocupado *trabalhando* com as ideias contidas nele!

Mais de cem teses de doutorado foram escritas sobre o crescimento da Saddleback. Temos sido dissecados, analisados, pesquisados e avaliados por mentes bem mais capazes que a minha. "Será que já não foi escrito o suficiente?", você pode perguntar. "Por que *outro* livro?" O que espero oferecer é a perspectiva de quem está do lado de dentro. Os que analisam de fora raramente identificam a real causa do crescimento.

Você já ouviu que "é sábio aprender pela experiência". Mais sábio, porém, é aprender por meio da experiência alheia. E menos doloroso! A vida é muito breve para aprendermos tudo por experiência pessoal. Você pode economizar muito tempo e energia observando as lições duramente aprendidas por outras pessoas. Esse é o propósito de livros como este. Ficarei muito feliz se conseguir poupar você da dor que experimentamos enquanto aprendíamos por meio de tentativas e erros os princípios expressos neste livro.

Se o surfista não "pega" a onda corretamente e "toma um caldo", nem por isso desiste de surfar. Ele nada de volta para o mar e espera pela próxima grande onda que Deus mandar. Uma coisa que observei nos surfistas de sucesso é que *eles são persistentes*.

Talvez você já tenha quase se afogado algumas vezes em seu ministério. Talvez tenha perdido algumas ondas. Isso não significa que deva desistir. O mar não secou. Ao contrário, Deus hoje está criando no mundo as melhores ondas que já vi. Minha esperança, como companheiro de onda, é ensiná-lo a aproveitar o que Deus está fazendo no mundo. Vamos pegar uma onda?

Parte um

Observando o todo

1
A história da Igreja Saddleback

*Uma geração contará à outra a grandiosidade dos
teus feitos; eles anunciarão os teus atos poderosos.*
Salmos 145.4

*O Senhor seja engrandecido! Ele tem
prazer no bem-estar do seu servo.*
Salmos 35.27

Em novembro de 1973, um amigo da escola e eu dirigimos 500 quilômetros para ouvir o dr. W. A. Criswell falar no Jack Tar Hotel, em San Francisco. Criswell era um conhecido pastor da maior igreja batista do mundo, a Primeira Igreja Batista de Dallas, Texas. Para mim, um jovem batista, a oportunidade de escutar Criswell era equivalente à de um católico escutar o papa. Eu estava determinado a ouvir aquela lenda viva.

Eu sentira o chamado de Deus para o ministério três anos antes e já trabalhava como evangelista no então colegial. Embora tivesse apenas 19 anos, já havia pregado em cultos de avivamento em cerca de 50 igrejas. Não tinha dúvida de que Deus me havia chamado para o ministério, mas não estava convencido de que ele queria que eu fosse pastor.

Acredito que W. A. Criswell foi o maior pastor americano do século XX. Ele pastoreou a Primeira Igreja Batista de Dallas por 50 anos, escreveu mais de 50 livros e desenvolveu a igreja-modelo mais conhecida e imitada no século passado. Além de pregador eloquente e grande líder, foi um gênio da organização. Muitos pensam em tradicionalismo quando lembram Criswell, mas, na realidade, seu ministério foi incrivelmente inovador. Só se tornou tradicional depois que todos começaram a imitá-lo!

Hoje, com determinada frequência, ouvimos falar de "pastores celebridades" cuja estrela brilha forte por alguns anos e depois se apaga. É fácil fazer uma estrela brilhar. Mas o ministério do dr. Criswell durou meio século em uma *única* igreja! Não foi algo passageiro, pois resistiu às armadilhas do tempo. Para mim, este é o verdadeiro sucesso: *amar, liderar com firmeza e assim prosseguir até o fim.* O ministério é uma maratona. O que importa não é como você começa, e sim como termina. E como se chega ao final? A Bíblia diz que "o amor nunca perece" (1Co 13.8). Se você ministrar com amor, jamais poderá se considerar um fracassado.

Enquanto escutava aquele grande homem pregar, Deus falou claramente comigo, convocando-me ao pastorado. Ali mesmo, prometi a Deus que entregaria minha vida ao serviço de uma única igreja, se ele assim quisesse.

> O ministério é uma maratona. O que importa não é como você começa, e sim como termina.

Depois do culto, meu amigo e eu esperamos na fila para apertar a mão do dr. Criswell. Quando, finalmente, chegou minha vez, algo inesperado aconteceu. Ele olhou para mim com os olhos cheio de bondade e disse, com firmeza: "Rapaz, sinto vontade de impor minhas mãos sobre sua cabeça e orar por você". Então ele colocou as mãos sobre mim e orou. Jamais esquecerei suas palavras: "Pai, peço-te que dês a este jovem uma porção dobrada de teu Espírito. Faze que a igreja que ele venha a pastorear cresça duas vezes mais que a igreja de Dallas. Abençoa-o grandiosamente, Senhor".

Enquanto me afastava com lágrimas nos olhos, disse a meu amigo Danny: "Ele orou o que eu acho que ele orou?". "Pode ter certeza", disse meu amigo, também emocionado. Eu não conseguia imaginar Deus me usando da forma em que o dr. Criswell orou, mas aquela experiência confirmou em meu coração que Deus me havia chamado para pastorear uma igreja.

A história por trás dos métodos

Toda teologia tem um contexto. Não se pode entender a teologia de Lutero sem entender a vida do reformador e a maneira maravilhosa pela qual Deus trabalhou no mundo da época. Você também não pode apreciar totalmente a teologia de Calvino sem entender as circunstâncias nas quais ele forjou seus credos.

Da mesma forma, toda *metodologia* tem uma história atrás de si. Muitos olham para as chamadas megaigrejas e creem que elas sempre foram grandes. Esquecem-se de que toda igreja grande começou pequena. Nenhuma igreja se torna grande sem enfrentar problemas, aflições ou decepções durante o período de crescimento. A construção de nosso templo, por exemplo, só foi realizada quinze anos depois de a igreja ter sido organizada. O fato de nos reunirmos tantos anos sem sede própria ajudou-nos a planejar nossa estratégia de alcance, conservação e crescimento e também a manter-nos concentrados nas pessoas, criando assim uma atmosfera favorável a mudanças.

Para pôr em prática os métodos descritos neste livro é necessário entender o contexto em que se desenvolveram. Sem essa percepção, você ficará apenas copiando o que fizemos, sem considerar o contexto. *Por favor, não faça isso!* Procure enxergar além dos métodos a fim de identificar os princípios transferíveis nos quais os métodos foram baseados. Mais tarde, esses princípios serão nomeados, mas primeiro você precisa conhecer um pouco da história da Saddleback.

Muito pouco do ministério da Igreja Saddleback foi planejado. Quando dei início ao trabalho, não tinha nenhuma estratégia de longo prazo. Sabia que Deus me havia chamado para implantar uma igreja fundamentada nos cinco propósitos do Novo Testamento. Tinha a cabeça cheia de ideias e queria experimentar todas elas. Cada inovação que desenvolvíamos era simplesmente *uma resposta* às circunstâncias. Não planejei nada. A maioria das pessoas pensa que "visão" é a capacidade de ver o futuro. Mas num mundo de mudanças rápidas como hoje, visão é também a capacidade de ver as oportunidades dentro das suas circunstâncias atuais. Visão é estar atento às oportunidades.

> Visão é a capacidade de ver as oportunidades dentro das suas circunstâncias atuais.

Saddleback é uma igreja nova, e sou o fundador. Assim, tivemos a chance de experimentar mais ideias que muitas igrejas. Isso foi possível porque não precisávamos lidar com décadas de tradição (embora tivéssemos muitos *outros* problemas que igrejas mais antigas não têm!). Nos primeiros anos, não tínhamos nada a perder, então tentamos todo tipo de recursos. Cometemos falhas espetaculares. Gostaria de dizer que todos os nossos bons resultados ocorreram exatamente como planejamos, mas não é verdade. Eu não sou tão inteligente assim! A maior parte de nosso êxito é resultado de tentativa e erro. Em muitas ocasiões, nossas descobertas foram puramente acidentais!

Um de meus filmes favoritos é *Caçadores da arca perdida*. Num momento de perigo, alguém pergunta a Indiana Jones: "O que vamos fazer agora?". Ele responde: "Como vou saber? Estou dançando conforme a música!". Como pastor da Saddleback, senti-me assim muitas vezes. Tínhamos uma ideia e, se funcionasse, agíamos como se tivéssemos planejado tudo!

Mark Twain disse certa vez: "Conheci um homem que agarrou um gato pelo rabo e aprendeu 40% mais sobre gatos do que o homem que nunca agarrou nenhum". Nós, da Saddleback, temos agarrado o gato pelo rabo desde o início, e os arranhões e cicatrizes são prova disso.

A verdade é que tentamos mais coisas que não deram certo do que coisas que funcionaram. Nunca tivemos medo do fracasso. A tudo chamamos "experiência". Poderia escrever outro livro apenas com a história de nossos fracassos e chamá-lo *Mil maneiras de evitar o crescimento da igreja*!

Minha busca de princípios

Em 1974, trabalhei como estudante-missionário no Japão. Vivi com um casal de missionários da Convenção Batista do Sul, em Nagasaki. Um dia, enquanto vasculhava a biblioteca do missionário, achei uma velha cópia da *HIS* — uma revista para estudantes evangélicos publicada pela InterVarsity Christian Fellowship.

Enquanto a folheava, algo me chamou a atenção: a foto de um homem de cavanhaque, cujos olhos brilhavam intensamente. O título do artigo era mais ou menos assim: "Por que este homem é perigoso?". Então me sentei e li o artigo, que era sobre Donald McGavran. Não poderia ter imaginado que aquela leitura causaria em meu ministério um impacto tão grande quanto meu encontro com o dr. Criswell.

O artigo informava que McGavran, missionário nascido na Índia, passara todo o seu ministério estudando o que faz uma igreja crescer. Anos de pesquisa levaram-no a escrever *The Bridges of God* [As pontes de Deus] em

1955 e mais uma dúzia de livros sobre crescimento de igreja, hoje considerados clássicos.

Assim como usou o dr. Criswell para tornar mais claro meu chamado ministerial, Deus usou também os livros de Donald McGavran para reforçar minha ideia de implantar uma igreja, em vez de pastorear uma já estabelecida, conforme Paulo declara em Romanos 15.20: "Sempre fiz questão de pregar o evangelho onde Cristo ainda não era conhecido, de forma que não estivesse edificando sobre alicerce de outro".

McGavran desafiou de forma brilhante a concepção popular de crescimento de igreja com uma teoria bíblica simples e lógica, porém apaixonante, demonstrando que Deus realmente quer que sua Igreja cresça e que as ovelhas perdidas sejam encontradas!

As questões levantadas por McGavran pareceram-me de especial relevância quando observei o crescimento lento e doloroso das igrejas do Japão. Fiz uma lista com oito perguntas, para as quais passei a buscar resposta:

- Quanto do procedimento das igrejas é realmente bíblico?
- Quanto do que fazemos é puramente cultural?
- Por que algumas igrejas crescem e outras morrem?
- O que leva uma igreja que cresce parar de crescer e então a declinar?
- Existem fatores comuns a todas as igrejas em crescimento?
- Existem princípios que funcionam em todas as culturas?
- O que impede o crescimento?
- Quais os mitos sobre igrejas que crescem que não são mais verdade (ou nunca foram)?

Naquele dia, após a leitura do artigo de McGavran, senti que Deus me orientava a investir minha vida na busca de princípios bíblicos, culturais e de liderança que produzissem igrejas saudáveis e que crescem. Foi o começo de uma longa jornada de estudos.

Em 1979, enquanto terminava o último ano do Seminário Teológico Batista do Sudoeste, em Forth Worth, Texas, decidi fazer um estudo sobre as cem maiores igrejas dos Estados Unidos na época. Para isso, tive de identificar todas as igrejas, o que não foi nada fácil. Estava trabalhando como auxiliar do dr. Roy Fish, professor de evangelismo no seminário. Roy, meu mentor e amigo, ajudou-me a identificar muitas igrejas. Localizei as demais pesquisando nos manuais das denominações e em revistas evangélicas.

Formulei uma série de perguntas e enviei a cada uma dessas igrejas. Embora tenha descoberto diferenças significativas quanto a estratégias, estruturas e estilos, observei que as igrejas com grande crescimento tinham alguns pontos em comum. Meu estudo confirmou o que eu já sabia por conhecer o ministério do dr. Criswell: a maioria das igrejas grandes e saudáveis estava sob a direção de um mesmo pastor desde longa data. Encontrei dezenas de exemplos. Um ministério longo não *garante* que a igreja irá crescer, mas a mudança constante de pastor é a garantia de que ela *não irá crescer.*

Imagine como seria para as crianças se elas trocassem de pai a cada dois ou três anos! Com certeza, teriam sérios problemas emocionais. Da mesma forma, a longevidade da liderança é fator crítico para o crescimento e a saúde da família-igreja. Longos pastorados proporcionam relacionamentos profundos, marcados pela lealdade. Sem esse tipo de relação, o pastor não conseguirá alcançar resultados duradouros.

> A maioria das igrejas grandes e saudáveis estava sob a direção de um mesmo pastor desde longa data.

As igrejas que vivem trocando de pastor jamais experimentarão um crescimento sólido e constante. Acredito que seja essa a razão do declínio de algumas denominações. Limitando propositadamente a administração do pastor na igreja local, criam-se pastores ineficientes do ponto de vista espiritual e administrativo. Poucos desejam seguir um líder que não estará entre eles no ano seguinte. Ainda que tal pastor proponha vários projetos, os membros ficarão hesitantes, pois serão eles os responsáveis pelas consequências depois que o líder for transferido para outra igreja.

Sabendo da importância da permanência do líder para o crescimento de uma igreja saudável, orei: "Pai, estou disposto a ir para qualquer lugar do mundo que me queiras mandar, mas peço o privilégio de investir toda a minha vida em um só local. Não importa onde seja, mas que seja para o resto de minha vida".

Que lugar no mundo?

Depois dessa oração, pendurei um mapa-múndi em nossa sala de estar e comecei a orar com minha mulher, Kay, pedindo orientação quanto ao lugar para onde ir após concluir o seminário. Este é o primeiro passo a ser dado por aquele que deseja estabelecer uma igreja: orar pedindo orientação. Provérbios 28.26 diz: "Quem confia em si mesmo é insensato, mas quem anda segundo a sabedoria não corre perigo". Antes de qualquer coisa, procure a orientação de Deus.

No começo, Kay e eu pensamos que a vontade de Deus era que fôssemos missionários em outro país. Como eu havia feito um trabalho missionário no Japão, nosso alvo eram os países asiáticos. Oramos durante seis meses, e Deus nos mostrou que iniciaríamos uma nova igreja numa grande metrópole dos Estados Unidos.

Em vez de sermos missionários, sentimos que Deus nos convocava para ser uma igreja que envia missionários. Deus nos usaria para treinar pessoas que seriam missionários em outros países. Na época, fiquei muito desapontado, mas hoje, olhando para trás, vejo a sabedoria do plano de Deus. A Igreja Saddleback causou grande impacto por meio dos muitos missionários que já enviamos, muito maior do que se eu mesmo tivesse ido.

Você pode medir a força e a saúde de uma igreja mais pela sua capacidade de *enviar* missionários que pela quantidade de *bancos* que possui. Felizmente, muitas igrejas estão envolvidas com a obra missionária. Uma pergunta que devemos fazer ao avaliar a saúde da igreja é: "Quantas pessoas estão sendo obedientes à Grande Comissão?".

Era essa a convicção que eu tinha ao fundar a Igreja Saddleback, e isso levou-me a desenvolver um processo para transformar membros em ministros e missionários, descrito neste livro.

Voltando o foco para os Estados Unidos

Já que não iríamos trabalhar em outro país, Kay e eu começamos a orar para saber em que lugar dos Estados Unidos implantaríamos a igreja. Como eu não tinha compromisso com nenhum tipo de organização, podíamos servir em qualquer lugar. Então, mais uma vez, preguei um mapa em nossa sala, desta vez dos Estados Unidos, e assinalei todas as áreas metropolitanas fora do Sul.

Toda a minha experiência e também a de quatro gerações de minha família aconteceu entre os batistas do Sul, e tenho familiares espalhados pela região. Entretanto, sabia que iria para algum lugar onde a maioria de meus amigos de seminário não desejava ir. Orei para estabelecer uma igreja em Detroit, Nova York, Filadélfia, Chicago, Albuquerque, Phoenix e Denver. Depois, descobri que os três estados americanos mais desprovidos de igrejas eram Washington, Oregon e Califórnia.

Assim, concentrei-me em quatro áreas na Costa Oeste: Seattle, San Francisco, San Diego e o Orange County. Essas áreas metropolitanas tiveram seu maior crescimento no final da década de 1970, e isso chamou minha atenção.

> Você pode medir a força e a saúde de uma igreja mais pela sua capacidade de *enviar* missionários que pela quantidade de *bancos* que possui.

Passei o verão de 1979 em bibliotecas da universidade, pesquisando os dados demográficos dessas áreas. Salomão escreve em Provérbios 13.16. "Todo homem prudente age com base no conhecimento". Para mim, isso queria dizer que eu deveria descobrir tudo sobre o lugar antes de me comprometer em investir o resto de minha vida nele. Antes de se tomar uma grande decisão, é importante perguntar: "O que preciso saber primeiramente?".

Outro texto diz: "Quem responde antes de ouvir comete insensatez e passa vergonha" (Pv 18.13). A razão pela qual muitas igrejas fracassam é terem iniciado suas atividades com um entusiasmo cego. É preciso muito mais que entusiasmo para iniciar uma igreja: é necessário sabedoria. Ter fé não significa ignorar os fatos sobre a comunidade que você escolheu.

Eu tinha 25 anos, e faltavam cinco meses para minha graduação, e Kay estava no nono mês de gravidez de nosso primeiro filho. Eu ligava para ela da biblioteca várias vezes ao dia para saber se ela estava bem.

Uma tarde, descobri que Saddleback Valley, em Orange County, ao sul da Califórnia, era a área de crescimento mais rápido da cidade nos Estados Unidos, na década de 1970. Esse fato fez-me estremecer, e meu coração disparou. Eu sabia que em qualquer lugar onde novas comunidades estivessem crescendo haveria necessidade de novas igrejas.

Sentado no porão empoeirado e mal iluminado da biblioteca da universidade, ouvi Deus falar comigo claramente: "Esse é o lugar onde quero que você implante uma igreja!". Todo o meu corpo começou a tremer de entusiasmo, e as lágrimas brotaram. Atendi à ordem divina. Não importava a falta de dinheiro, a inexistência de membros ou se nunca tivesse visto o lugar. Daquele momento em diante, nosso destino estava selado. Deus havia me mostrado o local em que ele decidira criar algumas ondas, e eu iria "pegar" a minha.

Depois disso, a primeira coisa que fiz foi descobrir o nome do diretor de missões da Convenção Batista do Sul, que era o superintendente distrital de Orange County. Seu nome era Herman Wooten. Escrevi-lhe a seguinte carta:

> Meu nome é Rick Warren. Sou seminarista no Texas. Estou planejando mudar-me para Orange County a fim de estabelecer uma igreja. Não estou pedindo dinheiro nem apoio. Apenas gostaria de saber o que o senhor pensa sobre essa área. Ela está precisando de novas igrejas?

Pela graça de Deus, aconteceu uma coisa maravilhosa. Embora nunca tivéssemos nos encontrado, Herman Wooten ouvira falar de mim e sabia de meu desejo de implantar uma igreja naquela área depois de terminar o seminário. Estava escrevendo para ele, enquanto simultaneamente ele escrevia esta carta para mim:

> Caro Warren,
> Ouvi dizer que você está interessado em estabelecer uma nova igreja na Califórnia depois de terminar o seminário. Já considerou a possibilidade de vir para Saddleback Valley, ao sul de Orange County?

Nossas cartas cruzaram-se no correio! Dois dias depois, quando abri minha caixa de correio, lá estava a carta do mesmo homem para o qual eu havia acabado de escrever. Comecei a chorar. Kay e eu sabíamos que Deus tinha algo preparado para nós.

Dois meses depois, em outubro, peguei um avião, fui para Orange County e passei dez dias ali, conhecendo a área. Durante o dia, conversava com as pessoas. Consultei corretores, a Junta Comercial, banqueiros, a Secretaria de Planejamento, moradores e outros pastores locais. Fiz anotações de tudo. Estava seguindo a orientação de Provérbios 20.18: "Os conselhos são importantes para quem quiser fazer planos".

Durante a noite, estudava os mapas locais no chão da sala de estar do dr. Fred Fisher, professor aposentado do Golden Gate Seminary, que me hospedou em sua casa, localizada na parte norte de Orange County. Enquanto analisava o material, memorizei os nomes das principais ruas de Saddleback Valley.

Uma semana depois, Kay pegou um avião para conhecer a cidade. Sempre confiei em seu discernimento espiritual quanto à liderança de Deus em minha vida. Se ela tivesse sentido alguma relutância em mudar, eu veria isso como sinal de Deus. Felizmente, a reação de Kay foi: "Estou morta de medo, mas acredito que esta é a vontade divina e acredito em você. Vamos em frente! Se Deus é por nós, quem será contra nós?". Subimos ao lugar mais alto que conseguimos encontrar, contemplamos o aglomerado de casas e nos comprometemos a investir nossa vida na construção da Valley Community Church Saddleback.

Califórnia, aí vamos nós!

Minha formatura aconteceu em dezembro. Nos últimos dias de 1979, Kay e eu colocamos o pouco que tínhamos num caminhão e mudamos do Texas para o sul da Califórnia. Nossos móveis eram velhos e já haviam sido usados por várias famílias. Éramos o quinto casal a usar aqueles móveis, mas era tudo o que possuíamos. Enquanto os embalávamos, pensei que parecia impossível um casal pobre como nós mudar para uma das comunidades mais ricas da América.

Chegamos à Califórnia cheios de esperança. Tínhamos um desafio pela frente, um novo ministério, um bebê de 4 meses e a promessa de que Deus iria nos abençoar. Mas também estávamos sem dinheiro, sem uma sede para a igreja, sem membros e sem casa. Não conhecíamos sequer uma pessoa em Saddleback Valley. Era nosso maior passo de fé até então.

Dirigimo-nos a Orange County numa sexta-feira à tarde, bem na hora do detestável congestionamento do sul da Califórnia. Eu nunca havia entendido por que diziam que aquele engarrafamento era o pior do mundo. Avançávamos a passo de tartaruga, com fome, cansados e com um bebê que não parava de chorar.

Por haver crescido numa cidade do interior com menos de 500 moradores, estava completamente despreparado para enfrentar um trânsito como aquele. Enquanto fixava o olhar nos quilômetros de carros parados à minha frente, pensei: "Onde fui me meter? Deus, escolheste a pessoa errada para esta missão! Acho que cometi um grande erro".

Finalmente, às 17 horas, chegamos a Saddleback Valley. Saí da auto-estrada e parei na primeira imobiliária que encontrei. Entrei e apresentei-me ao primeiro corretor com quem deparei. Seu nome era Don Dale. Disse-lhe com um grande sorriso: "Meu nome é Rick Warren. Estou aqui para estabelecer uma igreja. Preciso de um lugar para morar, mas não tenho dinheiro". Don abriu um largo sorriso e depois riu bem alto. Também ri. Não fazia ideia do que iria acontecer. Don disse: "Bem, vamos ver o que posso fazer". Duas horas depois, ele encontrou um apartamento para alugar, com o primeiro mês de aluguel de graça. Deus é fiel!

Enquanto dirigíamos até o apartamento, perguntei a Don se ele frequentava alguma igreja. Ele disse que não. Então disse: "Ótimo! Você será o primeiro membro de minha igreja!". E foi exatamente o que aconteceu. Comecei a Igreja Saddleback com a família do corretor e a minha. Duas semanas depois, tivemos nosso primeiro estudo bíblico — em minha casa, com sete pessoas presentes.

Depois que crescemos na fé, foi empolgante ver como nosso sustento financeiro começou a se consolidar. O pastor John Jackson levou ao conhecimento da Igreja Batista Crescent em Anaheim, na Califórnia, nossa situação financeira, e eles decidiram nos apoiar financeiramente, contribuindo com 600 dólares por mês. A Primeira Igreja Batista de Lufkin, no Texas, e a Primeira Igreja Batista de Norwalk, na Califórnia, também se comprometeram em doar 200 dólares mensais à incipiente congregação.

Certa manhã, recebi o telefonema de um homem que eu não conhecia e que se ofereceu para pagar nosso aluguel por dois meses. Ele ouvira falar da nova igreja e sentira desejo de ajudar. Outra vez, com a conta bancária quase sem saldo, minha mulher e eu saímos à procura de pessoas que estivessem vendendo artigos usados a fim de equipar o berçário da igreja, para o nosso primeiro culto. Achamos o que procurávamos e preenchi um cheque, mesmo sabendo que estávamos gastando o dinheiro das despesas da semana. Quando voltamos para casa, ao abrir a caixa de correio, encontrei o cheque de uma mulher do Texas que me ouvira pregar certa vez e conseguira descobrir nosso endereço na Califórnia. O valor do cheque era equivalente ao que havíamos gastado na compra dos materiais para o berçário: 37,50 dólares.

Eu deveria ter planejado o orçamento financeiro da nova igreja *antes* de nos mudarmos, mas não foi possível. Em vez disso, mudamos pela fé. O chamado para a obra do Senhor era muito forte, e eu estava ansioso para começar o trabalho. Gosto muito da tradução parafraseada da *Bíblia Viva*, que em Eclesiastes 11.4 diz: "Se você esperar que tudo fique normal, jamais fará qualquer coisa". Se insistir em resolver todos os problemas antes de tomar uma decisão, você jamais conhecerá o sentimento de viver pela fé. Deus, para alcançar seus propósitos, sempre usa pessoas comuns em situações imperfeitas.

> Deus, para alcançar seus propósitos, sempre usa pessoas comuns em situações imperfeitas.

Já no início de tudo víamos a confirmação do Senhor sobre nossa decisão de estabelecer uma igreja e aprendemos uma lição muito importante: "Para onde quer que Deus o mande, ele proverá". Se você é um implantador de igrejas, sublinhe essa frase. Será de grande conforto e dará forças a você em dias de dificuldade. Não importa para o que ele nos chamou, o Pai nos irá capacitar e equipar para fazermos o que ele quiser, pois sempre cumpre suas promessas.

Que tipo de igreja seremos?

Não precisei passar muito tempo no sul da Califórnia para perceber que na área existiam muitas igrejas evangélicas. Alguns dos melhores pastores da América ministravam a pouca distância de nossa igreja.

Em qualquer domingo, você poderia ir ouvir Chuck Swindoll, Chuck Smith, Robert Schuller, John MacArthur, E. V. Hill, John Wimber, Jack

Hayford, Lloyd Ogilvie, Charles Blake, Greg Laurie, Ray Ortlund ou John Huffman. Se você cronometrasse o tempo, poderia ouvir dois ou três desses pastores no mesmo domingo. A maioria deles também estava no rádio e na televisão do sul da Califórnia.

Além do mais, quando cheguei, existiam pelo menos duas dúzias de igrejas com excelente estrutura de ensino bíblico na área de Saddleback. A princípio, concluí que todos os cristãos da região já estavam envolvidos com uma boa igreja ou, pelo menos, tinham boas opções.

Decidi que não iríamos fazer nenhuma tentativa de atrair cristãos de outras igrejas nem usar líderes de outras congregações da região para começar a nossa.

> Para onde quer que Deus o mande, ele proverá.

Meu chamado era para alcançar os não-cristãos, e eu estava determinado a começar por eles, em vez de formar uma base com cristãos já comprometidos. Essa não era a maneira indicada nos livros para estabelecer uma igreja, mas senti que era isso que Deus queria. Nosso foco seria alcançar os sem-igreja para Cristo, pessoas que por alguma razão não frequentavam nenhuma das igrejas existentes.

Nunca encorajamos nenhum cristão a pedir carta de transferência para nossa igreja. Na verdade, fazíamos o contrário. Não queremos um crescimento por deslocamento. A cada curso de novos membros, dizíamos: "Se você está vindo de outra igreja para Saddleback, precisa entender que esta igreja não foi planejada para você. Ela é direcionada para alcançar os 'sem-igreja'. Se você está vindo de outra igreja, é bem-vindo aqui, isto é, se estiver disposto a servir e ministrar. Se pretende apenas frequentar os cultos, seria melhor ceder o lugar a alguém que não seja cristão. Existem várias igrejas com excelente estrutura doutrinária nesta região que podemos recomendar".

Essa atitude pode parecer severa, mas creio que estamos seguindo o exemplo de Jesus, que define assim o alvo ministerial: "Não são os que têm saúde que precisam de médico, mas sim os doentes. Eu não vim para chamar justos, mas pecadores" (Mc 2.17). Na Saddleback, constantemente lembrávamos essa declaração. Isso ajudou a manter nossa meta original: trazer os sem-igreja e os sem-religião de nossa comunidade para Cristo.

Para compreender a maneira de pensar dos californianos sem-igreja, passei as primeiras 12 semanas após minha mudança visitando pessoas de porta em porta e conversando com todo mundo. Mesmo sabendo que o que elas *realmente* precisavam era de um relacionamento com Cristo, queria saber quais eram suas maiores necessidades. Isso não é *marketing*; é apenas ser educado.

Aprendi que muitas pessoas não ouvem sem serem ouvidas primeiro. As pessoas não se importam com quanto sabemos até que saibam quanto nos importamos com elas. Uma conversa inteligente e amigável abre portas para evangelizar os não-cristãos mais rapidamente que qualquer outra estratégia. *Não* é tarefa da igreja dar às pessoas o que elas querem ou necessitam. A maneira mais eficiente de construir uma ponte para alcançar os sem-igreja é demonstrar interesse, mostrando que você entende os problemas que estão enfrentando. Preencher as necessidades, sejam reais, sejam imaginárias, é um bom começo para expressar amor às pessoas.

Eu não sabia que a pesquisa que estava realizando na comunidade era chamada estudo de "*marketing*". Para mim, era uma maneira de conhecer as pessoas que pretendia alcançar. As pessoas que frequentavam nosso pequeno estudo bíblico nos ajudaram a pesquisar. Ironicamente, boa parte dos que participavam de nosso grupo e nos ajudavam na pesquisa era também de sem-igreja.

Marcando a data: o "dia D"

Após algum tempo, decidimos marcar o primeiro culto para o Domingo de Páscoa. Coincidentemente, nesse dia se completariam 12 semanas de nossa mudança para Orange County. Eu não tinha nenhuma intenção de passar mais que três meses realizando estudos bíblicos nos lares. Queria começar o mais cedo possível com os cultos de celebração num lugar público. Também não podia perder a oportunidade de começar o trabalho no Domingo de Páscoa.

Se uma família de sem-igreja decidisse ir à igreja uma vez ao ano, a possibilidade de isso acontecer na Páscoa seria muito grande. Era o dia ideal para começar um culto planejado para atrair os não-cristãos. Percebi que talvez eles não voltassem na outra semana, mas certamente eu teria um bom número de pessoas no primeiro culto e assim obteria uma boa lista de nomes e endereços para futuros contatos.

Durante as semanas que precederam o dia marcado, nossos estudos bíblicos já contavam com a presença de 15 pessoas. Após o estudo, trabalhávamos arduamente no planejamento de nosso primeiro culto. Também discutíamos os dados da pesquisa que fizéramos na comunidade. Após oito semanas, analisei o que havíamos aprendido sobre os não-cristãos e as barreiras que levantavam quanto à igreja e à filosofia ministerial. Essa foi a base para nossa estratégia evangelística.

Em seguida, escrevi uma carta aberta aos sem-igreja com os quais havíamos feito a pesquisa. Não sabia nada sobre mala-direta, *marketing* ou propaganda. Imaginei que uma carta seria a maneira mais rápida de tornar conhecida a nova igreja. Sabia também que boa parte dos moradores de Saddleback morava em condomínios cercados por um forte esquema de segurança e não havia jeito de fazer contato pessoal, como a visitação de porta em porta.

Escrevi e reescrevi a carta dezenas de vezes. Fiquei pensando: "O que diria se tivesse apenas uma chance de falar com todos os sem-igreja desta comunidade? Como fazer isso de maneira que desarme objeções e preconceitos que eles têm em frequentar uma igreja?".

A primeira frase da carta descreve claramente nossa meta e proposições. Era assim: "Até que enfim! Uma nova igreja para aqueles que desistiram dos cultos tradicionais". Continuei a carta, explicando o tipo de igreja que estávamos começando. Escrevemos o endereço e selamos 15 mil cartas manualmente e as enviamos, dez dias antes do Domingo de Páscoa. Se obtivéssemos 1% de retorno, 150 pessoas estariam presentes no primeiro culto.

Nosso primeiro culto

Sabíamos que, se quiséssemos atrair e ganhar os sem-igreja, deveríamos realizar um culto diferente. Discutimos até sobre a melhor maneira de vestir.

Informei às 15 pessoas que frequentavam o estudo bíblico em nossa casa: "No próximo domingo, iremos nos reunir no colégio e ensaiaremos

A visão da Igreja Saddleback

30 de março de 1980 — primeiro sermão do pr. Warren

É o sonho de um lugar onde o aflito, o deprimido, o frustrado e o confuso encontra amor, aceitação, ajuda, esperança, perdão, direção e encorajamento.

É o sonho de compartilhar as boas-novas de Jesus Cristo com centenas de milhares de moradores do sul de Orange County.

É o sonho de dar as boas-vindas a 20 mil membros, integrando-os à comunhão de nossa família, a igreja, amando, aprendendo, rindo e vivendo juntos em harmonia.

É o sonho de ajudar a desenvolver a maturidade espiritual das pessoas por meio de estudos bíblicos, pequenos grupos, seminários, retiros e escolas bíblicas para nossos membros.

É o sonho de capacitar cada cristão a ter um ministério significativo, ajudando-o a descobrir os dons e talentos que Deus lhe deu.

É o sonho de enviar centenas de missionários e trabalhadores para vários lugares do mundo e capacitar cada membro a ter uma vida envolvida com a obra missionária. É o sonho de enviar milhares de membros da igreja a pequenos projetos missionários em cada continente. É o sonho de iniciar pelo menos uma nova congregação a cada ano.

É o sonho de ter um terreno de pelo menos 200 mil metros quadrados, onde construiremos a sede regional, com uma estrutura simples porém bonita; um templo capaz de acomodar milhares de pessoas; um centro de aconselhamento e oração; classes para estudos bíblicos e treinamento de líderes; uma área de recreação. Tudo isso planejado para atender a todas as necessidades espirituais, emocionais, físicas e sociais das pessoas, numa área arborizada e convidativa. Que estilo de adoração seria o melhor testemunho para os incrédulos? Gastamos muito tempo pensando em cada elemento do culto.

Estou aqui diante de vocês com a certeza de que estes sonhos se tornarão realidade. Por quê? Porque eles são inspirados por Deus!

nosso culto. Repassaremos as músicas, pregarei como se houvesse um grupo de 150 pessoas e faremos os ajustes necessários. Quando os visitantes aparecerem, pelo menos daremos a *impressão* de que sabemos o que estamos fazendo".

Quando chegou o Domingo de Ramos, esperávamos ter apenas as 15 pessoas que compareciam aos estudos bíblicos. Deus, porém, tinha outros planos. Das 15 mil cartas que enviamos, algumas haviam sido entregues com antecedência. Esperávamos que as cartas chegassem às casas poucos dias antes da Páscoa, mas, dada a eficiência do correio, 60 pessoas apareceram para o "ensaio", e cinco delas entregaram a vida para Cristo naquele dia!

Naquele "ensaio", conheci o perfil da visão que acredito que Deus tenha dado a mim em relação à Igreja Saddleback. A primeira tarefa da liderança é definir o plano de Deus para a vida, então tentei passar minha ideia de forma atrativa e clara. Ao longo dos anos, temos retornado muitas e muitas vezes àquele propósito definido por Deus, a fim de corrigir caminhos. Nossa intenção nunca foi crescer em número ou construir grandes templos, e sim formar discípulos de Jesus Cristo.

Ainda me lembro de como estava com medo quando compartilhei a visão no dia que marcamos para ensaiar o culto. "E se não der certo? Será esta visão mesmo de Deus ou apenas um sonho maluco de um jovem idealista de 26 anos?". Era particularmente um sonho que esperava que Deus tornasse realidade, mas era algo bem diferente fazer que se concretizasse. Sabia que eu não poderia retroceder. Apesar de meus medos, tinha de ir em frente a toda velocidade. Convencido de que meu sonho traria glórias a Deus, decidi nunca olhar para trás.

A Igreja Saddleback teve seu primeiro culto oficial no dia 6 de abril de 1980, Domingo de Páscoa. Duzentas e cinco pessoas estavam presentes. *Havíamos descoberto nossa onda.* Nunca esquecerei a sensação de ver aquelas pessoas, que nunca tinha visto, dirigindo-se para o teatro da Laguna Hills High School. Com uma mistura de entusiasmo, medo e respeito, comentei com Kay: "Vai dar certo!".

Como a mãe que segura alegremente pela primeira vez seu bebê recém-nascido, o nascimento de uma igreja estava acontecendo. Ainda assim, sentia-me humilhado pela enorme responsabilidade que Deus me estava designando naquele dia.

Foi uma maneira bem diferente de começar uma igreja. Não havia mais que uma dúzia de cristãos no primeiro culto, porém havia muitos sem-igreja californianos. Havíamos acertado na mosca!

Com tantos sem-igreja presentes à primeira reunião, tudo parecia engraçado. Quando pedi que cada um abrisse sua Bíblia, ninguém tinha uma. Quando tentamos cantar algumas músicas, ninguém cantou, pois não conheciam a letra nem a melodia. Quando convidei: "Vamos orar", algumas pessoas olharam para os lados. Senti-me numa reunião do Rotary Club!

Para minha surpresa, as pessoas continuaram a voltar, semana após semana. Na décima semana após o primeiro culto, 82 dentre os sem-igreja que haviam participado de nosso culto de Páscoa haviam entregue a vida a Cristo. Estávamos "pegando" a onda de Deus da melhor maneira possível. Toda a nossa preparação tinha valido a pena. Uma congregação estava se formando.

Nossa primeira classe de membros tinha 20 pessoas, das quais 18 não eram cristãs. Por isso, precisei ensinar os fundamentos da vida cristã. Após seis semanas, todos haviam aceitado Cristo. Eles foram batizados e recebidos como membros da igreja.

O batismo em nossa igreja é algo bem diferente. Já usamos piscinas, o oceano Pacífico e batistérios de outras igrejas etc., mas o que usamos com frequência são as *jacuzzis*,* encontradas com facilidade. Milhares têm sido batizados no que apelidamos carinhosamente de "*jacuzzis* para Jesus".

Os batizandos são encorajados a convidar os amigos não-cristãos para assistir ao batismo. Alguns até mandam convites.

Nossos batismos mensais são um destaque em nossa programação. Certa vez, batizamos 367 pessoas em uma única manhã. Minha pele e a dos outros pastores estava enrugada quando saímos da piscina da escola. Lembro-me de ter dito que, se não fôssemos batistas, poderia ter molhado todo mundo com uma mangueira de incêndio. Pelo menos, seria mais rápido!

Dores de crescimento

Nesses poucos anos de existência, nossa igreja tem experimentado contínuas dores de crescimento. Em quinze anos, a Saddleback teve de mudar de local 79 vezes. Com o crescimento contínuo, sempre havia a necessidade de melhores acomodações. Cada vez que lotávamos um local, tínhamos

---

*Banheiras que geralmente possuem hidromassagem [N. do T.].

de mudar. Sempre dizíamos que a Saddleback era uma igreja que você poderia frequentar se conseguisse encontrá-la. Brincávamos com o fato e, dessa maneira, atraíamos pessoas que realmente sabiam o que queriam.

Usamos várias escolas, prédios de bancos, centros de recreação, teatros, centros comunitários, restaurantes, residências, escritórios e estádios, até que finalmente erguemos uma tenda *high tech*, com capacidade para 2,3 mil pessoas. Antes de construir nosso primeiro templo, tínhamos quatro cultos lotados todos os finais de semana. Percebi que as igrejas construíam templos pequenos cedo demais. O sapato não pode dizer ao pé até quanto irá crescer.

Eu sempre perguntava: "Quanto uma igreja pode crescer antes de ter um templo?". A resposta é: "Não sei!". A Igreja Saddleback reuniu-se durante quinze anos e chegou ao número de 10 mil membros sem ter um templo. Então, sei que é possível crescer pelo menos até esse número! Um templo, ou a falta dele, nunca deve se tornar uma barreira para a onda do crescimento. Pessoas são muito mais importantes que propriedades.

Durante os primeiros quinze anos, mais de 7 mil pessoas entregaram a vida a Cristo por meio de nosso trabalho de evangelismo. Se você estivesse cercado de bebês na fé, o que faria? Nossa sobrevivência e nossa saúde dependem do desenvolvimento da capacidade de transformar interessados em santos; con-

> Em 15 anos, a Saddleback teve de mudar de local 79 vezes.

sumidores, em contribuintes; membros, em líderes; e uma plateia, em um exército. Acredite, é uma tarefa incrivelmente difícil transformar pessoas consumistas e egocêntricas em cristãos com coração de servo. Não é algo para medrosos ou para quem não gosta de amassar o terno de domingo. Esse é o grande significado da Grande Comissão e tem sido a força motriz responsável pelo nosso trabalho na Saddleback.

2
Mitos sobre crescimento de igreja

*Compre a verdade e não abra mão dela, nem tampouco da
sabedoria, da disciplina e do discernimento.*
PROVÉRBIOS 23.23

As crianças que vivem nos Estados Unidos aprendem muitas lendas: Papai Noel traz os presentes numa carruagem puxada por renas voadoras; a fada dos dentes troca dentes-de-leite por dinheiro; o coelhinho da Páscoa esconde ovos e balas; o castor que olha a própria sombra prevê a duração do inverno; a Lua é feita de queijo suíço. Algumas dessas lendas são inofensivas; outras, porém, são bastante prejudiciais.

Gosto das passagens bíblicas em que Jesus desafia as lendas ou a "sabedoria popular" de sua época. O Novo Testamento cita 20 vezes Jesus usando a frase: "Vocês ouviram o que foi dito [...]. Mas eu lhes digo...". Certa vez, preguei uma série de mensagens intitulada "Mitos que nos fazem infelizes". Somente quando basearmos nossa vida na rocha fundamental da Palavra de Deus conheceremos a verdade que nos libertará.

Muitos mitos sobre crescimento de igreja circulam entre pastores e líderes. Embora muitos ouçam falar da chamada *megaigreja* (não gosto dessa palavra), poucos são os que sabem o que realmente acontece dentro delas. E muitas suposições equivocadas acabam surgindo — por inveja, por medo ou por ignorância.

Se você realmente quer ver o crescimento de sua igreja, deve estar disposto a reavaliar os diversos mitos a respeito de igrejas grandes que experimentam crescimento.

Mito nº 1 – A única coisa que importa para as igrejas grandes é a frequência

A verdade é que sua igreja não irá crescer se essa for sua única preocupação. Durante toda a existência de nossa comunidade, apenas duas vezes tivemos cultos com o alvo de alcançar determinado número de pessoas, e ambos foram realizados no primeiro ano de atividades. Não priorizamos a frequência. Nossa meta é alcançar e integrar as pessoas que Deus nos envia.

Campanhas para atrair as pessoas à igreja, com propaganda dirigida, podem funcionar uma vez, mas elas não retornarão se a igreja não lhes der o que prometeu. Para manter um crescimento sólido, é necessário oferecer algo que elas não possam conseguir em nenhum outro lugar.

> Para manter um crescimento sólido, é necessário oferecer [às pessoas] algo que elas não possam conseguir em nenhum outro lugar.

Se você prega a mensagem positiva e transformadora das boas-novas de Cristo, se os membros estão animados pelo que Deus tem feito na igreja, se você lhes proporciona um culto em que podem trazer os amigos não-cristãos sem se sentir envergonhados e se você tem um planejamento para formar, treinar e enviar aqueles que ganhou para Cristo, os números serão seu menor problema. As pessoas tendem a se congregar em igrejas que possuam essas qualidades. Esse fato é constatado em todo o mundo!

O crescimento sadio e duradouro é multidimensional. Minha definição de crescimento genuíno apresenta cinco aspectos. O crescimento de toda igreja deve ser mais *caloroso* por meio da comunhão, mais *profundo* por meio do discipulado, mais *forte* por meio da adoração, mais *abrangente* por meio do ministério e *numericamente* maior por meio do evangelismo.

Em Atos 2.42-47, esses cinco itens aparecem na descrição da igreja de Jerusalém. Os primeiros cristãos reuniam-se, edificavam uns aos outros, adoravam, ministravam e evangelizavam. Como resultado, "o Senhor lhes acrescentava diariamente os que iam sendo salvos" (v. 47). Duas coisas se destacam nesse versículo: 1) Deus deu o crescimento à igreja depois que ela fez sua parte, cumprindo os cinco propósitos; 2) o crescimento era diário, o que significa que essa igreja saudável tinha, no mínimo, 365 conversões por ano! O que aconteceria se a igreja de Jerusalém fosse o padrão evangélico para que uma igreja pudesse ser considerada saudável e neotestamentária? Quantas igrejas você imagina que poderiam ser assim qualificadas?

> **As cinco dimensões do crescimento saudável da igreja**
> Igrejas crescem *em calor* por meio da comunhão.
> Igrejas crescem *em profundidade* por meio do discipulado.
> Igrejas crescem *em força* por meio da adoração.
> Igrejas crescem *em abrangência* por meio do ministério.
> Igrejas crescem *em número* por meio do evangelismo.

O crescimento é o resultado natural de uma igreja saudável. E ela só terá essa característica se for bíblica quanto à sua mensagem e equilibrada quanto ao seu propósito. Para isso, os cinco propósitos da igreja neotestamentária devem estar em perfeito equilíbrio. Essa condição, no entanto, não acontece de forma natural. Na verdade, é preciso trabalhar continuamente para corrigir os desequilíbrios. É inerente à natureza humana enfatizar o aspecto que mais apreciamos em nossa igreja. Desenvolver de forma consciente as estratégias e uma estrutura que nos obrigue a dar atenção igual a cada propósito é o verdadeiro significado de uma igreja com propósitos.

Mito nº 2 – Igrejas grandes crescem à custa de igrejas menores

Algumas igrejas grandes crescem à custa de igrejas menores, mas com certeza esse não é o caso da nossa. A estatística da igreja que mais me agrada é a que demonstra que 80% de nossos membros foram batizados por nós. Não crescemos colhendo os frutos de outros ministérios. Hoje, somos cerca de 5 mil membros adultos, e 4 mil deles foram batizados em nossa igreja. Nosso crescimento ocorreu por causa das conversões, e não por transferência de cristãos de outras igrejas.

A migração entre igrejas não era o que Jesus tinha em mente quando nos deu a Grande Comissão. Deus nos chamou para que fôssemos pescadores de homens, e não para trocar os peixes de aquários. A igreja que cresce por transferência não experimenta crescimento genuíno: está apenas reembaralhando as cartas.

Mito nº 3 – Você deve escolher entre *qualidade* e *quantidade* em sua igreja

Esse é um mito infelizmente bastante propagado, que também não é verdadeiro. Parte do problema é que ninguém jamais conseguiu estabelecer a relação correta entre *qualidade* e *quantidade*. Permita-me expor minhas definições.

Qualidade refere-se ao *tipo* de discípulos que a igreja produz. Será que o povo de Deus está sendo transformado genuinamente à semelhança de Cristo? A vida dos cristãos está fundamentada na Palavra? Eles estão amadurecendo e usando seus talentos no serviço e no ministério? Eles dão testemunho de sua fé diante dos não-cristãos? Essas são apenas algumas maneiras pelas quais a qualidade da igreja é medida.

Quantidade refere-se ao *número* de discípulos que a igreja está produzindo. Quantas pessoas estão sendo levadas a Cristo, conduzidas a um processo de amadurecimento e mobilizadas para o ministério e para o trabalho missionário?

Definidos esses termos, é óbvio que qualidade e quantidade não se opõem. Elas não se anulam mutuamente. Portanto, você não precisa escolher entre as duas — a igreja deve desejar ambas. Na verdade, o enfoque exclusivo na quantidade ou na qualidade produzirá uma igreja doente. Não se engane, pensando que uma é mais importante que a outra!

Quando vai pescar, você pensa em quantidade ou em qualidade? Eu quero ambas! Desejo fisgar o maior peixe que puder e também o maior número possível de peixes. Toda igreja deve querer alcançar o maior número de pessoas para Cristo e também desejar que essas pessoas se tornem espiritualmente maduras.

> *Qualidade* refere-se ao *tipo* de discípulos que a igreja produz. *Quantidade* refere-se ao *número* de discípulos que a igreja está produzindo.

Um fato que muitos pastores insistem em ignorar é que *qualidade produz quantidade*. Uma igreja cheia de gente realmente transformada acaba atraindo mais gente. Se você observar as igrejas saudáveis, verá que, quando Deus encontra uma igreja eficiente em ganhar, amadurecer, equipar e enviar cristãos, ele envia a essa igreja matéria-prima em abundância. Afinal, por que ele enviaria tantas pessoas interessadas a uma igreja que não sabe o que fazer com ela?

Na igreja em que vidas são transformadas, casamentos são restaurados e o amor flui livremente, será preciso trancar as portas para evitar a afluência do povo. As pessoas são atraídas por igrejas que tenham adoração de qualidade, boas mensagens, ministério eficaz e comunhão. Qualidade atrai quantidade. Todo pastor deve fazer a difícil pergunta: "Se nossos membros nunca convidam ninguém para vir à igreja, que testemunho estão dando da qualidade de nosso trabalho?".

Também é verdade que quantidade cria qualidade em algumas áreas da vida da igreja. Por exemplo, quanto mais a igreja cresce, melhor se torna a música. Você prefere cantar com 11 pessoas ou com 1,1 mil? Você prefere fazer parte de um programa de adultos solteiros em que participam 20 pessoas ou 200?

Alguns justificam a falta de crescimento, afirmando que, quanto menor a igreja, mais qualidade ela tem. Essa forma de pensar é equivocada. Se a qualidade fosse inerente à pequenez, a igreja de maior qualidade teria apenas um membro! Acontece justamente o inverso. Passei a maior parte de minha vida, antes de ser pastor, em igrejas pequenas. Observei que a razão de muitas delas permanecerem pequenas é a qualidade precária de sua vida e de seu ministério. Não há correlação entre o tamanho e a qualidade de um ministério.

O que aconteceria se nossos pais tivessem aplicado o mito da qualidade *versus* quantidade à paternidade? O que aconteceria se após nascer a primeira criança dissessem: "Um filho é suficiente. Vamos trabalhar para fazer desta criança uma pessoa de qualidade. Não vamos nos preocupar com quantidade". A maioria de nós não estaria aqui se nossos pais pensassem assim!

A igreja que não tem interesse em aumentar o número de convertidos está, na verdade, dizendo ao resto do mundo: "Vocês podem ir para o inferno". Se meus três filhos estivessem perdidos em uma floresta, minha mulher e eu ficaríamos obcecados em achá-los. Não pouparíamos recursos para salvá-los. E, quando achássemos um deles, não iríamos cessar a busca, satisfeitos em investir "qualidade" nesse filho. Continuaríamos procurando até encontrar os outros dois.

No caso da igreja, enquanto houver pessoas perdidas no mundo *devemos* nos importar com quantidade, sem descuidar da qualidade. Na Saddleback, contamos as pessoas porque as pessoas contam. O registro numérico diz respeito às pessoas pelas quais Jesus morreu. Sempre que alguém diz: "Você não pode medir o sucesso por números", minha resposta é: "Depende do que você está contando!". Se você está contando casamentos salvos, vidas transformadas, pessoas restauradas, não-cristãos que se tornaram adoradores de Jesus e membros mobilizados para o ministério e dispostos a cumprir o plano de Deus em sua vida, os números são extremamente importantes. Eles têm um significado eterno.

Mito nº 4 – É necessário fazer concessões à mensagem e à missão da igreja para que ela cresça

Essa concepção popular sugere que os líderes das igrejas que crescem estão de alguma forma "vendendo" o evangelho para atingir esse objetivo. O pressuposto é o de que, para atrair as pessoas, a igreja deve ser superficial e sem muita ênfase no compromisso. Muitos crêem que a presença de muita gente indica uma mensagem água-com-açúcar.

É claro que algumas igrejas cresceram por meio de teologias falhas, compromisso superficial e artifícios seculares para atrair pessoas. Mas a presença de um grande grupo em uma igreja não significa que ela tenha necessariamente essas características. Enquanto algumas grandes igrejas fazem concessões a sua mensagem e missão, outras, como a Saddleback, são injustamente classificadas segundo essa categoria por terem crescido. Tal associação é muito infeliz.

O ministério de Jesus atraiu grandes multidões. Por quê? Porque o evangelho é uma boa notícia! Ele possui o poder de atração quando é claramente apresentado. Jesus disse: "Quando for levantado da terra, atrairei todos a mim" (Jo 12.32). Não apenas os adultos queriam estar ao redor de Jesus, mas também as crianças. Uma igreja à semelhança de Cristo terá o mesmo efeito de atração sobre as pessoas.

O Senhor Jesus atraiu grandes multidões, porém jamais abriu mão da verdade. Ninguém podia acusá-lo de pregar uma mensagem água-com-açúcar — as autoridades religiosas da época o criticavam, mas por inveja (Mt 15.12). Francamente, suspeito que essa mesma inveja ministerial ainda motive alguns líderes.

Não confunda as expectativas

Outra razão pela qual muitos pensam que igrejas grandes são superficiais é que fazem confusão entre o que se espera dos visitantes e o que se exige dos membros da igreja. São dois grupos distintos. Em nossa igreja, usamos os termos "multidão" e "congregação" para diferenciá-los.

Não esperamos que os não-cristãos ajam como cristãos, até que se convertam, ou que os visitantes tenham a mesma atitude que os membros da congregação. Esperamos muito pouco dos que ainda são meros ouvintes da Palavra de Deus. Simplesmente lhes dizemos o mesmo que Jesus disse em seu primeiro encontro com os discípulos: "Venham e vejam". Convidamos os não-cristãos a nos visitar, a fim de que possam ver por si mesmos o que é a igreja.

No entanto, requeremos um grande compromisso dos que desejam se *juntar* a nós (citarei mais detalhes no cap. 17). Todos os candidatos devem fazer o curso de membresia e assinar um pacto. Ao fazê-lo, concordam em contribuir financeiramente, servir ao ministério, compartilhar sua fé, seguir a liderança, evitar fofocas e manter um estilo de vida reto. Em nossa comunidade, também existe disciplina — algo raro nos dias de hoje. Se você não cumprir o pacto de membresia, será eliminado do rol dos membros. Todos os anos, tiramos centenas de nomes de nosso cadastro.

Os novos membros também concordam em frequentar classes adicionais nas quais assinam pactos de crescimento que incluem contribuir com o dízimo, passar diariamente um tempo com Deus e participar semanalmente de grupos de estudo. Uma das razões pelas quais nossa igreja não tem tido grande crescimento por transferência é o fato de exigirmos de nossos membros muito mais que a maioria das igrejas requer dos seus.

Descobrimos que o desafio de um compromisso sério acaba atraindo as pessoas, em vez de afugentá-las. Quanto maior o compromisso exigido, mais intensa a resposta. Muitos não-cristãos estão enfadados com o que o mundo oferece. Estão procurando algo superior a eles mesmos, algo pelo qual valha a pena dedicar a vida.

> Exigir empenho não afasta as pessoas. O que as afugenta é *como* muitas igrejas definem essa dedicação.

Exigir compromisso não afasta as pessoas. O que as afugenta é *como* muitas igrejas definem essa dedicação. Na maioria das vezes, as igrejas falham em explicar o propósito, o valor e os benefícios de uma vida comprometida e não dispõem de um processo pelo qual os cristãos possam aumentar gradativamente sua dedicação.

Ser contemporâneo sem fazer concessões

O cristão realmente *envolvido* no ministério não se limita à teoria. Ele está disposto a encarar a tensão que Bruce e Marshal Shelley chamam "nosso chamado ambidextro". Em uma mão, está a responsabilidade de permanecer fiel à Palavra de Deus. Na outra, está a responsabilidade de ministrar a um mundo em constante transformação. Infelizmente, muitos cristãos não se dispõem a viver sob esse tipo de pressão e se isolam em um dos dois extremos.

Algumas igrejas, por temer a contaminação do mundo, isolam-se da cultura do mundo contemporâneo. Ainda que a maioria das igrejas não se isole tanto quanto os "amish", que se recusam até a andar de carro, muitas igrejas americanas acham que a década de 1950 foi a era dourada e estão determinadas a manter aquela época em suas igrejas. O que admiro nos "amish" é que pelo menos eles são honestos, pois admitem abertamente que escolheram preservar o estilo de vida do século XIX. Já as igrejas que tentam perpetuar a cultura dos anos de 1950 se contradizem ou tentam provar pela Bíblia que estão vivendo como os cristãos do período neotestamentário.

Há também as igrejas que, não querendo parecer irrelevantes, adotam infantilmente todas as novas tendências. E, nessa tentativa de se aproximar da cultura contemporânea, acabam abrindo mão de sua mensagem, e esquecem o que significa separação do mundo. Na maioria das vezes, enfatizam os benefícios do evangelho enquanto ignoram a responsabilidade e o custo de seguir Cristo.

Há um meio de ministrar à nossa cultura sem abrir mão de nossas convicções? Acredito que sim (discutirei esse ponto com mais profundidade no cap. 12). A solução é seguir o exemplo de Cristo. Jesus nunca baixou seus padrões, mas sempre começou de onde o povo se encontrava. Ele era contemporâneo sem fazer concessões à verdade.

> Jesus nunca baixou seus padrões, mas sempre começou de onde o povo se encontrava.

Mito nº 5 – Se você for bastante dedicado, sua igreja irá crescer

Esse é o mito mais divulgado em conferências pastorais. Os preletores insistem em afirmar que, se sua igreja não está crescendo, o problema é a falta de dedicação. Eles pregam: "Se você se purificar doutrinariamente, pregar a Palavra, orar mais e se dedicar, sua igreja irá explodir". Isso nos soa simples e espiritual, mas não é verdade. Em vez de sair encorajados de tais conferências, os pastores voltam para casa frustrados e com forte sensação de culpa.

Conheço centenas de pastores dedicados cujas igrejas não crescem. Eles são fiéis à Palavra de Deus, oram com sinceridade e pregam mensagens sólidas. A dedicação deles é inquestionável. Ainda assim, as igrejas pastoreadas por eles não experimentam crescimento. É um verdadeiro insulto dizer que isso ocorre por falta de dedicação. Poucas coisas me deixam mais irritado. Eles são homens bons e santos e servem a Deus de todo o coração.

No entanto, é necessário mais que dedicação para levar a igreja ao crescimento. Devemos usar a *habilidade*. Um de meus versículos favoritos é Eclesiastes 10.10. "Se o machado está cego e sua lâmina não foi afiada, é preciso golpear com mais força; agir com sabedoria assegura o sucesso". Observe que Deus diz que a *habilidade* — não apenas a dedicação — garante o sucesso. Se tenho madeira para lenha, vou obter melhor resultado se antes afiar o machado. A questão é trabalhar bem, e não arduamente.

Reserve parte do tempo para aprender as habilidades necessárias ao seu ministério. A longo prazo, você irá economizar tempo e será mais bem-sucedido. Afie seu machado ministerial lendo livros, participando de conferências, escutando fitas ou CDs e observando os que trabalham bem. Afiar o machado jamais será desperdício de tempo. A habilidade traz o sucesso.

Temos em nossa igreja vários pilotos, que trabalham nas principais empresas aéreas. Eles dizem que, não importa quanto tempo tenham de vôo, as empresas exigem que, duas vezes ao ano, eles passem uma semana em treinamento, aprimorando suas habilidades. Quando lhes pergunto por que treinar com tanta frequência, a resposta é: "A vida de outras pessoas depende de nossa habilidade". Isso também vale para o ministério. Será que devemos ser menos cuidadosos em manter nossas habilidades atualizadas?

> É necessário mais que dedicação para levar a igreja ao crescimento. Devemos usar a *habilidade*.

Na Saddleback, oferecemos anualmente uma conferência de treinamento básico para líderes e pastores. Ainda que nossos companheiros sejam bastante conhecedores dos propósitos, das estratégias e da estrutura da igreja, exijo que cada um deles participe das atividades. Todos nós precisamos ter as perspectivas renovadas e as habilidades aprimoradas regularmente.

A razão pela qual o apóstolo Paulo era tão eficiente em implantar e desenvolver igrejas era a sua competência. Em 1Coríntios 3.10, ele admite: "Conforme a graça de Deus que me foi concedida, eu, como *sábio* construtor...". Paulo era um especialista em edificar igrejas. E não o fazia de maneira displicente. Não era somente dedicado: ele também sabia usar as ferramentas certas. Devemos também aprender a usá-las. Se tudo que temos é um martelo em nossa caixa de ferramentas ministerial, nossa tendência é tratar tudo como prego!

A Bíblia também compara o ministério com a agricultura — outra área que exige habilidade. O agricultor pode ser dedicado e trabalhar bastante, mas também precisa saber usar o equipamento apropriado. Se tentar colher milho com uma colheitadeira de trigo, certamente destruirá a colheita. Se colher tomates como se colhe algodão, acabará transformando a plantação em extrato de tomate! O ministério bem-sucedido, assim como a agricultura, precisa mais que dedicação e trabalho árduo. É necessário ter habilidade, saber o momento exato de agir e possuir as ferramentas certas.

Muitas soluções simplistas para o crescimento saudável da igreja são defendidas em termos tão espirituais que fica difícil contestá-las sem parecer herege. Contudo, alguém precisa ousadamente explicar o óbvio: a oração, por si só, não faz a igreja crescer! Alguns dos maiores guerreiros de oração que conheço são pastores e membros de igrejas que estão morrendo.

Sem dúvida, a oração é absolutamente essencial. Cada passo para o desenvolvimento de nossa igreja foi banhado em oração. Na verdade, há uma equipe orando por mim *enquanto prego* em cada um de nossos quatro cultos de fim de semana. O ministério sem oração é um ministério sem poder, mas é necessário muito mais que oração para fazer a igreja crescer. É preciso uma ação eficaz. Certa vez, Deus ordenou a Josué que parasse de orar a fim de resolver as causas de seu fracasso (Js 7). Há tempo de orar e tempo de agir com responsabilidade.

Devemos sempre ser cautelosos, a fim de evitar duas posturas extremas no ministério. A primeira é assumir toda a responsabilidade pelo crescimento da igreja. A segunda é abdicar de qualquer responsabilidade. Sou profundamente agradecido a Joe Ellis por identificar tais posturas e me ajudar a discernir sobre a questão da responsabilidade no ministério. Ele identifica a primeira como "humanismo prático", e a segunda, como "santa irresponsabilidade". Ambos os erros são fatais para a igreja!

Antes de tudo, devemos evitar o erro de dizer que para levar a igreja ao crescimento basta ter organização, administração e *marketing*. A igreja não é um negócio! Já conversei com pastores que agem como se a igreja fosse meramente humana, salvo umas poucas orações tapa-buracos. Depois de ouvir seus argumentos, eu me perguntava: "Onde está o Espírito Santo nisso tudo?".

Infelizmente, muitas igrejas escondem-se atrás da escola bíblica, de uma organização eficiente ou de um orçamento equilibrado. Nada de sobrenatural jamais acontece nelas, e poucas vidas são genuinamente transformadas.

Todos os nossos planos, programas e procedimentos nada significam sem a unção de Deus. Em Salmos 127.1, lemos: "Se não for o Senhor o construtor da casa, será inútil trabalhar na construção". Ne-

> As igrejas crescem pela atuação do poder de Deus e por meio do esforço de pessoas capazes.

nhuma igreja pode ser criada apenas por esforço humano. Não podemos nos esquecer do Senhor da Igreja. Jesus afirmou: "Sobre esta pedra edificarei a *minha* igreja " (Mt 16.18).

Devemos evitar também o erro de pensar que *não há nada* que o ser humano possa fazer para que a igreja cresça. Isso é muito comum nos dias de hoje. Alguns pastores acreditam que planejamento, organização, propaganda e esforço são atos arrogantes, antiespirituais e até pecaminosos, e que nossa única função é sentar e ficar observando enquanto Deus faz toda a obra. Você encontra muitos ensinamentos como esse em livros sobre reavivamento. No desejo sincero de enfatizar a obra de Deus, o esforço humano é visto como maligno. Essa forma de pensar produz cristãos passivos, que geralmente usam desculpas que soam espirituais para justificar a falta de crescimento da igreja.

A Bíblia afirma claramente que Deus nos deu um papel crucial em relação à sua vontade neste mundo. O crescimento da igreja é uma parceria entre Deus e o homem. As igrejas crescem pela atuação do poder de Deus e por meio do esforço de pessoas capazes. Ambos os elementos, o poder de Deus e o esforço humano, devem estar presentes. Não podemos fazer nada *sem Deus*, mas ele decidiu não fazer nada *sem nós!* Deus utiliza-se de pessoas para alcançar seus propósitos.

Paulo ilustra essa parceria, ao dizer: "Eu plantei, Apolo regou, mas Deus é quem fez crescer [...]. Pois nós somos *cooperadores* de Deus; vocês são lavoura de Deus e edifício de Deus" (1Co 3.6,9). Deus fez sua parte depois que Paulo e Apolo fizeram a deles.

> Enquanto esperamos que Deus trabalhe *para* nós, ele espera trabalhar *por meio de* nós.

O Novo Testamento está cheio de analogias sobre crescimento de igreja, de onde extraímos nossos princípios: plantando e cultivando o jardim de Deus (1Co 3.5-9); edificando o edifício de Deus (1Co 3.10-13); fazendo a colheita nos campos de Deus (Mt 9.37,38); fazendo crescer o corpo de Cristo (Rm 12.4-8; Ef 4.16).

Um exemplo do Antigo Testamento está no livro de Josué. Deus não agiu pelos israelitas quando ordenou que tomassem posse da terra. Ofereceu-lhes, em vez disso, uma parceria e um papel a desempenhar. Mas, devido ao medo e a passividade, os israelitas morreram no deserto. Enquanto esperamos que Deus trabalhe *para* nós, ele espera trabalhar *por meio de* nós.

Mito nº 6 – Existe *uma* chave secreta para o crescimento da igreja

Crescimento de igreja é assunto muito complexo. Geralmente, não é resultado de um único fator. Se o pastor atribui o crescimento de sua igreja a apenas um motivo, está simplificando o que aconteceu ou talvez desconheça a verdadeira razão do crescimento.

Em meus contatos com líderes de igrejas que participam do treinamento da Saddleback, identifiquei alguns fatores básicos que minha equipe chama "regras de Rick para o crescimento".

Primeiro, *existe mais de uma maneira de fazer que a igreja cresça.* Posso apontar igrejas que estão crescendo, mesmo usando estratégias opostas às nossas. Algumas igrejas crescem por causa da escola bíblica ou por meio de reuniões nos lares. Outras usam música contemporânea ou ainda música tradicional. Há igrejas em crescimento que sustentam um programa de visitação organizado, enquanto outras nunca tiveram tal programa.

Segundo, *são necessários todos os tipos de igreja para atingir todos os tipos de pessoas.* Graças a Deus, não somos todos iguais! Deus ama a variedade. Se todas as igrejas fossem iguais, alcançaríamos somente um pequeno segmento do mundo. Na área musical, por exemplo, imagine os estilos de música necessários para alcançar os vários tipos de culturas. De vez em quando, ouço alguém dizer que todas as igrejas deveriam se reunir em uma só denominação, em que todos pensassem de maneira igual. Discordo totalmente. Creio que a diversidade é um benefício, e não uma fraqueza. Deus utiliza estratégias diferentes para alcançar grupos diferentes.

> Não confunda método com verdade. A mensagem não pode ser alterada; os métodos, porém, devem mudar a cada geração.

Não estou falando de igrejas que se desviam da verdade bíblica. A mensagem de Cristo não pode mudar nunca. Não confunda método com verdade. A mensagem não pode nunca ser alterada; os métodos, porém, devem mudar a cada geração.

Por fim, *jamais devemos criticar o que Deus está abençoando,* ainda que o estilo do ministério não nos deixe muito à vontade. É surpreendente a frequência com que Deus abençoa ideias das quais discordo e métodos que não entendo. Assim, tomo a seguinte atitude: se vidas estão sendo transformadas pelo poder de Jesus Cristo, então gosto do que você está fazendo! Todos nós somos troféus da graça de Deus.

Mito nº 7 – Tudo que Deus espera de nós é a fidelidade

Essa declaração é uma meia-verdade. Deus espera de nós fidelidade e uma vida frutífera. Dar frutos é um tema essencial do Novo Testamento. Observe o seguinte:

- *Todos nós fomos chamados por Cristo para dar frutos.* "Vocês não me escolheram, mas eu os escolhi para irem e darem fruto, fruto que permaneça" (Jo 15.16). Deus quer que nosso ministério produza frutos perenes.

- *Ser frutífero é a forma pela qual glorificamos a Deus.* "Meu Pai é glorificado pelo fato de vocês darem muito fruto; e assim serão meus discípulos" (Jo 15.8). Um ministério infrutífero não traz glória a Deus, mas o ministério frutífero é a prova de que somos verdadeiros discípulos de Cristo.

- *Ser frutífero agrada a Deus.* "Não deixamos de orar por vocês [...] para que vocês vivam de maneira digna do Senhor e em tudo possam agradá-lo, frutificando em toda boa obra, crescendo no conhecimento de Deus" (Cl 1.9,10).

- *Jesus reservou seu julgamento mais severo para a árvore infrutífera.* Ele a amaldiçoou porque ela não dava frutos: "Vendo uma figueira à beira do caminho, aproximou-se dela, mas nada encontrou, a não ser folhas. Então lhe disse: 'Nunca mais dê frutos!' Imediatamente a árvore secou" (Mt 21.19). Jesus não fez isso para demonstrar o poder que possuía, mas para mostrar que ele espera que produzamos frutos!

- *Israel perdeu seu posto de nação privilegiada por não produzir frutos.* "Eu lhes digo que o Reino de Deus será tirado de vocês e será dado a um povo que dê os frutos do Reino" (Mt 21.43). O mesmo princípio pode ser aplicado às igrejas. Tenho visto Deus remover sua bênção de igrejas que foram intensamente abençoadas no passado, mas depois se tornaram satisfeitas com o próprio trabalho e passaram a preocupar-se apenas consigo mesmas. Como consequência, deixaram de dar fruto.

O que é dar frutos? A palavra "fruto" e suas variantes aparecem 55 vezes no Novo Testamento como referência a uma variedade de resultados. Cada um dos exemplos seguintes é considerado por Deus um fruto: arrependimento (Mt 3.8; Lc 13.5-9); prática da verdade (Mt 7.16-21; Cl 1.10); orações respondidas (Jo 15.7,8); oferta em dinheiro (Rm 15.28); caráter cristão e conquista de almas para Cristo (Rm 1.13). Paulo declara o motivo por que desejava pregar em Roma: "Meu propósito é colher algum fruto entre vocês, assim como tenho colhido entre os demais gentios" (Rm 1.13). O fruto do cristão é outro cristão.

Considerando a Grande Comissão de que Jesus incumbiu a Igreja, creio que a definição de dar frutos deve incluir o crescimento por meio da conversão de almas. Paulo referia-se aos primeiros convertidos de determinado lugar como "o primeiro fruto da Acaia" (1Co 16.15).

A Bíblia identifica claramente o crescimento numérico com fruto. Jesus enfatizou a verdade de que Deus espera que sua igreja cresça. Paulo fazia ligação entre a produção de frutos e o crescimento da igreja: "Por todo o mundo este evangelho *vai frutificando e crescendo*, como também ocorre entre vocês, desde o dia em que o ouviram e entenderam a graça de Deus em toda a sua verdade" (Cl 1.6). Sua igreja está produzindo frutos e crescendo? Você está vendo novos convertidos sendo adicionados à congregação?

Deus quer que sua igreja seja fiel, *mas também* frutífera. Uma qualidade sem a outra é como o avião com apenas uma asa. Resultados numéricos não são uma justificativa para ser infiel à mensagem, mas também não podemos usar a fidelidade para nos desculpar por sermos ineficazes! As igrejas que têm pouca ou nenhuma conversão costumam justificar sua ineficácia com a seguinte declaração: "Deus não nos chamou para sermos bem-sucedidos. Ele nos chamou para sermos fiéis". Discordo totalmente, uma vez que a Bíblia é clara em afirmar que Deus espera de nós tanto o sucesso quanto a fidelidade.

O que importa é como você define os termos "sucesso" e "fidelidade". Defino como sucesso o cumprimento da Grande Comissão. Jesus deu uma tarefa à Igreja, sobre a qual seremos bem-sucedidos ou não. Por essa definição, toda igreja deve desejar ser bem-sucedida!

> Deus quer que sua igreja seja fiel, *mas também* frutífera.

Qual a alternativa? O oposto de ser bem-sucedido não é ser fiel, e sim falhar. A igreja que não obedece à Grande Comissão está falhando em cumprir seu propósito, não importa o que faça.

O que é *fidelidade*? Costumamos defini-la em termos de fé ou crença: se nos firmarmos em crenças ortodoxas, estaremos cumprindo o mandamento de ser fiel. Autodenominamo-nos "defensores da fé". Mas Jesus quis dizer muito mais que aderir a determinadas crenças quando usou essa palavra. Para ele, fidelidade relacionava-se a comportamento — uma disposição para sermos frutíferos.

Temos um exemplo muito claro disso na parábola dos talentos (Mt 25.14-30). Os dois homens que duplicaram seus talentos foram chamados "servos bons e fiéis" pelo seu mestre. Em outras palavras, provaram sua fidelidade por terem enfrentado riscos que produziram frutos. Foram bem-sucedidos na tarefa que lhes fora dada e recompensados pelo seu mestre.

> Sucesso é produzir o maior número de frutos por meio de seus dons, oportunidades e potencial.

O servo passivo e medroso, que nada fez com seu talento, não produziu resultados para seu mestre porque não quis arriscar. Foi chamado "mau e negligente", em contraste com os outros dois, que foram chamados "fiéis" por terem produzido resultados. A moral da história é clara: Deus espera ver resultados. Nossa fidelidade é demonstrada por meio de nossos frutos.

A fidelidade é alcançada quando utilizamos ao máximo os talentos que Deus nos deu. É por isso que comparar igrejas é uma forma ilegítima de medir o sucesso. Sucesso não é uma igreja se tornar maior que outra, e sim produzir o maior número de frutos por meio de seus dons, oportunidades e potencial.

Cristo não exige uma produção *além* de nossa capacidade, mas espera que nosso potencial seja *totalmente* explorado, por meio do poder que ele exerce em nossa vida. Isso é muito mais do que a maioria de nós julga possível. Esperamos muito pouco de Deus e fazemos muito pouco para ele. Se você não enfrentar nenhum risco em seu ministério, então não é necessário ter fé. Se seu ministério não necessita de fé, você está sendo infiel!

Como *você* define fidelidade? Acha que está sendo fiel à Palavra de Deus quando insiste em comunicá-la de forma ultrapassada? Pensa que está sendo fiel quando exerce o ministério de forma que lhe seja *confortável*, ainda que não produza frutos? Imagina que está sendo fiel a Cristo quando valoriza mais as tradições humanas que a missão de alcançar as almas para ele? Insisto: quando a igreja resiste em abandonar métodos que não funcionam, ela está sendo infiel a Cristo!

Infelizmente, muitas igrejas hoje são inteiramente ortodoxas em suas crenças, mas são infiéis a Cristo porque se recusam a modificar programas, métodos, estilos de adoração, prédios e até mesmo a localização de seus templos para alcançar o mundo perdido para Cristo. Vance Havner costumava dizer: "Uma igreja pode ser doutrinariamente tão reta quanto o cano de uma arma e ainda assim ser espiritualmente vazia". Devemos estar dispostos a dizer, sem reserva, a nosso Senhor e Salvador: "Faremos *o que for necessário* para alcançar o mundo para ti!".

Mito nº 8 – Não há o que aprender das igrejas grandes

O crescimento da Saddleback é um ato soberano de Deus que não pode ser duplicado. Mesmo assim, *devemos* extrair as lições e os princípios que são transferíveis. Ignorar o que Deus tem ensinado à nossa igreja seria ignorar nossa mordomia. "Lembrem-se hoje o que aprenderam do Senhor e das experiências com ele"(Dt 11.2, tradução livre). Nenhuma igreja tem a obrigação de reinventar a roda.

Sempre que vejo um programa funcionando bem em alguma igreja, tento extrair o princípio que está por trás dele e aplicá-lo em nossa comunidade. Por isso, estamos sendo beneficiados pelo estudo de outros modelos, contemporâneos e históricos. Sou muito agradecido aos exemplos que me auxiliaram. Há muito tempo, aprendi que não tenho de ser o criador de algo para que funcione. Deus não nos chamou para sermos originais em tudo que realizarmos. Ele nos chamou para sermos eficientes. Para reduzir o risco de copiar coisas erradas, procuro identificar o que é transferível da Saddleback e o que não é.

> O crescimento da Saddleback é um ato soberano de Deus que não pode ser duplicado. Mesmo assim, devemos extrair as lições e os princípios que são transferíveis.

O que você não pode copiar

Em primeiro lugar, você não poderá transferir nosso contexto. Cada igreja opera em um ambiente cultural único. Nossa comunidade está localizada no meio de uma agitada área nobre do sul da Califórnia, cheia de jovens casais com alto grau de instrução. Não é como Peoria, em Illinois, Muleshoe, no Texas, ou mesmo Los Angeles, na Califórnia. Cada lugar é único. Implantar um clone da Saddleback num ambiente diferente é uma fórmula condenada ao fracasso. Apesar dessa clara advertência, muitos tentaram e agora se perguntam por que não deu certo.

> Deus não nos chamou para sermos originais em tudo que realizarmos. Ele nos chamou para sermos eficientes.

Em segundo lugar, você não conseguirá reproduzir nossa equipe. Deus usa pessoas para realizar sua obra. A liderança de um programa é sempre mais importante que o programa em si. Passei quinze anos construindo um time que é mais eficiente que qualquer um de nós isoladamente. Como indivíduos, somos pessoas bastante comuns. Quando estamos juntos, porém, de alguma forma a combinação de nossos dons, personalidades e histórias cria uma poderosa sinergia que intriga especialistas em administração e nos permite realizar tarefas impressionantes.

Em terceiro lugar, você não pode ser igual a mim (e ninguém, em juízo perfeito, gostaria de ter minhas fraquezas). Somente eu posso ser eu, e só você pode ser você. Deus determinou que fôssemos assim. Quando você for para o céu, Deus não vai lhe dizer: "Por que você não foi mais parecido com Rick Warren [ou Jerry Falwell, Bill Hybels, John MacArthur]?". Deus provavelmente dirá: "Por que você não foi mais parecido com você mesmo?".

Deus fez você para ser você mesmo. Ele quer usar seus dons, seu amor, suas habilidades naturais, sua personalidade e suas experiências para impressionar parte do mundo. Todos nós somos originais. Infelizmente, muitos se tornam cópia de outra pessoa. Você não pode fazer uma igreja crescer tentando ser outra pessoa.

O que você pode aprender

Em primeiro lugar, você pode aprender os princípios. Como diz o ditado: "Métodos são muitos, princípios são poucos; métodos sempre mudam, mas não os princípios". Se um princípio é bíblico, creio que ele é universal: funciona bem em qualquer lugar. É sábio aprender e aplicar os princípios divinos observando como Deus está trabalhando ao redor do mundo. Você não pode fazer uma igreja crescer tentando ser outra pessoa, mas pode fazer que ela cresça usando os princípios que alguém descobriu, depois de filtrá-los por meio de sua personalidade e de seu contexto.

Nunca me interessei em produzir clones da Saddleback. Essa é a razão pela qual prefiro um nome local para nossa igreja, em vez de um título genérico, que possa ser copiado. A não ser que você more em nossa comunidade, o nome Saddleback* não fará sentido para você. Nenhuma das 25 igrejas que começaram conosco ministram exatamente como a Saddleback. Eu as encorajo a filtrar o que aprenderam conosco e a se adequar ao contexto em que estão inseridas.

Deus tem um ministério feito por encomenda para cada comunidade. Sua igreja tem uma impressão digital única, concedida por Deus. No entanto, você pode inspirar-se em outros modelos sem se tornar um clone. Aprendemos melhor e mais rápido observando outros exemplos. Na verdade, a maior parte do que aprendemos na vida é por meio da observação. Nunca tenha vergonha de usar um modelo. Isso é sinal de inteligência! Em Provérbios 18.15, lemos: "O coração do que tem discernimento adquire conhecimento; os ouvidos dos sábios saem à sua procura". Na verdade, ele está sempre aberto a novas experiências.

Paulo não tinha medo de aplicar modelos conhecidos às igrejas que iniciou. Ele disse à igreja de Tessalônica: "Vocês se tornaram nossos imitadores e do Senhor [...]. Assim, tornaram-se modelo para todos os crentes que estão na Macedônia e na Acaia" (1Ts 1.6,7). Essa é a oração que faço por sua igreja. Espero que você possa aprender com a Saddleback e então se torne um modelo para outras igrejas.

> Você pode inspirar-se em outros modelos sem se tornar um clone.

Nossa comunidade não é, de forma alguma, uma igreja perfeita, mas é saudável (assim como meus filhos nunca serão perfeitos, mas são saudá-

---

Saddleback significa "cavalo selado" ou "lombada côncava [de um animal]" [N. do R.].

veis). Ela não precisa ser perfeita para se tornar um modelo. Se a perfeição fosse pré-requisito para ser modelo, teríamos de esquecer o assunto, pois jamais aprenderíamos algo de igreja alguma, pois não existe *uma* que seja perfeita.

Deixe-me alertá-lo: se você implementar a estratégia e as ideias deste livro em sua igreja, alguém certamente dirá: "Você pegou essas ideias da Saddleback". Você então deve responder: "E daí? Eles pegaram essas ideias de centenas de outras igrejas!". Lembre-se: todos nós estamos no mesmo time.

Creio que quem não consegue se orientar por outros modelos tem um problema de ego. A Bíblia diz: "Deus se opõe aos orgulhosos, mas concede graça aos humildes" (Tg 4.6). Por que ele faz isso? Uma das razões é porque a pessoa que está cheia de orgulho é incapaz de aprender. Ela acha que sabe tudo. Percebi que quando alguém pensa que tem todas as respostas, na maioria das vezes isso significa que desconhece várias questões. Minha meta é aprender o máximo possível, com o maior número possível de pessoas. Tento aprender com pessoas que me criticam, discordam de mim e até mesmo com meus inimigos.

Em segundo lugar, você pode aprender um processo. Este livro discorre sobre processos, e não sobre programas. Ele oferece um sistema para o desenvolvimento de sua igreja e para o equilíbrio de seus propósitos. Tenho observado a estratégia da Igreja Saddleback para convencer pessoas a trabalharem sob as duras demandas de uma igreja que cresce rapidamente, e estou confiante de que o processo dirigido por propósitos pode funcionar em igrejas com taxa de crescimento mais razoável. Agora percebemos que esse processo produz cristãos fortes e frutíferos em milhares de igrejas de pequeno e médio porte. Não é uma estratégia exclusiva para megaigrejas.

As pessoas esquecem-se de que nossa igreja um dia foi pequena. Crescemos usando o processo dirigido por propósitos. Muitos líderes de igrejas já me disseram, depois que lhes expliquei como agimos: "Qualquer um pode fazer isso!". Então respondo: "Essa é a questão!". Igrejas saudáveis são alicerçadas em processos, e não em personalidades.

Em terceiro lugar, você pode aprender alguns métodos. Nenhum deles foi feito para durar eternamente ou para funcionar em qualquer lugar, mas isso não lhes tira o mérito. Atualmente, os métodos de crescimento de igreja não desfrutam boa reputação. Em alguns círculos, são considerados não-espirituais e até mesmo carnais. Isso ocorre porque alguns entusiastas do crescimento têm enfatizado os métodos e negligenciado a sã doutrina e a obra do Espírito Santo. Por isso, alguns se tornam extremistas, recusando-se a adotar qualquer tipo de método.

Toda igreja utiliza algum tipo de metodologia, intencionalmente ou não. A questão não é decidir se a igreja irá ou não utilizar métodos. O problema é quais métodos utilizar e se eles são bíblicos e eficazes.

Métodos são expressões de princípios. Há muitas formas de expressar princípios bíblicos em culturas diferenciadas. O livro de Atos tem muitos exemplos de como os primeiros cristãos usavam métodos diversos em diferentes situações.

Quando estudamos as igrejas de hoje, fica óbvio que Deus usa os mais diversos meios e tem abençoado alguns mais que outros. Fica evidente também que alguns métodos que funcionaram no passado já perderam a eficácia. Felizmente, um dos pontos mais fortes do cristianismo é a capacidade de modificar métodos quando confrontados com novas culturas e novos tempos. A história ilustra claramente a contínua criação de novos "odres". Deus concede à sua Igreja novas estratégias para alcançar cada nova geração. Em Eclesiastes 3.6, lemos: "[Há] tempo de guardar e tempo de jogar fora". Esse versículo pode ser aplicado à metodologia. A cada geração, a igreja deve decidir quais os métodos que devem ser mantidos e quais devem ser descartados.

Você provavelmente não irá gostar de algumas estratégias que adotamos na Saddleback. Tudo bem. Não espero isso, porque também nem todas as coisas que estamos fazendo são de meu agrado. Leia este livro como se estivesse comendo um peixe: aproveite a carne e jogue fora as espinhas. Adote e adapte o que puder. Uma das mais importantes qualidades da liderança é saber distinguir o que é essencial do que não é. O método deve estar sempre subjugado à mensagem. Quando você ler um livro sobre saúde ou crescimento de igreja, não se deixe confundir quanto ao que é fundamental e quanto ao que é secundário.

Questões fundamentais:

- Quem é nosso mestre?
- Qual é nossa mensagem?
- Qual é nossa motivação?

Questões secundárias:

- Qual é nosso mercado?
- Quais são nossos modelos?
- Quais são nossos métodos?

Albert Einstein lamentava o que para ele era uma das grandes fraquezas do século XX: a tendência de confundir os meios com os fins. Para uma igreja, isso é especialmente perigoso. Não devemos nos apaixonar por nossos métodos a ponto de perder de vista nossa missão e esquecer nossa mensagem.

Infelizmente, muitas igrejas operam com conceitos errôneos e acreditam nos mitos que identifiquei neste capítulo. Esses fatores impedem que se tornem igrejas saudáveis, que cresçam e que explorem todo o seu potencial. As igrejas necessitam da *verdade* para crescer. As seitas podem crescer sem a verdade, mas igrejas não. Paulo afirma que a igreja é "coluna e fundamento da verdade" (1Tm 3.15). Na segunda parte deste livro, veremos como construir o alicerce da verdade, no qual Deus edifica sua Igreja.

Parte dois

Tornando-se uma igreja dirigida por propósitos

3
O que motiva sua igreja?

Muitos são os planos no coração do homem,
mas o que prevalece é o propósito do Senhor.
PROVÉRBIOS 19.21

Steve Johnson iniciou a reunião mensal do conselho da Igreja de Westside exatamente às 19 horas.

— Temos muitas decisões a tomar nesta noite, então é melhor começarmos — anunciou. — Como vocês sabem, a pauta de hoje inclui a aprovação de um programa unificado da igreja para o próximo ano. Temos de apresentá-lo à congregação em duas semanas.

Como presidente, Steve estava bastante ansioso em relação ao que iria acontecer. Só a reunião anual de orçamento provocava mais discórdia e debates que a reunião de planejamento.

— Quem quer começar? — perguntou Steve.

— Isso é fácil — disse Ben Fiel, diácono e membro da igreja havia vinte e seis anos. — O ano passado foi um bom ano. Basta repetir todas as coisas boas que fizemos. Sempre acreditei no princípio de que tudo que foi tentado e deu certo é melhor que ideias novas.

— Discordo — interferiu Bob Novidade. — Os tempos mudaram, e creio que devemos reavaliar *tudo* que estamos fazendo. Só porque o programa funcionou no ano passado não significa que automaticamente continuará funcionando neste ano. Penso que seria interessante introduzir um estilo diferente no culto de celebração. Temos observado o crescimento da Igreja do Calvário desde que eles programaram um culto contemporâneo para alcançar os sem-igreja.

— Esse é o problema. Algumas igrejas fazem qualquer coisa para atrair o povo — replicou Ben. — Esquecem-se de que a igreja é para nós, os cristãos! Temos de ser *diferentes* e nos separar do mundo. Não podemos nos conformar com o que há lá fora. Ver isso acontecer na Igreja de Westside seria decepcionante!

Nas duas horas seguintes, uma lista de ideias foi apresentada para inclusão no calendário da igreja. Karen Compassiva insistiu, apaixonadamente, em que a Igreja de Westside assumisse um papel mais ativo no resgate de grávidas desejosas de abortar e nos movimentos anti-aborto. John Corajoso deu um testemunho emocionante de como os Promisse Keepers [Guardiões da Promessa] grupo evangélico composto só de homens, mudou sua vida e sugeriu um quadro cheio de atividades para homens. Linda Amorosa falou sobre a necessidade de desenvolver vários grupos de apoio a pessoas carentes. Bob Educador deu opiniões costumeiras sobre a fundação de uma escola cristã. Jerry Econômico, nervoso com tantas ideias, a cada proposta perguntava: "Quanto isso vai custar?". *Todas* as sugestões eram válidas. O problema é que parecia não haver um padrão de referência pelo qual o conselho pudesse avaliar e decidir quais programas adotar.

Finalmente, Clark Persuasivo falou. Sua voz era a que todos queriam ouvir àquela altura do campeonato. Sempre que havia impasse nas reuniões administrativas da igreja, ele costumava fazer um pequeno discurso, e a maioria votava de acordo com as conclusões dele. Não que suas ideias fossem melhores. Na verdade, o grupo frequentemente discordava delas, mas a personalidade marcante de Clark parecia dar sentido a tudo.

Qual o problema nesse cenário? Forças múltiplas estão competindo por atenção, na tentativa de dirigir a igreja. Isso resulta em conflito, porque elas apontam diversas direções ao mesmo tempo.

Se você procurar a palavra *dirigir* no dicionário, encontrará esta definição: "guiar, controlar ou direcionar". Quando dirige um grupo, você o guia, controla e direciona. Quando dirige uma orquestra, você guia, controla e direciona a música!

Toda igreja é dirigida ou motivada por alguma coisa. Existe uma força que a conduz, uma convicção motivadora por trás de tudo que acontece no meio dela. Esse direcionamento pode não estar escrito em nenhum lugar. Pode até ser desconhecido da maior parte da congregação. Provavelmente, nunca houve uma votação para aprovar tal direcionamento. No entanto, ele existe e influencia cada aspecto da vida da igreja. Qual a força que direciona e motiva sua igreja?

Igrejas dirigidas por tradições

Nas igrejas dirigidas por tradições, a frase perfeita é: "Sempre fizemos isso desse jeito". O alvo da igreja dirigida por tradições é simplesmente perpetuar o passado. Mudanças são quase sempre vistas de forma negativa, e a estagnação é interpretada como sinônimo de "estabilidade".

Igrejas mais antigas tender a se prender a determinadas regras, regulamentos e rituais, enquanto as mais jovens tendem a se unir a um propósito e missão. Em algumas igrejas, a tradição é tão forte que qualquer outra coisa, até mesmo a vontade de Deus, se torna secundária. Ralph Neighbour diz que as cinco últimas palavras de uma igreja são: "Nunca fizemos isso deste jeito".

Igrejas dirigidas por personalidades

Nessas igrejas, o fato mais importante é: "O que o líder da igreja quer?". Se o pastor está servindo na igreja há muito tempo, certamente é a personalidade que a motiva. Mas, se a igreja tem uma história de sempre mudar de pastor, um líder leigo de destaque na igreja certamente é força propulsora. Um dos problemas comuns das igrejas dirigidas por personalidades é que o planejamento é sempre determinado pelo passado, por necessidades e insegurança do líder, e não pela vontade de Deus ou pela necessidade das pessoas. Outro problema é que tais igrejas ficam numa encruzilhada quando a personalidade dominante se retira ou morre.

Igrejas dirigidas por finanças

A questão que ronda a mente de cada pessoa numa igreja dirigida por finanças é: "Quanto isso vai custar?". Nada é mais importante que as finanças. O debate mais quente é sempre sobre o orçamento. Mordomia e fluxo de caixa são elementos essenciais a uma igreja saudável, mas as finanças jamais podem ser um fator de controle. O item principal deve ser o que

Deus quer que a igreja faça. As igrejas não existem para produzir lucro. A razão da existência de uma igreja não deve ser: "Quanto conseguimos economizar?", e sim: "Quem foi salvo?". Tenho observado que muitas igrejas são dirigidas pela fé em seus primeiros anos, mas depois o dinheiro assume o controle.

Igrejas dirigidas por programas

A escola bíblica, o departamento feminino, o coral e o grupo de jovens são a força motivadora de algumas igrejas. Numa igreja dirigida por programas, toda as forças estão concentradas em manter o que foi planejado. A igreja dirigida por programas, em vez de proporcionar o crescimento espiritual das pessoas, trabalha somente no preenchimento de cargos. A comissão de indicações é o grupo mais importante da igreja. Se os resultados não são os esperados, as pessoas envolvidas culpam a si mesmas por não trabalharem o suficiente. Ninguém jamais questiona se o programa ainda funciona.

Igrejas dirigidas por construções

Winston Churchill disse certa vez: "Damos forma a nossos prédios, e depois os prédios é que nos dão forma". Muitas vezes, a congregação está tão ansiosa por possuir um belo edifício que seus membros são obrigados a gastar mais do que possuem. A maior provisão no orçamento é para a manutenção das instalações. Fundos para sustentar ministérios têm de ser desviados para pagar intermináveis prestações, e assim os verdadeiros objetivos da igreja são prejudicados. "Em vez de o cachorro balançar a cauda, a cauda balança o cachorro". No outro extremo, estão as igrejas que se baseiam na pequenez de seu templo para limitar seu crescimento. Para estas, permanecer num templo histórico, embora inadequado, é mais importante que alcançar a comunidade.

Igrejas dirigidas por eventos

Se você olhar o calendário de uma igreja dirigida por eventos, ficará com a impressão de que a meta dessa igreja é manter as pessoas ocupadas.

Há sempre alguma coisa acontecendo, todos os dias da semana. Assim que um grande evento é realizado, já começam a trabalhar no evento seguinte. Existe muito trabalho em igrejas como essas, mas não necessariamente produtividade. Uma igreja pode manter-se ocupada sem, no entanto, entender o propósito de tanta ocupação.

Alguém precisa questionar: "Qual o propósito de cada uma de nossas atividades?". Numa igreja dirigida por eventos, o número de pessoas que frequenta as programações é a única medida de fidelidade e maturidade. Devemos evitar que as reuniões substituam o ministério como principal atividade dos cristãos.

Igrejas dirigidas por visitantes

Na tentativa honesta de alcançar almas para Cristo e ser relevante na cultura moderna, algumas igrejas permitem que as necessidades dos não-cristãos se tornem sua força motivadora. A principal pergunta é: "O que os visitantes estão querendo?". Claro, devemos ser sensíveis às necessidades, às emoções e aos interesses dos não-cristãos. Planejar cultos evangelísticos visando a essas necessidades é uma ideia inteligente, mas não podemos permitir que isso dirija por completo a programação da igreja.

Os propósitos de Deus para a igreja incluem o evangelismo, mas isso não exclui os outros propósitos. Atrair visitantes é o primeiro passo para fazer discípulos, mas essa não deve ser a força propulsora da igreja. Para os negócios, é bom oferecer no mercado tudo que o cliente quer, mas a missão da igreja é mais elevada. Ela deve se interessar pelos visitantes, mas não pode ser dirigida por eles. É nosso dever adaptar o estilo de comunicação à nossa cultura, mas sem adotar seus elementos pecaminosos e sem nos render a eles.

> A igreja deve se interessar pelos visitantes, mas não pode ser dirigida por eles.

Um paradigma bíblico: igrejas dirigidas por propósitos

O que é necessário hoje são igrejas dirigidas por propósitos ao invés de por outras forças. Este livro foi escrito para oferecer um novo paradigma, o de igreja dirigida por propósitos, uma alternativa bíblica e saudável para a forma tradicional de organização e funcionamento das igrejas.

Existem dois elementos básicos nesse paradigma. Primeiro, ele requer uma nova *perspectiva*. Você deve começar a enxergar tudo que sua igreja faz pela ótica dos cinco propósitos do Novo Testamento e descobrir como Deus deseja que ela os equilibre. Segundo, esse paradigma requer um *processo* que permita o cumprimento do propósito da igreja. Neste livro, explico o processo que usamos na Saddleback, o qual permitiu que experimentássemos até aqui saúde e crescimento constante.

Isto não é uma teoria vinda de uma "*torre de marfim*". Ela foi testada numa igreja real e produziu uma das igrejas maiores e de maior crescimento da história americana. Também produziu resultados animadores em milhares de outras igrejas na América, na Austrália, na Europa e na Ásia. Sua igreja, seja qual for o tamanho ou a localização, será mais saudável, forte e eficaz se orientada por propósitos.

O apóstolo Paulo afirma que Deus julgará o que construímos pelo que permanecer: "Sua obra será mostrada, porque o Dia a trará à luz; pois será revelada pelo fogo, que provará a qualidade da obra de cada um. Se o que alguém construiu permanecer, esse receberá recompensa" (1Co 3.13,14). Ele também revela que a chave para construir algo permanente é edificar sobre o alicerce correto: "Conforme a graça de Deus que me foi concedida, eu, como sábio construtor, lancei o alicerce, e outro está construindo sobre ele. Contudo, veja cada um como constrói. Porque ninguém pode colocar

> Planejamentos, programas e personalidades passam, mas o propósito de Deus permanecerá.

outro alicerce além do que já está posto, que é Jesus Cristo" (v. 10,11).

Igrejas fortes são construídas sobre propósitos. Enfocando igualmente todos os cinco propósitos, sua igreja irá desenvolver um equilíbrio sadio, que produzirá um crescimento duradouro. Em Provérbios 19.21, lemos: "Muitos são os planos no coração do homem, mas o que prevalece é o propósito do Senhor". Planejamentos, programas e personalidades passam, mas o propósito de Deus permanecerá.

A importância de ser dirigido por propósitos

Nada precede o propósito. O ponto de partida de cada igreja deve ser a questão: "Por que existimos?". Até que saiba a razão da existência de sua comunidade, você não tem alicerce nem motivação, nem direção no ministério. Se você está implantando uma igreja, sua primeira tarefa é a de *definir* o propósito dela. É muito mais fácil estabelecer a base correta para uma igreja nova que tentar endireitar uma que já existe há anos.

No entanto, se você ministra numa igreja estável, em declínio ou simplesmente desencorajada, sua tarefa principal é *redefinir* o propósito da congregação. Esqueça qualquer outra coisa até que você tenha estabelecido novos propósitos na mente do povo. Procure resgatar a visão do que Deus quer realizar em sua igreja e por meio dela. Nada revitaliza mais rapidamente uma igreja desencorajada que a redescoberta de seu propósito.

Enquanto me preparava para iniciar a Saddleback, um dos fatos mais importantes que descobri em minha pesquisa foi que toda igreja saudável, com bom crescimento, tem identidade definida. Ela entende sua razão de ser e é precisa em seus propósitos. Sabe exatamente para que Deus a chamou. Sabe o que Deus espera dela e também em que não deve se meter! Sua igreja tem identidade definida?

Se você perguntar a membros de igrejas o porquê da existência da sua igreja, obterá respostas variadas. A maioria das igrejas não tem um consenso claro sobre esse assunto. Win Arn, consultor para igrejas, certa vez me falou sobre uma pesquisa que havia feito. Entrevistando membros de quase mil igrejas, fez a seguinte pergunta: "Por que a igreja existe?". A resposta de 89% deles foi: "O propósito da igreja é tomar conta de minha família e de minhas necessidades". Para muitos, o papel do pastor é simplesmente manter alegres as ovelhas que já estão no "pasto" e tratar de não perdê-las. Apenas 11% deles responderam que "o propósito da igreja é ganhar o mundo para Jesus Cristo"!

> Nada revitaliza mais rapidamente uma igreja desencorajada que a redescoberta de seu propósito.

Os *pastores* das mesmas igrejas também foram procurados para responder à pergunta. O incrível é que o resultado foi exatamente o oposto. Dos pastores pesquisados, 90% disseram que o propósito da igreja é ganhar o mundo, e 10% responderam que é cuidar das necessidades dos membros. Não é de admirar que haja estagnação em muitas igrejas nos dias de hoje. Se o pastor e a congregação têm ideias diferentes sobre a razão da existência da igreja, confusão e discórdia são inevitáveis.

Igrejas são iniciadas por diversas razões — às vezes até por algumas razões pouco recomendáveis: competição, orgulho denominacional, necessidade de reconhecimento do líder, ou qualquer outro motivo indigno. Se a força propulsora da igreja não for bíblica, sua saúde e seu crescimento jamais atingirão os níveis desejados por Deus. Igrejas fortes não são construídas sobre programas, personalidades ou artifícios, mas sobre os propósitos eternos de Deus.

4
Alicerces para uma igreja saudável

"Edificarei a minha igreja".
JESUS, MATEUS 16.18

*"Conforme a graça de Deus que me foi concedida,
eu, como sábio construtor...".*
PAULO, 1CORÍNTIOS 3.10

Há alguns anos, comprei um terreno nas montanhas, próximo do parque nacional de Yosemite, e construí ali uma casa de madeira. Mesmo com a ajuda de meu pai e de alguns amigos, levei dois anos para concluí-la, uma vez que não podia trabalhar nela em tempo integral. Levei o verão inteiro ocupado somente com os alicerces. Precisei limpar o terreno, cortando e retirando as raízes de 37 pinheiros enormes. Depois cavei uma vala de mais de 20 metros com 1,5 m de profundidade e a enchi com cascalho, pois havia muita umidade, devido a uma fonte subterrânea próxima.

Depois de dez exaustivas semanas, tudo que tinha para mostrar de meu trabalho eram os alicerces de concreto. Foi decepcionante para mim. No entanto, meu pai, que já construiu mais de cem igrejas, disse: "Anime-se, filho! Se você terminou a fundação, significa que o pior já passou".

Os alicerces determinam o tamanho e a força de um prédio. Você não pode construir mais do que eles podem aguentar. O mesmo vale para as igrejas. A igreja construída sobre uma fundação inadequada jamais alcançará as dimensões que Deus deseja. E irá desmoronar se exceder a capacidade de sua base.

> Os alicerces determinam o tamanho e a força da construção. Você não pode construir mais do que eles podem aguentar.

Se você quiser construir uma igreja capaz de crescer saudável e forte, *precisa* investir em uma fundação sólida. É necessário esclarecer a todos os envolvidos o porquê da existência da igreja e o que ela deve fazer. É fantástico o efeito de uma *declaração de propósito* bem elaborada. Se for concisa o suficiente para que todos possam lembrar, produzirá cinco grandes benefícios para sua igreja.

Propósitos claros levantam o ânimo

O ânimo e a missão sempre andam juntos. Em 1Coríntios 1.10, lemos: "Concordem uns com os outros no que falam, para que não haja divisões entre vocês; antes, que todos estejam unidos num só pensamento e num só parecer". Observe que, segundo Paulo, a chave para a harmonia na igreja é a unidade de propósito. Se sua missão não for clara, o ânimo será baixo.

A Saddleback tem um moral elevado e um ambiente de harmonia. Pessoas que trabalham juntas para alcançar um propósito maior não têm tempo de ficar discutindo assuntos triviais. Quando você está ajudando a remar, não tem tempo para balançar o barco! Conseguimos manter uma comunhão calorosa, a despeito do enorme crescimento que nossa igreja experimenta. Isso porque nossos membros objetivam a um propósito comum.

Salomão escreve: "Onde não há visão do que Deus está fazendo, o povo se desvia; mas como é feliz quem obedece à lei!" (Pv 29.18, tradução livre). Creio também que, quando não há visão, *as pessoas migram para outra comunidade*! Muitas igrejas estão vivendo por um fio, porque não têm uma perspectiva definida. Cambaleiam de domingo a domingo porque o propósito de sua existência se perdeu. Uma igreja sem propósito e sem missão tornar-se-á, cedo ou tarde, peça de museu, um mostruário de tradições.

Propósitos claros reduzem a frustração

Uma declaração de propósito diminui a frustração porque permite que esqueçamos coisas que na realidade não têm importância. Em Isaías 26.3, lemos: "Tu, Senhor, guardarás em perfeita paz aquele *cujo propósito está firme*, porque em ti confia". Os propósitos não somente definem o que fazemos, como também o que *não* fazemos. Você por certo concordará que a igreja não tem tempo para fazer tudo. A boa notícia é que Deus não *espera* que você faça tudo. Além disso, são poucas as coisas que realmente valem a pena fazer! O segredo de ser eficiente é saber e fazer o que realmente deve ser feito, e não preocupar-se com o que não pode ser feito.

Como pastor, aprendi que cada um deve ter um plano próprio para a igreja. Recapitulando a primeira lei espiritual:

> Os propósitos não somente definem o que fazemos, como também o que *não* fazemos.

Deus me ama e todas as outras pessoas têm um plano maravilhoso para a minha vida! As pessoas estão sempre dizendo: "A igreja deve fazer isso"; ou: "A igreja deve fazer aquilo". Muitas dessas sugestões são atividades importantes, mas essa não é a questão principal. O filtro deve ser sempre o seguinte: "Esta atividade cumpre um dos propósitos para os quais Deus estabeleceu esta igreja?". Se atender a esse critério, a ideia pode ser adotada. Caso contrário, não permita que ela o desvie do plano que o Senhor tem para sua igreja.

Sem uma declaração de propósito, é fácil ficar frustrado, com todas as distrações à nossa volta. Talvez você já tenha se sentido como Isaías: "Mas eu disse: Tenho me afadigado sem qualquer propósito; tenho gastado minha força em vão e para nada." (Is 49.4). Liderar uma igreja sem uma declaração de propósito é como dirigir um carro na neblina. Se sua visão não é nítida, você corre o risco de sofrer um acidente.

Tiago diz que o homem vacilante "é instável em tudo o que faz" (Tg 1.8). A igreja que esquece seu propósito tem muita dificuldade para decidir o que é importante. A igreja indecisa é instável. A todo momento, ela sai do curso e vacila em estabelecer prioridades, propósitos e planos. Caminha numa direção e depois em outra, dependendo de quem assume a liderança. Algumas vezes, fica simplesmente andando em círculos.

Numa igreja com propósitos, uma vez que o rumo está definido, tomar decisões torna-se mais fácil e menos frustrante. Defina os papéis e depois as metas da igreja. Com os propósitos definidos, qualquer meta que preencha um desses propósitos tem aprovação automática. Quando alguém sugerir uma atividade ou um novo evento ou programa, você deve simplesmente questionar: "Isso cumpre algum dos nossos propósitos?". Se a resposta for sim, vá em frente! Caso contrário, esqueça!

Propósitos claros permitem concentração de esforços

Uma luz bem focada tem tremenda força. Já uma luz difusa não exerce efeito algum. Por exemplo, se você fizer a luz do sol passar através de uma lente de aumento, poderá atear fogo numa folha. Mas isso não será possível se a luz solar não estiver concentrada. Quando a luz é concentrada em níveis mais altos, como no caso do raio laser, ela pode até cortar um bloco de aço!

O princípio da concentração também funciona em outras áreas. Vidas e igrejas focadas em determinado objetivo terão maior impacto que as que estão fora de foco. A exemplo do raio laser, quanto mais focalizada for sua igreja, maior impacto ela terá sobre a sociedade.

Propósitos claros permitem que você concentre seus esforços. Paulo sabia disso. Ele disse: "... esquecendo-me das coisas que ficaram para trás e avançando para as que estão adiante..." (Fp 3.13).

Uma das tentações mais comuns nas igrejas hoje é de se perder nas pequenas coisas. Distraem-se com agendas e programas que são bons, mas de pouca importância. A energia da igreja é difusa e dissipada; o poder é perdido.

Se você quer que sua igreja cause impacto no mundo, precisa concentrar-se no que é realmente essencial. Fico abismado com a quantidade de cristãos que não sabem qual é o principal objetivo da igreja. Como se diz nos Estados Unidos, "o principal é manter principal o principal!".

Em minha opinião, a maioria das igrejas tenta fazer muita coisa ao mesmo tempo. Essa é uma das várias barreiras ignoradas pelos que se propõem construir uma igreja saudável. Eles simplesmente cansam o povo. Muitas vezes, igrejas pequenas envolvem-se com todos os tipos de atividades, eventos e programas, em vez de se concentrarem em objetivos mais definidos, como Paulo fez. Fazem quarenta coisas diferentes, mas não são bons em nenhuma delas.

Quanto mais antiga a igreja, mais podemos observar esse fato. Programas e eventos continuam a ser adicionados ao calendário, sem que nada seja retirado. Lembre-se de que nenhum programa existe para durar eternamente. Um calendário abarrotado consome o vigor da igreja. Uma "faxina" de vez em quando, isto é, o abandono de programas que já não cumprem seus propósitos, é essencial para a saúde da igreja. Se o cavalo morreu, saia de cima dele!

Quando comecei a Saddleback, tudo que oferecíamos no primeiro ano era o culto de celebração e um culto para crianças. Não pretendíamos abranger todas as áreas. Não tivemos programa para jovens até alcançarmos uma frequência superior a 500 pessoas em nossos cultos. As atividades para adultos solteiros começaram só depois que a frequência alcançou cerca de mil pessoas.

Havíamos determinado jamais iniciar um ministério sem primeiro ter alguém para liderá-lo. Se não houvesse um líder, esperaríamos o tempo de Deus para implantar o trabalho. Quando o líder certo aparecia, iniciávamos o ministério. Esse método nos ajudou a fazer poucas coisas, mas fazê-las muito bem. Somente depois de um ministério apresentar um desempenho aceitável é que outro era acrescentado.

Não tentamos fazer tudo ao mesmo tempo. Ser *eficaz* não é a mesma coisa que *ser eficiente*. Peter Drucker afirma: "Eficiência é *fazer as coisas direito*. Eficácia *é fazer as coisas certas*". Muitas igrejas são eficientes porque são organizadas. Elas mantêm uma programação ampla, mas, apesar de organizar muitos eventos, sua produtividade é insignificante. Muito vigor é gasto em assuntos triviais. É como tentar arrumar as cadeiras enquanto o navio afunda. Pode até ser que tudo fique arrumado, mas o naufrágio acontecerá de qualquer jeito! Não basta a igreja ser bem organizada: ela deve ser organizada para fazer as coisas certas.

Deus quer que as igrejas sejam organizadas, mas poucas são eficazmente concentradas em seus propósitos. Ao rever continuamente seu propósito, você pode manter as prioridades e sua igreja o alvo correto.

Propósitos claros atraem cooperação

As pessoas querem se unir a uma igreja que saiba para onde está indo. Quando a igreja tem certeza de seu destino, as pessoas ficam ansiosas para subir a bordo. Isso ocorre porque todos nós procuramos sentido, propósito e direção. Quando Esdras disse ao povo o que Deus esperava dele, o povo respondeu: "Levante-se! Esta questão está em suas mãos, mas nós o apoiaremos. Tenha coragem e mãos à obra!" (Ed 10.4).

Paulo sempre foi claro em seus propósitos. Como resultado, as pessoas queriam participar de seus empreendimentos. Foi o que aconteceu na igreja em Filipos. Os filipenses ficaram tão impressionados com o trabalho do apóstolo que lhe deram todo o apoio financeiro necessário (v. Fp 4.15). Se você deseja que os membros de sua igreja fiquem animados, apoiem as atividades da congregação e dediquem-se a elas, é necessário que você explique exatamente para onde a igreja está indo.

Você já pegou o avião errado? Certa vez, peguei um avião pensando que estava indo para Saint Louis, mas estava indo para a cidade de Kansas. Aprendi uma lição muito importante: sempre verifique o destino *antes* de o avião partir. Sair de uma situação errada é sempre doloroso! Você não se arriscaria a entrar em um ônibus interestadual sem saber para onde ele está indo. Da mesma forma, não deve esperar que as pessoas entrem em sua igreja sem saber qual o destino dela.

Quero que todos os que desejam se tornar membros de minha igreja saibam para onde ela está indo. Nossa declaração de propósito é explicada em detalhes a qualquer pessoa que manifeste o desejo de se unir a nós. Ninguém pode se tornar membro da Saddleback sem frequentar a classe de novos membros e assinar o pacto de membresia, que inclui o compromisso de apoiar os propósitos da Saddleback.

Em Provérbios 11.27, lemos: "Se seus alvos são bons, você será respeitado" (tradução livre). Diga abertamente ao povo para onde sua igreja está indo, e isso atrairá cooperação.

Apresente em detalhes os propósitos e as prioridades de sua igreja no curso de membresia. Explique com clareza sua estratégia e sua estrutura numa classe de novos membros. Isso evitará que as pessoas se unam à sua membresia com ideias equivocadas.

Permitir que alguém se torne membro de sua igreja sem entender o propósito dela é procurar *sarna para se coçar*. Novos membros, especialmente aqueles vindos de outras comunidades, geralmente o fazem por interesse pessoal ou baseados em ideias preconcebidas sobre a igreja. Se você não for claro e honesto com eles, cedo ou tarde terá problemas.

Os membros transferidos para sua igreja trazem consigo a bagagem cultural da igreja anterior e podem alimentar expectativas a que sua igreja não irá atender. Esse fato tornou-se evidente para mim já no início de nosso trabalho, antes de começarmos os cultos de celebração. Um homem, que frequentava nosso grupo de estudo bíblico nos lares, foi durante 12 anos membro de uma grande igreja da região. Toda vez que começávamos a planejar alguma coisa, ele dizia: "Bem, na minha outra igreja, fazíamos assim...". Esse era um refrão constante.

Após oito semanas nessa situação, finalmente sugeri: "Sabe de uma coisa? Se você quer que esta igreja seja igual àquela de onde você veio, por que não volta para lá? Ela está somente a 15 quilômetros daqui". Ele aceitou meu conselho e saiu de nosso grupo com cinco pessoas de sua família.

Eles representavam 30% de nossos membros e, além disso, eram dizimistas. A atitude dele me chocou, mas analisando agora a situação acredito que foi uma das mais importantes decisões que tomei e que determinou o destino de nosso trabalho. Se eu tivesse ouvido aquele irmão, a Saddleback acabaria sendo só um clone de outra igreja. Nosso futuro teria sido outro.

Também aprendi duas lições importantes sobre liderança. A primeira é a de que você não pode deixar que pessoas amargas estabeleça o plano para a igreja. Isso é abdicar da liderança. Infelizmente, quanto menor a igreja, mais sujeita ela está às influências negativas. A segunda lição que aprendi com aquela experiência foi a de que a melhor hora para descobrir se alguém discorda de sua filosofia ministerial é antes de ele se juntar ao grupo.

Explicar o propósito de sua igreja com antecedência não apenas reduzirá a possibilidade de conflitos e decepções, como também ajudará a pessoa a reconhecer que o melhor é unir-se a uma igreja de acordo com sua filosofia e gosto pessoal.

Propósitos claros ajudam na avaliação

Paulo escreveu aos coríntios: "Examinem-se para ver se vocês estão na fé; provem-se a si mesmos" (2Co 13.5). Como a igreja pode se auto-avaliar? Não se comparando com outras igrejas, mas se questionando:

"Estamos fazendo aquilo que Deus deseja que façamos? E como estamos indo?". Peter Drucker pergunta: "Qual é o nosso negócio? Como vai nosso negócio?". Essas são as duas perguntas mais importantes na avaliação da igreja. A declaração de propósito deve ser o padrão para você medir a saúde e o crescimento de sua congregação.

Não existe absolutamente nenhuma correlação entre o tamanho e a força da igreja. A igreja pode ser grande e forte ou grande e débil. Da mesma forma, a igreja pode ser pequena e forte ou pequena e sem personalidade. Ser grande não significa ser melhor; ser menor não significa ser melhor. *Melhor é ser melhor.*

O objetivo deste livro não é tornar sua igreja tão grande quanto a Saddleback. Tamanho não é a questão. O que realmente importa é: sua igreja será mais forte e saudável sendo uma igreja com propósitos.

> Avalie sua igreja, questionando: "Qual é o nosso negócio? Como vai nosso negócio?".

Esse processo leva algum tempo. Não acontece de uma hora para outra, nem mesmo em alguns meses. Até que a transição chegue ao fim, pode levar muitos anos. Se você quer que sua igreja se torne uma igreja com propósitos, terá de liderá-la em quatro fases essenciais: 1) *definir* os propósitos; 2) *comunicar* constantemente os propósitos a todos os membros da igreja; 3) *organizar* a igreja em torno dos propósitos; 4) *aplicar* os propósitos em todos os aspectos da igreja. Vou descrever cada uma dessas tarefas nos capítulos seguintes.

5
Definir os propósitos

Irmãos, em nome de nosso Senhor Jesus Cristo suplico a todos vocês que concordem uns com os outros no que falam, para que não haja divisões entre vocês; antes, que todos estejam unidos num só pensamento e num só parecer.

1Coríntios 1.10

Quando eu era seminarista no Texas, concordei em ajudar os líderes de uma igreja grande a avaliar seus programas. Ela havia sido uma testemunha forte e vibrante de Jesus Cristo no passado e tinha uma reputação histórica. Senti-me intimidado diante da enorme estrutura de tijolos vermelhos. Era minha primeira experiência como consultor de igrejas. A entrada da sala de conferências estava repleta de quadros com retrato dos homens que haviam pastoreado a igreja nos cem anos anteriores. Aquela igreja tinha história!

Quando nos sentamos para a primeira reunião, perguntei aos líderes ali reunidos: "Como vocês *se sentem* em relação à sua igreja?". A maioria dos comentários expressava satisfação. Um dos homens resumiu assim o sentimento geral: "Temos uma igreja *completa*". Contudo, enquanto me inteirava da situação, descobri que aquela igreja estava *completamente* adormecida! A igreja era teologicamente sólida, mas não havia nada de relevância espiritual acontecendo ali. Todos os prédios já estavam pagos, e os líderes se haviam tornado preguiçosos e letárgicos. Eles estavam, nas palavras do profeta Amós, "tranquilos em Sião", e a doença da "tranquilidade" deles estava lentamente matando a igreja. Uma vez que haviam me contratado para ser seu médico, dei-lhes a receita: "Redescubram seu propósito".

Liderando sua igreja na definição dos propósitos

Liderar a congregação na descoberta dos propósitos do Novo Testamento para a igreja é uma aventura emocionante. Não se apresse nesse processo. Não estrague a alegria da descoberta pela simples enunciação desses propósitos num sermão. O líder sábio entende que a congregação compreende as mensagens que lhe são transmitidas, mas, se chegarem a determinadas conclusões por eles mesmos, estas se tornarão convicções. Você está construindo um alicerce para saúde e crescimento a longo prazo.

É emocionante ver membros apáticos se tornarem entusiastas quando redescobrem a vontade de Deus em usá-los na igreja. A seguir, explico os quatro passos que lhe permitirão liderar a igreja na definição, ou redefinição, dos propósitos.

Estude o que a Bíblia diz

Comece envolvendo a congregação num estudo de passagens sobre igreja. Antes de iniciar nossa comunidade, apliquei-me seis meses a um estudo intenso e pessoal sobre igreja, usando os métodos descritos em meu livro *Dynamic Bible Study Methods* [Métodos dinâmicos de estudo bíblico]. Durante os primeiros meses de nossa igreja, ministrei à congregação o mesmo estudo. Juntos, dissecamos vários trechos importantes relacionados a um igreja.

Estas são algumas passagens que você pode incluir em seu estudo: Mateus 5.13-16; 9.35; 11.28-30; 16.15-19; 18.19,20; 22.36-40; 24.14; 25.34-40; 28.18-20; Marcos 10.43-45; Lucas 4.18,19; 4.43-45; João 4.23; 10.14-18; 13.34,35; 20.21; Atos 1.8; 2.41-47; 4.32-35; 5.42; 6.1-7; Romanos 12.1-8; 15.1-7; 1Coríntios 12.12-31; 2Coríntios 5.17—6.1; Gálatas 5.13-15; 6.1,2; Efésios 1.22,23; 2.19-22; 3.6,14-21; 4.11-16; 5.23,24; Colossenses 1.24-28; 3.15,16; 1Tessalonicenses 1.3; 5.11; Hebreus 10.24,25; 13.7,17; 1Pedro 2.9,10; 1João 1.5-7; 4.7-21.

Gene Mims escreveu um excelente livro, *Kingdom Principles for Church Growth* [Os princípios do Reino para o crescimento da igreja], que usei para ministrar um curso a todos os membros sobre os propósitos de uma igreja.

Ao ministrar um estudo à comunidade, deve-se considerar o seguinte:

- *Observe o ministério de Cristo no mundo.* O que Jesus fez durante o período em que esteve aqui? O que ele faria se estivesse aqui hoje? O que quer que ele tenha feito, devemos continuar. Os diversos elementos do ministério de Cristo devem estar evidentes hoje na igreja. Ele quer que continuemos, por meio de seu corpo espiritual, que é a igreja, a boa obra que realizou enquanto esteve fisicamente aqui.

- *Observe a simbologia da igreja.* O Novo Testamento oferece várias analogias: corpo, noiva, família, rebanho, comunidade e exército. Cada um desses símbolos tem implicações profundas sobre o que a igreja deve ser e fazer.

- *Observe os exemplos das igrejas do Novo Testamento.* O que as primeiras igrejas fizeram? Há vários modelos nas Escrituras. A igreja em Jerusalém era bem diferente da igreja em Corinto, assim como a de Filipos tinha características diversas da igreja em Tessalônica. Estude cada uma das comunidades mencionadas no Novo Testamento, incluindo as sete igrejas do livro de Apocalipse.

- *Observe os mandamentos de Cristo.* O que Jesus nos mandou fazer? Em Mateus 16.18, ele declara: "Edificarei a minha igreja". Certamente havia um propósito específico na mente do Senhor. Não é nossa missão *criar* os propósitos para a igreja, mas *descobrir* quais são eles.

Lembre-se que a igreja é de Cristo, e não nossa. Ele fundou a igreja, morreu por ela, enviou o Espírito Santo e um dia virá para buscá-la. E, como proprietário da igreja, ele estabeleceu seus propósitos.

> Não é nossa missão *criar* os propósitos para a igreja, mas *descobrir* quais são eles.

É nossa missão entender esses propósitos e implementá-los. Ainda que os programas mudem a cada geração, os propósitos não podem ser alterados. Podemos ser inovadores no estilo do ministério; jamais, porém, devemos alterar a essência dele.

Busque respostas para quatro perguntas

Enquanto você revê o que a Bíblia diz sobre a igreja, tente achar as respostas às perguntas relacionadas a seguir. Quando for responder, concentre-se na *natureza* e na missão da igreja.

1. Por que a igreja existe?
2. O que devemos *ser* como igreja? (Quem e o que somos?)
3. O que devemos *fazer* como igreja? (O que Deus quer que façamos no mundo?)
4. Como vamos fazer isso?

Escreva todas as suas conclusões

Coloque no papel tudo que você aprendeu em seu estudo. Não se preocupe em ser sucinto. Escreva tudo que pensa sobre a natureza e os propósitos da igreja. Foi o que fizemos em nosso grupo de estudo, no primeiro ano de nossa igreja. Anotávamos tudo que descobríamos, e o resultado foi um documento de dez páginas com nossas impressões.

Nessa fase, não tente desenvolver a declaração de propósito; limite-se à coleta de informações. É mais fácil editar e resumir que criar.

> Podemos ser inovadores no *estilo* do ministério, jamais, porém, devemos alterar a *essência* dele.

Concentre-se na tarefa de identificar cada propósito. Quero enfatizar aos pastores: não se apressem! Vocês estão construindo o alicerce que deverá suportar tudo que fizerem nos próximos anos. Mesmo que já saibam quais são os propósitos do Novo Testamento, é vital que a congregação examine tudo que a Bíblia tem a dizer sobre a igreja e escreva as próprias conclusões.

Resuma suas conclusões numa frase

Retiramos da lista resultante de nossos estudos uma frase que resume o que acreditamos serem os propósitos bíblicos da igreja, e você também deve fazer isso. Faça um resumo do que descobriu sobre a igreja, agrupando conceitos similares em temas principais, como: evangelismo, adoração, comunhão, maturidade espiritual e ministério. Depois, tente descrever todos esses temas em um só parágrafo. Feito isso, edite-o, retirando palavras e expressões desnecessárias, reduzindo o parágrafo a uma só frase.

É fundamental que sua declaração de propósito seja condensada em uma só frase. Por quê? Porque será de pouco valor se o povo não conseguir lembrá-la! Dawson Trotman dizia: "Os pensamentos se desembaraçam quando passam através de nossos lábios e das pontas de nossos dedos". Em outras palavras, *se você pode dizer e escrever*, é porque pensou antes. Se não registrou seus propósitos por escrito, você realmente não parou para pensar neles.

O escritor francês Francis Bacon costumava dizer: "Ler faz que o homem se expanda, mas escrever faz dele um homem". Se quisermos comunicar os propósitos de nossa igreja, devemos ser precisos em nossa exposição.

O que faz uma declaração de propósito ser eficaz?

Ser bíblica

Uma declaração de propósito eficaz expressa a doutrina da igreja neotestamentária. Lembre-se: não decidimos quais são os propósitos da igreja, apenas os *descobrimos*. Cristo é a Cabeça da Igreja. Ele estabeleceu os propósitos dela há muito tempo. Cabe agora a cada nova geração reafirmá-los.

Ser específica

A declaração de propósito deve ser simples e clara. O maior erro que se pode cometer ao desenvolvê-la é tentar abordar todos os assuntos. Sempre existe a tentação de adicionar várias coisas que consideramos boas, por medo de deixar algo importante de fora. No entanto, quanto mais elementos forem adicionados à declaração, mais dispersa e difícil de ser cumprida ela será.

Uma missão direta é uma missão clara. A declaração de propósito da Disneylândia é: "Proporcionar felicidade às pessoas". A missão original do Exército de Salvação era: "Tornam cidadãos os rejeitados". Algumas declarações de propósitos são tão vagas que não causam impacto algum.

Nada se torna dinâmico até que se torne específico. Algumas declarações dizem: "Nossa igreja existe para glorificar a Deus". Com certeza! Mas *como* exatamente você pretende fazer isso?

Uma declaração de propósito específica irá forçá-lo a concentrar esforços, não permitindo desvios por causa de assuntos periféricos. Questione-se: "Das coisas que faço para Cristo, quais as que fazem diferença no mundo?"; ou: "O que podemos fazer que somente nossa igreja pode fazer?".

Ser transferível

Para ser transferível, a declaração de propósito deve ser concisa o suficiente para ser transmitida a cada pessoa na igreja e lembrada por todos. Quanto mais curta, melhor. Ainda que inclua os mesmos elementos da declaração de outra igreja, nada o impede de fazer uma declaração nova e criativa. Cuide para que ela seja fácil de memorizar.

Como pastor, não gosto de confessar isto, mas o povo não se lembra de nossas mensagens. As pessoas não memorizam um parágrafo sequer. O povo se lembra apenas de dizeres, frases e declarações simples. Não me lembro de nenhum discurso de John F. Kennedy, mas guardei a seguinte declaração: "Não pergunte o que seu país pode fazer por você, e sim o que você pode fazer por seu país". Também não me lembro de nenhum sermão pregado por Martin Luther King Jr., mas trago na memória sua famosa frase: "Eu tenho um sonho".

Ser mensurável

Você deve ser capaz de olhar para sua declaração de propósito e avaliar se sua congregação a está cumprindo ou não. Você terá condições de provar, ao final de cada ano, se ela está sendo cumprida? A eficácia da igreja não poderá ser medida se sua missão não for mensurável.

Uma boa declaração de propósito irá lhe proporcionar um padrão que o fará avaliar, revisar e aprimorar tudo que a igreja faz. Se você não consegue avaliar sua igreja por meio da declaração de propósito, comece tudo de novo, do nada. Torne a declaração mensurável. Caso contrário, não passará de coisa para inglês ver.

Duas passagens principais

Nos primeiros meses da existência da Saddleback, conduzi os membros na tarefa que acabei de explicar. E concluímos que, apesar de muitas passagens descreverem o que cada igreja deve ser e fazer, duas declarações de Jesus resumem tudo: o Grande Mandamento (Mt 22.37-40) e a Grande Comissão (Mt 28.19,20).

> "Ame o Senhor, o seu Deus de todo o seu coração, de toda a sua alma e de todo o seu entendimento". [...] "Ame o seu próximo como a si mesmo". Destes dois mandamentos dependem toda a Lei e os Profetas (Mt 22.37-40).
>
> "Vão e façam discípulos de todas as nações, batizando-os em nome do Pai e do Filho e do Espírito Santo, ensinando-os a obedecer a tudo o que eu lhes ordenei. E eu estarei sempre com vocês, até o fim dos tempos" (Mt 28.19,20).

O Grande Mandamento foi dado por Jesus em resposta a uma questão. Um dia, perguntaram-lhe qual era o mandamento mais importante. Ele respondeu: "Aqui está o resumo de todo o Antigo Testamento. Vou dar-lhes a essência da Palavra de Deus. Toda a Lei e os Profetas podem ser condensados em duas tarefas: 1) ame a Deus de todo o seu coração e 2) ame o próximo como a você mesmo".

Mais tarde, em uma de suas últimas palavras aos discípulos, Jesus proclamou a Grande Comissão, designando-lhes mais três incumbências: fazer discípulos, batizá-los e ensiná-los a obedecer a tudo que ele havia ensinado.

> Um Grande compromisso com o Grande Mandamento e a Grande Comissão fará crescer uma Grande igreja.

Acredito que cada igreja é definida pelo que se compromete a fazer e, pensando nisso, criei esta frase: "*Um Grande Compromisso com o Grande Mandamento e a Grande Comissão fará crescer uma Grande igreja*". Essa frase tornou-se o nosso lema.

As duas passagens citadas resumem tudo o que fazemos na Saddleback. Se uma atividade ou evento cumpre um desses mandamentos, então o realizamos. Caso contrário, deixamos de lado. Somos dirigidos pelo Grande

Mandamento e pela Grande Comissão. Juntos, eles definem as tarefas nas quais as igrejas devem se concentrar até que Cristo retorne.

Os cinco propósitos da igreja

Uma igreja com propósitos é comprometida em cumprir as cinco tarefas que Cristo ordenou à igreja.

1º propósito: Amar a Deus de todo o coração

A palavra que descreve esse propósito é *adoração*. A Igreja existe para adorar a Deus. Não importa se estamos sós, reunidos num pequeno grupo ou numa multidão de 100 mil pessoas. Sempre que expressamos nosso amor a Deus, nós o adoramos.

A Bíblia diz: "Adore o Senhor, o seu Deus, e só a ele sirva" (Mt 4.10, *The Message*). Observe que o verbo "adorar" vem antes de *servir*. Adorar a Deus é o primeiro propósito da igreja. Às vezes, trabalhamos tanto para Deus que não temos tempo de adorá-lo.

Em toda a Palavra, recebemos ordem de celebrar a presença de Deus por meio da glorificação e da exaltação de seu nome. Em Salmos 34.3, temos esta orientação: "Proclamem a grandeza do Senhor comigo; juntos exaltemos o seu nome". Não podemos adorar a Deus como se fosse uma obrigação. Expressar nosso amor a Deus deve ser uma alegria.

2º propósito: Amar o próximo como a si mesmo

A palavra que usamos para descrever esse propósito é *ministério*. A Igreja existe para ministrar às pessoas. Ministério é demonstrar o amor de Deus aos outros, atendendo às suas necessidades e curando suas feridas, em nome de Jesus. Cada vez que você toca a vida de alguém com amor, está ministrando a essa pessoa. A igreja local deve ministrar a todos os tipos de necessidade: espiritual, emocional, física e relacional. Jesus disse que até mesmo um copo de água fresca oferecido em seu nome é um ministério e não fica sem recompensa. A igreja deve preparar os santos para a obra do ministério (Ef 4.12).

Infelizmente, muito pouco do que acontece nas igrejas é ministério genuíno. Muito tempo é gasto com reuniões, e a fidelidade é quase sempre medida pela frequência, e não por serviço. A maioria dos membros apenas esquenta o banco nas reuniões.

3º propósito: Ir e fazer discípulos

Denominamos esse propósito de *evangelismo*. A Igreja existe para comunicar a Palavra de Deus. Somos embaixadores de Cristo, nossa missão é evangelizar o mundo. O verbo "ir", na Grande Comissão, deve ser lido como "enquanto você está indo", segundo o original grego. É responsabilidade de cada cristão compartilhar as boas-novas aonde quer que vá. Devemos falar a todo o mundo que Cristo veio, morreu na cruz, ressuscitou e prometeu voltar. Um dia, cada um de nós prestará contas a Deus sobre a seriedade em levar adiante nossa responsabilidade.

A missão do evangelismo é tão importante que Jesus nos deu cinco Grandes Comissões uma em cada evangelho e uma no livro de Atos. (Mt 28.19,20; Mc 16.15; Lc 24.47-49; Jo 20.21; At 1.8). Jesus nos comissionou a ir e espalhar pelo mundo a mensagem da salvação.

Evangelismo é mais que responsabilidade: é um grande privilégio. Somos convidados a participar, trazendo pessoas para a família eterna de Deus. Não conheço uma causa mais importante à qual alguém possa dedicar a vida. Se você soubesse como curar o câncer, estou certo de que faria tudo para compartilhar isso com o mundo, pois salvaria milhões de vidas. E você já conhece algo bem melhor: o evangelho da vida eterna. Existe notícia melhor que essa?

Enquanto houver uma pessoa no mundo que não conheça a Cristo, a igreja terá a obrigação de continuar crescendo. O crescimento não é opcional, é uma ordem de Jesus. Não devemos buscar o crescimento de nossa igreja para benefício próprio, e sim porque Deus quer que todos sejam salvos.

4º propósito: Batizar

No texto grego da Grande Comissão, há três verbos no gerúndio: *indo*, *batizando* e *ensinando*. Cada um deles faz parte do mandamento de "fazer discípulos". *Indo, batizando* e *ensinando* são elementos essenciais ao processo de fazer discípulos. À primeira vista, você pode ficar curioso em saber o porquê de a Grande Comissão atribuir a mesma importância ao simples ato do batismo, ao evangelismo e à edificação. Jesus não mencionou o batismo por acidente. Mas por que ele é tão importante para ser incluído na Grande Comissão? Creio que é por simbolizar um dos propósitos da igreja, a *comunhão* — identificação com o corpo de Cristo.

Como cristãos, somos chamados para pertencer, não apenas para *crer*. Não fomos feitos para viver como cavaleiros solitários. Ao contrário, somos feitos para pertencer à família de Cristo e sermos membros de seu corpo. O

> Como cristãos, somos chamados para pertencer, não apenas para *crer*.

batismo não é somente símbolo de salvação, é símbolo de comunhão. Não significa apenas a vida em Jesus: evidencia também a integração da pessoa ao corpo de Cristo. Equivale a dizer ao mundo: "Esta pessoa, de agora em diante, é um de nós!". Quando o novo convertido é batizado, damos-lhe as boas-vindas à comunhão da família de Deus. Não estamos sós. Temos e somos o apoio uns dos outros. Aprecio muito o texto de Efésios 2.19: "Vocês já não são estrangeiros nem forasteiros, mas concidadãos dos santos e membros da família de Deus". A igreja existe para proporcionar comunhão aos filhos de Deus.

5º propósito: Ensinar a obediência

A palavra que geralmente usamos quando nos referimos a esse propósito é *discipulado*. A igreja existe para edificar ou educar o povo de Deus. Discipulado é o processo de ajudar as pessoas a se tornarem mais parecidas com Cristo — em pensamentos, sentimentos e ações. O processo começa quando a pessoa nasce de novo e prossegue na nova vida continuamente. Em Colossenses 1.28, Paulo declara: "Nós o proclamamos, advertindo e ensinando a cada um com toda a sabedoria, para que apresentemos *todo homem perfeito [maduro] em Cristo*".

Como igreja, não fomos chamados apenas para alcançar as pessoas, mas também para ensiná-las. O convertido deve tornar-se discípulo. É responsabilidade da igreja local desenvolver a maturidade espiritual de seus membros. Essa é a vontade de Deus para cada cristão. Segundo Paulo, isso é feito "com o fim de preparar os santos para a obra do ministério, para que o corpo de Cristo seja edificado, até que todos alcancemos a unidade da fé e do conhecimento do Filho de Deus, e cheguemos à maturidade, atingindo a medida da plenitude de Cristo" (Ef 4.12,13).

Se você examinar o ministério terreno de Jesus, perceberá a evidente inclusão desses cinco elementos em sua obra (v. Jo 17). O apóstolo Paulo não apenas cumpriu esses propósitos em seu ministério, como também os explicou (Ef 4.1-16). O exemplo mais claro dos cinco propósitos é o da igreja em Jerusalém, conforme Atos 2.1-47. Eles ensinavam uns aos outros, tinham comunhão, adoravam, ministravam e evangelizavam. Hoje, esses propósitos permanecem os mesmos: a igreja existe para *edificar*, *encorajar*, *exaltar*, *equipar* e *evangelizar*. Embora cada igreja tenha diferenças no modo de cumprir essas tarefas, não deve haver discordância quanto ao nosso chamado para realizá-las.

A declaração de propósito da Saddleback

Na Saddleback, utilizamos cinco palavras-chave para resumir os cinco propósitos de Cristo para a Igreja.

Magnificar: celebramos a presença de Deus na adoração
Missão: comunicamos a Palavra de Deus através do evangelho
Membresia: integramos a família de Deus em nossa comunhão
Maturidade: educamos o povo de Deus através do discipulado
Ministério: demonstramos o amor de Deus por meio do serviço

Essas palavras-chave, que representam nossos cinco propósitos, foram incorporadas à nossa declaração.

> **A declaração de propósito da Igreja Saddleback**
> Trazer pessoas para Jesus e *à membresia na* sua família,
> desenvolver nelas *maturidade* conforme a semelhança de Cristo
> e equipá-las para seu *ministério* na igreja e para a *missão* de
> sua vida no mundo, a fim de *magnificar* o nome de Deus.

Há três elementos que desejo destacar em nossa declaração.

Inicialmente, ela é feita *em termos de resultados*, e não de atividades. Cinco resultados mensuráveis estão descritos. Na maioria das igrejas que possuem declaração de propósito, normalmente são mencionadas atividades ("edificamos", "evangelizamos", "adoramos" etc.). Com isso, fica difícil avaliar e quantificar os resultados que esperamos após cumprirmos cada propósito. Na Saddleback identificamos os resultados esperados do cumprimento de cada um dos cinco propósitos da igreja.

Para cada resultado, podemos fazer perguntas como: "Quantos? Quantos mais em relação ao ano passado? Quantos foram conduzidos a Cristo? Quantos novos membros temos? Quantos demonstram maturidade espiritual? Que sinais de maturidade estamos procurando? Quantos foram treinados e mobilizados para o ministério? Quantos estão cumprindo sua missão de vida no mundo?". Essas perguntas dão a medida de nosso sucesso e nos forçam a avaliar se realmente estamos cumprindo o Grande Mandamento e a Grande Comissão.

Quero também que você perceba que nossa declaração *encoraja a participação* de cada membro. Eles devem ser capazes de perceber em que podem contribuir para que os alvos da igreja sejam alcançados. Os propósitos devem ser declarados de maneira que cada um não apenas creia, mas também participe. Se a declaração não permitir a participação individual, muito pouco será feito.

Por último, o mais importante a ser observado é que consideramos os cinco propósitos um processo *sequencial*. Isso é de suma importância. Para se tornar uma igreja com propósitos, os objetivos devem fazer parte de um processo. Desse modo, eles podem ser postos em prática no dia-a-dia. Cada declaração de propósito precisa ser cumprida, ou você terá simplesmente uma declaração teológica que soa bem, mas não produz coisa alguma.

> Em vez de tentar fazer que a igreja cresça por meio de programas, concentre-se no crescimento das pessoas mediante um processo.

Em vez de tentar fazer que a igreja cresça por meio de programas, concentre-se no crescimento das pessoas mediante um processo. Esse conceito é o cerne de uma igreja com propósitos. Se você desenvolver um processo para fazer discípulos e perseverar nele, o crescimento de sua igreja será sadio, equilibrado e firme. Benjamin Disraeli disse certa vez que "a constância no propósito é o segredo do sucesso".

Nosso processo de implementar os propósitos de Deus envolve quatro passos: trazer pessoas, edificá-las, treiná-las e enviá-las. Nós as trazemos como *membros*, as edificamos para a *maturidade*, as treinamos para o *ministério* e as enviamos para a *missão, magnificando* a Deus nesse processo. É isso! Esse é o nosso enfoque na Saddleback. Não fazemos nada além disso.

Para usar um termo do mundo empresarial, podemos dizer que nossa igreja está no ramo de "desenvolvimento de discípulos" e que nosso produto são vidas transformadas". Se o objetivo de toda igreja é desenvolver discípulos, então devemos pensar em um processo para alcançar essa meta. Sua igreja deve definir tanto os propósitos quanto o processo para alcançá-los. Fazer menos que isso é menosprezar a grande responsabilidade que nos foi dada por Jesus Cristo.

Toda grande igreja define seus propósitos e então busca uma forma de atingi-los, por meio de um processo ou de um sistema. A Igreja Central de Seul, na Coreia, foi edificada no sistema de células. A Primeira Igreja Batista de Dallas foi edificada por meio de uma escola bíblica dominical que atendia às necessidades de pessoas de todas as idades e situações. A Igreja Presbiteriana de Coral Ridge, em Fort Lauderdale, na Flórida, cresceu graças ao seu método de evangelismo pessoal. No início da década de 1970, muitas igrejas foram edificadas pelo fato de trazerem as pessoas de ônibus para o templo. Em cada um desses casos, os líderes da igreja definiram claramente seus propósitos e desenvolveram um processo para cumpri-los.

Quero enfatizar mais uma vez a importância de definir o propósito de sua igreja. Não se trata de um simples alvo para o qual mirar: é definir a razão da existência de sua congregação. Uma boa declaração de propósito propiciará direção, vitalidade, limites e motivação para tudo que você fizer. Igrejas com propósitos serão as mais bem preparadas ministerialmente para enfrentar as mudanças que enfrentaremos no século XXI.

6
Comunicar os propósitos

A comunicação irresponsável causa uma grande confusão,
mas um mensageiro confiável traz a cura.
Provérbios 13.17 (*The Message*)

Durante a reconstrução do muro de Jerusalém, segundo o relato de Neemias, todos ficaram desencorajados quando a obra estava pela metade e quiseram parar. É o que se vê em muitas igrejas, que perderam o rumo do propósito e foram consumidas pelo cansaço, pela frustração e pelo medo. Neemias convocou o povo a voltar ao trabalho. Para isso, reorganizou o projeto e remodelou a visão. Lembrou-os da importância do trabalho e assegurou que Deus os ajudaria a cumprir seus propósitos (Ne 4.6-15). O muro foi completado em 52 dias.

Mesmo que o muro tenha sido completado nesse prazo, o povo ficou desencorajado no meio da tarefa: trabalharam no projeto somente 26 dias! Neemias precisou renovar a visão deles. Dessa história, conseguimos retirar o que chamo de "princípio de Neemias": *visão e propósito devem ser redeclarados a cada 26 dias, para manter a igreja na direção certa.* Em outras palavras, você deve comunicar seus propósitos pelo menos uma vez por mês. É de admirar quão rapidamente seres humanos e igrejas perdem a visão.

Uma vez definidos os propósitos de sua igreja, você deve esclarecê-los e comunicá-los continuamente a toda a congregação. Não é uma tarefa para ser realizada uma vez e depois esquecida. Essa é a maior responsabilidade da liderança. Se você falhar em transmitir sua declaração de propósito aos membros, seria melhor nunca ter elaborado uma.

Meios de comunicar a visão e o propósito

Existem muitas formas de comunicar a visão e o propósito de sua igreja.

Escrituras

Ensine a verdade bíblica a respeito da Igreja. Já mencionei que o maior livro sobre crescimento de igreja é a Bíblia. Ensine a doutrina sobre igreja (eclesiologia) apaixonadamente e com frequência. Mostre que cada parte da visão está baseada na Palavra, por meio de versículos que expliquem e ilustrem seu raciocínio.

Símbolos

Os grandes líderes sempre entenderam e utilizaram o tremendo poder dos símbolos. As pessoas precisam de representações visuais para entender conceitos. Os símbolos são poderosas ferramentas de comunicação, pois produzem emoções. Por exemplo, você ficaria escandalizado ao ver a suástica (cruz nazista) estampada na parede de sua igreja, porém se sentiria orgulhoso se visse a bandeira nacional.

Continentes foram conquistados sob a imagem da cruz do cristianismo, comunistas usam a foice e o martelo e muçulmanos exibem a lua crescente. Em nossa comunidade, usamos dois símbolos: cinco círculos concêntricos e a figura de um campo de beisebol,* que serve para ilustrar nossos propósitos.

Slogans

Os *slogans*, temas e frases são lembrados muito depois de os sermões terem sido esquecidos. Muitos acontecimentos importantes estiveram atrelados a um *slogan*: "Diga ao povo que fico!"; "Independência ou Morte"; "Nem Deus afunda o Titanic"... A história tem provado que um simples *slogan* pode motivar pessoas a fazer coisas que normalmente não fariam — como, por exemplo, dar a vida num campo de batalha.

---

*O autor serve-se aqui de um esporte bastante popular nos Estados Unidos; contudo, cada líder deverá usar o símbolo que melhor lhe atenda as necessidades, de acordo com seu ambiente cultural [N. do E.].

Desenvolvemos e usamos dezenas de *slogans* na Saddleback para reforçar nossa visão: "Cada membro é um ministro"; "Todos os líderes são aprendizes"; "Somos salvos para servir"; "Avaliar para a excelência"; "Ganhar o perdido a qualquer custo*" e muitos outros. Sempre reservo um tempo para criar novas formas de comunicar antigas ideias de maneira sucinta e inovadora.

Histórias

Jesus usava histórias simples para ajudar o povo a entender e se relacionar com sua visão. Em Mateus 13.34, (*BV*) lemos: "Jesus sempre usava essas ilustrações quando falava ao povo... Ele nunca falava sem contar pelo menos uma ilustração".

Use histórias para dar cor aos propósitos de sua igreja. Quando falo sobre a importância do evangelismo, por exemplo, conto o testemunho dos membros da Saddleback que, recentemente, compartilharam sua fé com amigos e os levaram a Cristo. Ao expor a importância da comunhão, leio cartas de pessoas cuja solidão foi aliviada depois que se envolveram com nossa igreja. Quando o assunto é discipulado, relembro o testemunho do casamento que foi salvo por causa do crescimento espiritual dos cônjuges ou de alguém que resolveu problemas pessoais por meio da aplicação de princípios bíblicos.

Na Saddleback, temos alguns casos "lendários" que conto a toda hora. Isso ilustra poderosamente o poder de nosso trabalho. Um de meus favoritos é o de cinco líderes que chegaram antes de mim numa visita hospitalar, e por isso a enfermeira não quis me deixar ver o paciente porque "muitos pastores já o haviam visitado!". Orgulho-me dos membros de minha congregação. As pessoas tendem a fazer algo quando são recompensadas. Assim, fazer que pessoas dedicadas sejam heróis em sua igreja resulta em mais dedicação a ela.

Especifique

Tome sempre medidas práticas, claras e concretas para explicar como sua igreja pretende alcançar os propósitos. Apresente um plano detalhado

---

* "Win the lost at any cost" [N. do R.].

para a implementação deles. Planeje programas, agende eventos, consagre prédios e contrate pessoal para alcançar cada propósito. Esses são os objetivos realmente importantes para o povo.

Lembre-se de que nada se torna dinâmico antes de se tornar específico. Quando é vaga, a visão não causa impacto. Quanto mais específica for a visão de sua igreja, mais atenção e compromisso atrairá. A forma mais específica para comunicar os propósitos é aplicá-los pessoalmente à vida de cada membro.

Personalize os propósitos

Ao comunicar os propósitos de sua igreja, é fundamental que você os personalize. Personalizamos os propósitos mostrando que existem privilégios e responsabilidades inerentes a cada um deles. Colossenses 3.15(*BV*) diz: "... isto é a responsabilidade e o privilégio que vocês têm como membros do seu corpo". Existem responsabilidades e privilégios em ser membro da família da igreja. Tento fazer isso mostrando *como* eles são nossa *responsabilidade* e como são nosso *privilégio* para desfrutar.

Os propósitos da igreja podem ser personalizados como os cinco alvos de Deus para cada cristão. Esses propósitos expressam o que Deus quer que cada um de nós faça neste mundo.

Minhas responsabilidades como cristão

Deus quer que eu seja membro de sua família. Esse é o propósito da comunhão exposto de forma pessoal. A Bíblia é bem clara ao dizer que seguir Jesus não é somente crer: inclui também pertencer. A vida cristã não é um ato isolado. Somos feitos para estabelecer relacionamentos uns com os outros. 1Pedro 1.3(*BV*) diz: "[ele] nos deu o privilégio de nascer de novo, de maneira que agora somos membros da própria família de Deus". Deus nos deu a igreja como família espiritual, para nosso benefício. Efésios 2.19(*BV*) diz: "Vocês são membros da própria família de Deus e pertencem à casa de Deus como todos os outros cristãos".

Deus quer que eu seja modelo de seu caráter. Essa é a meta personalizada do discipulado. Deus deseja que todo cristão cresça para se tornar semelhante a Cristo. A definição bíblica para "maturidade espiritual" é tornar-se semelhante a Cristo. Jesus estabeleceu um padrão para seguirmos: "Para isso vocês foram chamados, pois também Cristo sofreu no lugar de vocês, deixando-lhes exemplo, para que sigam os seus passos" (1Pe 2.21).

Em 1Timóteo 4.12, Paulo apresenta algumas áreas nas quais devemos nos modelar ao caráter de Cristo: "Ninguém o despreze pelo fato de você ser jovem, mas seja um exemplo para os fiéis na palavra, no procedimento, no amor, na fé e na pureza". Note que a maturidade não é medida pelo conhecimento que alguém possua, e sim pelo estilo de vida que apresenta. É possível ser um grande conhecedor da Bíblia e ainda ser imaturo.

Deus quer que eu seja ministro de sua graça. A terceira responsabilidade de cada cristão é personalizar o propósito do serviço, isto é, do ministério. Deus espera que usemos os dons, talentos e oportunidades que ele nos concedeu para beneficiar o próximo. Pedro escreveu em sua carta: "Cada um exerça o dom que recebeu para servir os outros, administrando fielmente a graça de Deus em suas múltiplas formas" (1Pe 4.10).

Deus deseja que cada cristão tenha um ministério. Em nossa comunidade, somos bem francos em relação às nossas expectativas quando falamos de Jesus aos não-cristãos. Não "enrolamos" ninguém. Dizemos ao não-cristão que "ao entregar sua vida a Cristo, você está se comprometendo a ministrar em nome de Jesus pelo resto da vida. Essa é a missão que Deus tem para você". "Somos criação de Deus realizada em Cristo Jesus para fazermos boas obras, as quais Deus preparou antes para nós as praticarmos" (Ef 2.10).

Deus quer que eu seja mensageiro de seu amor. Esse é o propósito da igreja em relação ao evangelismo, exposto de forma pessoal. Uma vez nascidos de novo, tornamo-nos mensageiros das boas-novas para o mundo. Paulo diz: "Não me importo, nem considero a minha vida de valor algum para mim mesmo, se tão-somente puder terminar a corrida e completar o ministério que o Senhor Jesus me confiou, de testemunhar do evangelho da graça de Deus" (At 20.24). Essa é uma responsabilidade importante na vida de cada cristão. Em 2Coríntios 5.19, o apóstolo escreve: "Deus em Cristo estava reconciliando consigo o mundo, não levando em conta os pecados dos homens, e nos confiou a mensagem da reconciliação". Devemos pregar aos não-cristãos, para que recebam o amor de Deus e se reconciliem com ele.

Você já quis saber por que Deus nos deixa viver aqui no mundo, com toda essa dor, tristeza e pecado, após aceitarmos Cristo? Por que ele não nos arrebata logo para o céu e nos poupa de todas essas coisas? Afinal de contas, podemos adorar, ter comunhão, orar, cantar, ouvir a Palavra de Deus e até nos divertir lá no céu. Existem somente duas coisas que fazemos aqui e não podemos praticar no céu: pecar e falar de Jesus aos não-cristãos. Costumo perguntar aos membros de nossa igreja qual dessas duas coisas eles acham que Cristo nos deixou aqui para fazer. Cada um de nós tem uma missão de vida, e parte dela consiste em falar de Jesus aos outros.

Deus quer que eu seja um magnificador do seu nome. Em Salmos 34.3, lemos: "Proclamem [magnifiquem] a grandeza do Senhor comigo; juntos exaltemos o seu nome". Cada um de nós tem a responsabilidade pessoal de adorar a Deus. O primeiro mandamento diz: "Não terás outros deuses além de mim" (Êx 20.3). O desejo de adoração nasce com cada pessoa. Se não adorarmos a Deus, acharemos outra coisa para adorar: trabalho, família, dinheiro, esportes ou até nós mesmos!

Meus privilégios como cristão

Enquanto o cumprimento dos cinco propósitos da igreja é responsabilidade de cada cristão, eles também nos concedem benefícios espirituais, emocionais e relacionais. A igreja proporciona às pessoas coisas que elas não podem achar em nenhum lugar do mundo. A adoração ajuda-as a se concentrar em Deus; a comunhão ajuda-as a enfrentar os problemas da vida; o discipulado ajuda-as a fortalecer a fé; o ministério ajuda-as a descobrir talentos; o evangelismo ajuda-as a cumprir a missão.

Declare os propósitos continuamente

Não pense que apenas um sermão sobre os propósitos da igreja mudará permanentemente a mentalidade da congregação. Não suponha que imprimir os propósitos no boletim é o suficiente para que todos os conheçam ou pelo menos os leiam! Uma conhecida lei da propaganda diz que uma mensagem deve ser comunicada sete vezes para que seja realmente absorvida.

Na Saddleback, utilizamos todos os canais imagináveis para manter os propósitos na mente de nossos membros. Já mencionamos que nossos propósitos e nossa visão são comunicados em cada curso mensal de membresia. Uma vez por ano, normalmente em janeiro, também prego uma mensagem sobre o tema "A declaração da igreja". É sempre uma revisão de nossos cinco propósitos. É a mesma mensagem, todas as vezes: apenas as ilustrações são atualizadas.

Minha família na igreja concede a mim :

- O *propósito* de Deus para a vida (missão)
- O *povo* de Deus para conviver (membresia)
- Os *princípios* de Deus para viver (maturidade)
- A *profissão* de Deus para sobreviver (ministério)
- O *poder* de Deus para depender (magnificar)

Muitos pastores não compreendem o poder do púlpito. Ele é como o leme do barco, determinando o rumo da igreja, de forma intencional ou não. Se você é pastor, use o púlpito com um propósito! Onde mais você consegue semanalmente a atenção de todos, sem distrações? Sempre que você pregar, busque uma oportunidade de dizer algo como: "É por isso que a igreja existe". Não tenha medo de ser repetitivo, porque ninguém absorve a mensagem na primeira vez. Repito as coisas constantemente, mas tento fazê-lo de maneiras inovadoras. Chamo esse processo "redundância criativa".

Na página seguinte, você poderá observar um diagrama que mostra vários ângulos que usei para apresentar os propósitos da igreja. Sinta-se à vontade para usar qualquer um desses esboços. Eles são simplesmente formas diferentes de dizer a mesma coisa.

Além de comunicar nossos propósitos por meio da pregação e do ensino, usamos panfletos, faixas, artigos, cartas, boletins, vídeos e até músicas. Na entrada de nosso Centro de Adoração, temos nossos propósitos e versículos correspondentes gravados no vidro da frente, para que todos possam ler ao entrar. Acreditamos que, se dissermos sempre a mesma coisa, porém de forma variada, uma dessas formas acabará chamando a atenção dos membros. Depois de apresentados os propósitos de formas tão variadas,

Explicando os propósitos da igreja

Propósito	Tarefa	Atos 2.42-47	Objetivo	Alvo	Componente de vida	Necessidades básicas	A igreja proporciona	Benefício emocional
Evangelismo	Evangelizar	"E o Senhor lhes acrescentava diariamente os que iam sendo salvos."	Missão	Comunidade	Meu **testemunho**	**Propósito** para a vida	**Foco** para a vida	Significado
Adoração	Exaltar	"Ele se dedicavam... ao partir o pão e às orações... louvando a Deus."	Magnificar	Multidão	Minha **adoração**	**Poder** para depender	**Força** para depender	Estímulo
Comunhão	Encorajar	"...se dedicavam à comunhão... mantinham-se unidos... juntos participavam das refeições".	Membresia	Congregação	Meus **relacionamentos**	**Povo** para conviver	**Família** para conviver	Apoio
Discipulado	Edificar	"Eles se dedicavam ao ensino dos apóstolos."	Maturidade	Comprometidos	Minha **caminhada**	**Princípios** para viver	**Fundamento** para viver	Estabilidade
Serviço	Equipar	"Vendendo suas propriedades e bens, distribuíam a cada um conforme a sua necessidade."	Ministério	Núcleo	Meu **trabalho**	**Profissão** para sobreviver	**Função** para sobreviver	Auto-expressão

geralmente alguém diz que já os havia entendido na primeira vez. Nosso objetivo é que cada membro possa explicar os propósitos para outras pessoas.

A visão de qualquer igreja acaba se desgastando com o tempo, a não ser que seja renovada. Isso acontece porque as pessoas se distraem com outras coisas. Reafirme os propósitos regularmente. Ensine-os repetidas vezes. Utilize ao máximo meios diferentes para comunicá-los ao povo. Se você continuar abanando o fogo dos propósitos, poderá evitar que sua igreja se torne apática ou desencorajada. Lembre-se do "princípio de Neemias"!

7

Organizar os propósitos

Vinho novo deve ser posto em vasilha de couro nova.
Lucas 5.38

Os dois pregadores mais importantes do século XVIII foram George Whitefield e John Wesley. Embora vivessem na mesma época e fossem ambos poderosamente usados por Deus, havia significativas diferenças teológicas entre eles, bem como na organização de seus ministérios.

Whitefield era mais conhecido por suas pregações. Durante sua vida, pregou mais de 18 mil sermões. Certa vez, falou para aproximadamente 100 mil pessoas num lugar próximo à cidade de Glasgow, na Escócia. Sua jornada de pregações na América do Norte estimulou o despertar conhecido como o Grande Reavivamento. Apesar disso, os biógrafos apontam que Whitefield geralmente deixava seus convertidos sem nenhuma organização, fazendo que seu trabalho tivesse curta duração. Hoje, poucos cristãos conhecem o nome de George Whitefield.

Já o nome de John Wesley ainda é reconhecido por milhões de cristãos. Por quê? Ele era pregador itinerante e, assim como Whitefield, fazia grandes cruzadas evangelísticas ao ar livre. Mas era também um organizador. Ele criou uma estrutura organizacional para cumprir seu propósito, que continuou mesmo após sua morte. Essa organização é conhecida como Igreja Metodista.

Para que qualquer renovação numa igreja seja duradoura, é necessário que haja uma estrutura para sustentá-la e apoiá-la. Não basta comunicar sua declaração de propósito. Você deve organizar a igreja em torno dos propósitos. Lembre-se de que o equilíbrio é a chave para uma igreja saudável.

A maioria das igrejas evangélicas já adota os cinco propósitos, de uma forma ou de outra, mas não os utiliza de forma equilibrada. Uma igreja pode ser forte na adoração, mas fraca no discipulado. Outra pode ser forte no evangelismo, porém fraca no ministério. Por que isso ocorre?

> A não ser que você desenvolva um sistema e uma estrutura para equilibrar os cinco propósitos, sua igreja terá a tendência de enfatizar o propósito que melhor expressa os dons e afinidades do pastor.

É uma tendência natural dos líderes enfatizar o que acham ser importante e negligenciar coisas que não aprovam. Por todo o mundo, você pode encontrar igrejas que se tornaram uma extensão dos talentos do pastor. A não ser que você desenvolva um sistema e uma estrutura para equilibrar os cinco propósitos, sua igreja terá a tendência de enfatizar o propósito que melhor expressa os dons e afinidades do pastor.

A História mostra que as igrejas têm tomado cinco formas básicas, dependendo do propósito que enfatizam.

Cinco tipos de igrejas

A igreja ganhadora de almas. Se o pastor tem o evangelismo como objetivo principal, então a igreja se torna uma "ganhadora de almas". Se esse é o alvo principal da igreja, ela está sempre alcançando os perdidos. As expressões que você provavelmente escuta nessas igrejas são: "testemunho", "evangelismo", "salvação", "decisões para Cristo", "batismo", "visitação", "apelo" e "cruzadas". Numa igreja ganhadora de almas, qualquer coisa que não seja evangelismo é considerada secundária.

A igreja das experiências com Deus. Se a paixão e os dons do pastor estão na área de adoração, ele instintivamente leva a igreja para esse lado. O enfoque está em se deleitar no Senhor, por meio da adoração. A terminologia básica nessa igreja é: "louvor", "oração", "adoração", "música", "dons espirituais", "espírito", "poder" e "reavivamento". Nesse tipo de igreja, o culto tem mais adoração do que qualquer outra coisa. Tenho observado igrejas pentecostais e tradicionais do tipo "experiência com Deus".

A igreja "reunião familiar". A congregação cujo enfoque principal é a comunhão é igreja "reunião familiar". Ela é moldada por um pastor que tem facilidade em relacionar-se, ama as pessoas e gasta a maior parte do tempo cuidando dos membros. Ele trabalha mais como capelão que como qualquer outra coisa. As palavras mais usadas são: "amor", "pertencer", "comunhão", "cuidado", "relacionamentos", "encontros", "pequenos grupos" e "diversão". Na igreja da reunião familiar, a comunhão é mais importante que os objetivos.

A maioria das igrejas estruturadas desse modo tem menos de 200 membros, uma vez que esse é o numero máximo de pessoas que um pastor pode cuidar pessoalmente. Minha estimativa é que 80% das igrejas americanas pertencem a essa categoria. A igreja "reunião de família" pode não alcançar muitas metas, mas é quase indestrutível. Pode sobreviver a pregações ruins, limitações financeiras, falta de crescimento e até divisões. Os relacionamentos são a cola que mantém seus membros unidos.

A igreja "sala de aula". A igreja "sala de aula" se desenvolve quando o pastor vê no professor seu papel principal. Se o ensino é o dom que ele tem, toda a ênfase recai sobre a pregação e o ensino. As outras tarefas da igreja são descartadas. O pastor age como especialista em instrução, e os membros vão ao templo com blocos de anotações, fazem seus apontamentos e vão para casa. A terminologia básica de uma igreja "sala de aula" é: "pregação expositiva", "estudo bíblico", "grego e hebraico", "doutrina", "conhecimento", "verdade" e "discipulado". Essas igrejas são, não poucas vezes, *bíblicas*, até no nome.

A igreja da "consciência social". O pastor da igreja "da consciência social" se vê como profeta e reformador. Esse tipo de congregação existe para mudar o grupo social. Está cheia de ativistas "cumpridores da Palavra" e pode ser uma igreja liberal ou conservadora. As igrejas liberais tendem a focar a injustiça na sociedade, enquanto as conservadoras tendem a focar o declínio moral. Tanto uma quanto a outra creem que a Igreja deve ser participante do processo político e que seus membros devem sempre estar envolvidos em algum movimento. As expressões usuais nessas igrejas são: "necessidade", "servir", "compartilhar", "ministrar", "se posicionar" e "fazer alguma coisa".

Reconheço que generalizei as situações, e isso nunca conta a história toda. Algumas igrejas são a mistura de duas ou três dessas categorias. O ponto principal é que, se não houver planos para equilibrar os cinco propósitos, a maioria das igrejas irá abraçar apenas um e negligenciar os demais.

Alguns aspectos importantes podem ser observados nessas categorias de igrejas. Os membros normalmente consideram sua igreja *a mais espiritual.* Isso acontece porque as pessoas são atraídas pelo tipo de igreja que corresponda às próprias afinidades e dons. Todos nós queremos participar de uma igreja que priorize aquilo que sentimos ser o mais importante. A verdade é que todos esses cinco propósitos são importantes e devem ser equilibrados para que a igreja seja saudável.

Muitos conflitos são causados quando a igreja chama um pastor cujos dons e afinidades não se assemelham aos que ela está habituada. Por exemplo: se a igreja "reunião familiar" passar a ser dirigida por um evangelista ou um reformador, com certeza a coisa vai pegar fogo! Essa é a receita para o desastre.

Cinco principais movimentos paraeclesiásticos

Acho interessante observar que os principais movimentos paraeclesiásticos foram iniciados nos últimos quarenta anos e se especializam em um dos propósitos da Igreja. De tempo em tempos, Deus levantou movimentos paralelos a fim de enfatizar algum propósito negligenciado pela Igreja. Creio que seja válido e até útil que as organizações paraeclesiásticas se concentrem em apenas um propósito, pois isso causa maior impacto à Igreja.

Movimento de renovação leiga. Esse movimento tem forçado a igreja a reavaliar o ministério de todos os cristãos. Organizações como a Faith at Work [Fé em ação], Laity Lodge [Cabana dos leigos], Church of the Savior [Igreja do Salvador] e escritores como Elton Trueblood, Findley Edge e David Haney têm sido usados por Deus para enfatizar o chamado de Deus a todos os cristãos para o serviço.

Movimento de formação espiritual/discipulado. Esse movimento enfatiza o desenvolvimento de cristãos a um estado de maturidade plena. Organizações como Navigators [Navegadores], World-Wide Discipleship [Discipulado mundial], Cruzada Estudantil e Profissional para Cristo e escritores como Waylon Moore, Gary Kuhne, Gene Getz, Richard Foster e Dallas Willard têm trazido de volta a importância de se edificar cristãos e estabelecer disciplinas espirituais em cada pessoa.

Movimento de adoração/renovação. Concentra-se na adoração e em sua importância para a igreja. Teve início com o Movimento de Jesus no princípio da década de 1970 e foi seguido por renovações carismáticas e litúrgicas. Mais recentemente, a ênfase na adoração contemporânea nos

Organizar os propósitos

A maioria das igrejas tende a se concentrar em apenas um propósito

Modelo	Enfoque principal	Papel do pastor	Papel do povo	Alvo principal	Terminologia básica	Valor central	Recursos utilizados	Fonte de legitimidade
A igreja ganhadora de almas	Evangelismo	Evangelista	Testemunhas	Comunidade	Salvar	Decisões para Cristo	Visitação e apelo	Número de batismos
A igreja das experiências com Deus	Adoração	Líder de adoração	Adoradores	Multidão	Sentir	Experiência pessoal	Música e oração	"O Espírito"
A igreja "reunião familiar"	Comunhão	Capelão	Membros da família	Congregação	Pertencer	Lealdade e tradição	Sala de reuniões e encontros	Nossa herança
A igreja "sala de aula"	Discipulado	Professor	Alunos	Comprometidos	Saber	Conhecimento bíblico	Caderno de anotações e retroprojetores	Ensino versículo por versículo
A igreja "da consciência social"	Serviço	Reformador	Ativistas	Núcleo	Cuidar	Justiça e misericórdia	Protestos e faixas	Quantidade de necessidades supridas
A igreja com propósitos	**Equilibra todos os cinco**	**Capacitador**	**Ministros**	**Todos os cinco**	**Ser e fazer**	**Caráter semelhante ao de Cristo**	**Processo de desenvolvimento de vida**	**Vidas transformadas**

trouxe nova música, novas formas de louvor e maior apelo à adoração congregacional. Organizações como a Maranatha! Music e Hosanna/Integrity desempenham um papel relevante em formar e multiplicar novos estilos de adoração.

Movimento de crescimento de igreja. Esse movimento tem ajudado a igreja a se concentrar em evangelismo, missões e crescimento. Começando com os livros de Donald McGavran, Peter Wagner, Elmer Towns, Win Arn e inúmeros professores de instituições teológicas, o movimento cresceu nos anos de 1980, por meio de consultores de crescimento, seminários e pastores de renome.

Movimento de pequenos grupos/cuidado pastoral. A missão do movimento de pequenos grupos/cuidado pastoral é enfocar o trabalho da igreja na comunhão e nos relacionamentos dentro do corpo. O modelo coreano de igreja em células e organizações como *Touch Ministries, Serendipity, Care Givers e Stephen's Ministry* mostram-nos o valor dos pequenos grupos e a importância do cuidado individual.

Devemos agradecer a Deus a existência de todos esses movimentos, organizações e escritores. Cada um, ao enfatizar um propósito diferente, transmite uma mensagem importante para a Igreja e representa um chamado ao despertamento.

Mantendo sua igreja equilibrada

Os movimentos, por natureza, especializam-se em produzir impacto. Não há nada de errado com a especialização. Quando necessito de uma cirurgia, procuro um médico especialista nessa área. Mas nenhum especialista pode me explicar tudo que acontece em meu corpo.

Da mesma forma, nenhum movimento paraeclesiástico pode oferecer tudo que o corpo de Cristo necessita para ser saudável. Cada um enfatiza somente uma parte desse todo. A perspectiva ampla é fundamental para que cada igreja reconheça a importância de equilibrar os cinco propósitos.

Um pastor amigo meu aprendeu em um seminário que os pequenos grupos são *a chave* para o crescimento. Quando voltou para a sua igreja, refez totalmente a estrutura de sua congregação, adotando o sistema de rede de células. Passados seis meses, ele participou de outro seminário, também bastante popular, onde lhe falaram que cultos para os não-cristãos eram essenciais ao processo de crescimento. Voltando à sua igreja, instituiu nova ordem e novo estilo de culto. Ao receber três folhetos sobre seminários em uma só semana, ficou indignado. Um deles, ousadamente, proclamava: "A escola bíblica dominical é o agente de crescimento da igreja". Outro sugeria: "Discipulado um a um: o segredo para o crescimento". O terceiro era de uma conferência intitulada "Pregação expositiva para o crescimento da igreja". Ele ficou tão frustrado a respeito do que era *a chave* para o crescimento da igreja que nunca mais foi a nenhum desses seminários e congressos. Não o culpo. Muitas vezes, me senti da mesma forma. Em cada uma daquelas conferências, o que ele ouviu era verdadeiro, porém mostrava apenas parte da tarefa da igreja. É muito simplista e incorreto sugerir que um único fator seja o segredo para o crescimento da igreja.

Não existe uma chave única para a saúde e o crescimento da igreja. Existem várias. Ela não foi chamada para fazer uma única coisa, e sim muitas; por isso o equilíbrio é tão importante. Costumo dizer à minha equipe de colaboradores que a nona bem-aventurança é: "Abençoados sois vós, os equilibrados, pois durarão mais que os outros".

Paulo indica claramente em 1Coríntios 12 que o corpo de Cristo tem muitas partes. Não é somente uma mão, uma boca ou um olho: é um sistema de partes e órgãos inter-relacionados. O corpo humano é composto de sistemas diferentes: respiratório, circulatório, nervoso, digestivo etc. Quando todos estão em equilíbrio, a consequência é a saúde do corpo. Falta de equilíbrio é doença. Da mesma forma, equilibrar os propósitos do Novo Testamento traz saúde espiritual ao corpo de Cristo.

Nossa igreja é organizada em torno de dois conceitos simples para assegurar equilíbrio. Nós os chamamos "Círculos de Compromisso" e "Processo de Desenvolvimento de Vida". Eles representam a maneira pela qual aplicamos os cinco propósitos na Saddleback. O Processo de Desenvolvimento de Vida, um campo de beisebol em forma de diamante ilustra *o que fazemos* na igreja. Os Círculos de Compromisso (cinco círculos concêntricos) ilustram *com quem* fazemos.

Desenvolvi esses conceitos em 1974, quando era um jovem pastor, antes do início de nossa igreja. Hoje, com milha-

> Não existe uma chave única para a saúde e o crescimento da igreja.

res de membros, ainda construímos tudo com base nos dois diagramas. Eles nos foram muito úteis.

Os círculos concêntricos representam uma forma de compreender os diferentes níveis de compromisso e maturidade em sua igreja. O campo de beisebol em forma de diamante representa o processo de levar pessoas de pouco ou nenhum envolvimento a níveis de maior compromisso e maturidade.

Observe sua igreja de uma nova perspectiva. Todos os membros estão igualmente comprometidos com Cristo? Estão no mesmo nível de maturidade espiritual? É claro que não. Alguns são altamente comprometidos e muito maduros. Outros são descompromissados e espiritualmente imaturos. Entre esses dois grupos, há pessoas em vários estágios de crescimento espiritual. Na igreja com propósitos, identificamos cinco níveis de compromisso. Eles estão relacionados com os propósitos da igreja.

No gráfico dos círculos concêntricos, cada um representa um nível diferente de compromisso. Começando de *muito pouco compromisso* (pessoas que vão aos cultos ocasionalmente) até o nível de *compromisso muito maduro* (gente comprometida em usar seus dons espirituais para ministrar a outras pessoas). Com base em minha descrição desses diferentes grupos, você irá reconhecer que eles também existem em sua igreja.

> Equilibrar os propósitos do Novo Testamento traz saúde espiritual ao Corpo de Cristo.

Os Círculos de Compromisso

O objetivo de nossa igreja é levar as pessoas do círculo externo (baixo compromisso/maturidade) para o círculo interno (alto compromisso/ maturidade). Esse processo é denominado "levar as pessoas da comunidade para o núcleo".

A comunidade

A comunidade é o [seu] ponto de partida. É o conjunto de não-cristãos [perdidos] que vivem a certa distância da igreja e não têm nenhum compromisso com Jesus Cristo ou alguma igreja. São os sem-igreja que você precisa

5 Círculos de Compromisso

Processo de Desenvolvimento de Vida cristã

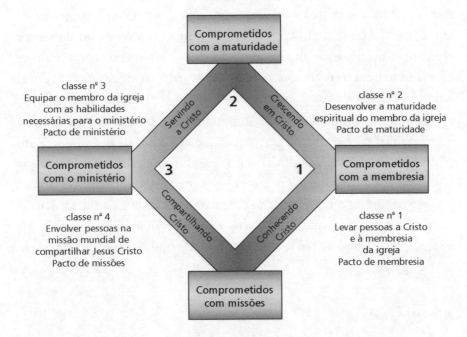

Você pode ter visto uma versão desses diagramas em muitos lugares. Eles foram publicados pela primeira vez na revista *Discipler* [Discipulador], em 1977. Desde então, foram adotados por milhares de igrejas e reimpressos em muitos livros. [Já existe também a classe nº 5: Comprometidos com a adoração (N. do E.).]

alcançar. Sua comunidade é onde o propósito do *evangelismo* acontece. Esse círculo é maior porque contém o maior número de pessoas.

Durante nosso período de crescimento, condensamos a definição de comunidade de tal forma que nos referimos ao povo pelo termo "sem-igreja" ou "frequentadores ocasionais". Se você visitar quatro vezes nossa igreja e se identificar no cartão de registro ou no envelope de ofertas, seu nome irá para o banco de dados. Estes são nossos alvos evangelísticos mais prováveis. Na época em que escrevi este livro, tínhamos mais de 31 mil nomes de frequentadores ocasionais. Isso representa cerca de 10% da população da nossa área. Nossa meta final é abranger toda a comunidade, dando a cada pessoa a chance de ouvir falar de Cristo.

A multidão

O círculo seguinte, um pouco menor, representa o grupo de pessoas que chamamos "multidão", e inclui todos os que frequentam os cultos dominicais. São nossos frequentadores regulares. A multidão é composta de cristãos e não-cristãos. Todos têm em comum o compromisso de assistir regularmente ao nosso culto de adoração. Não é um grande compromisso, mas já é um bom começo. Quando alguém se transfere da comunidade para a multidão, você alcançou um grande progresso com relação a essa pessoa.

Mesmo que um não-cristão não possa adorar de verdade, ele assiste à adoração dos cristãos. Estou convencido de que a adoração genuína é um poderoso testemunho aos não-cristãos, quando feita num estilo que atinja a sensibilidade deles (explico isso em detalhes mais adiante). Se o não--cristão se compromete a participar regularmente de nossos cultos, acredito que é apenas uma questão de tempo até ele aceitar Cristo. Depois que isso acontece, nosso alvo é levá-la para o nível seguinte de compromisso, a "congregação".

A congregação

A congregação é o grupo oficial de membros de nossa igreja. Eles foram batizados e assumiram o compromisso de participar da família de nossa igreja. Agora são mais que meros frequentadores: estão comprometidos com o propósito da *comunhão*. Esse é um compromisso de suma importância. A vida cristã não é só questão de crença; significa também pertencer à família. Depois de assumir um compromisso com Cristo, é preciso haver encorajamento para o passo seguinte: o envolvimento com o corpo de Cristo, a igreja. Em nossa comunidade, somente os que receberam Cristo, foram batizados, participaram do curso de membresia e assinaram o pacto de membresia são considerados parte da congregação (membresia).

Sempre tomamos providências para que não haja membros inativos na congregação, o que resulta na exclusão de centenas de nomes a cada ano. Não estamos interessados numa grande lista, e sim num rol verdadeiro, com pessoas genuinamente ativas e envolvidas.

Certa vez, preguei numa igreja que apesar de contar mais de mil membros em seu rol, não mais de 200 pessoas participavam dos cultos! Qual a vantagem de ter esse tipo de membresia? Se em sua igreja há mais pessoas no rol de membros que nos cultos, você deve reconsiderar seriamente o significado de membresia na sua congregação.

Ter mais frequentadores que membros significa que sua igreja está sendo efetiva em atrair os sem-igreja e competente no trabalho evangelístico. Um bom indicador da eficácia da igreja no evangelismo é quando as pessoas que a frequentam como parte da multidão excedem em pelo menos 25% os membros da congregação. Por exemplo, se você tem 200 membros, deve ter 250 pessoas em média, de frequência. Se o número for menor, significa que ninguém está convidando os não-cristãos para os cultos. Em nossa comunidade, a multidão é 100% maior que a congregação.

Os comprometidos

Há em sua igreja pessoas consagradas, que estão crescendo e levam a sério sua fé, mas que, por alguma razão, não estão servindo em algum ministério da igreja? Chamamos essas pessoas "comprometidos". Elas oram, contribuem e dedicam-se ao crescimento pelo *discipulado*, mas ainda não se envolveram no ministério.

Em nossa igreja, consideramos parte desse grupo aqueles que fizeram nosso curso *Comprometidos com a maturidade*, e assinaram o cartão de pacto de maturidade. O cartão indica um compromisso com três hábitos espirituais: ter um momento a sós com Deus diariamente, dar o dízimo e ser ativo num pequeno grupo. Esses três hábitos são essenciais ao crescimento espiritual. Enquanto eu escrevia este livro, cerca de 70% da Saddleback assinou o pacto de membresia e faz parte do grupo "comprometidos".

O núcleo

O núcleo é o menor grupo, por representar o nível de compromisso mais profundo. É formado por uma minoria de trabalhadores e líderes dedicados, comprometidos com *ministrar* aos outros. É o grupo que lidera e serve em vários ministérios de nossa igreja: professores da EBD, diáconos, músicos, conselheiros de jovens e outros. Sem eles, nossa igreja teria estagnado. Os trabalhadores do núcleo constituem o coração da igreja.

Temos uma estratégia para descobrir em que ministério cada um melhor se encaixa. Isso inclui o curso *Descobrindo meu ministério*, o preenchimento do perfil FORMA*, uma entrevista sobre ministério pessoal, ser comissionado como líder da igreja e a frequência à reunião mensal de treinamento exclusivo para o núcleo, que, na época era de aproximadamente 30%. Faço qualquer coisa por eles, pois são o segredo de nossa força. Se eu morresse agora, minha igreja continuaria a crescer, por causa da base formada por esses ministros.

O que acontece quando alguém chega ao núcleo? Nós o mandamos de volta à comunidade, para ministrar!

Jesus reconheceu diferentes níveis de compromisso

O Senhor reconheceu que cada pessoa vive num nível de compromisso espiritual. Sempre fico fascinado quando leio a conversa que ele teve com um peregrino espiritual: "Vendo que ele tinha respondido sabiamente, Jesus lhe disse: 'Você *não está longe* do Reino de Deus' " (Mc 12.34). Não está longe? Isso significa que Jesus reconhecia etapas de compreensão e compromisso espiritual, mesmo entre os não-cristãos.

O ministério de Jesus incluía ministrar à *comunidade*, alimentar a *multidão*, ajuntar a *congregação*, desafiar os *comprometidos* e discipular o *núcleo*. Essas cinco tarefas são evidentes no evangelho. Devemos seguir o exemplo

---

* Erik Rees. *Formado com um propósito*: busca e realização do seu propósito exclusivo para a vida (Vida, 2007).

do Senhor! Jesus começava de onde as pessoas estavam — no nível de compromisso de cada um. Geralmente, prendia o interesse deles, despertando-lhes o desejo de conhecer mais. Assim, enquanto o povo o seguia, Jesus ia lenta e gentilmente esclarecendo a verdade sobre o Reino de Deus e requerendo um nível de compromisso mais profundo. Fazia isso, no entanto, somente quando seus seguidores haviam alcançado um estágio mais elevado de compreensão.

No primeiro encontro com João e André, Jesus disse apenas: "Venham e verão" (Jo 1.39). Não exigiu nada. Somente os convidou a conhecê-lo. Ele permitiu que observassem seu ministério sem exigir grande compromisso. Não estava pregando um evangelho água-com-açúcar; apenas criando interesse.

Enquanto o grupo de seguidores crescia até se tornar uma multidão, Jesus aos poucos começou a revelar seu propósito. Após três anos de ministério, a seis dias da transfiguração, fez seu maior desafio à multidão: "Se alguém quiser acompanhar-me, negue-se a si mesmo, tome a sua cruz e siga-me" (Mc 8.34).

Cristo solicitou esse tipo de compromisso à multidão somente após demonstrar seu amor para com ela e ganhar sua confiança. Para um estranho, alguém que visitasse a igreja pela primeira vez, creio que ele diria: "Venham a mim, todos os que estão cansados e sobrecarregados, e eu lhes darei descanso. Tomem sobre vocês o meu jugo e aprendam de mim, pois sou manso e humilde de coração, e vocês encontrarão descanso para as suas almas" (Mt 11.28,29).

> Jesus começava de onde as pessoas estavam — no nível de compromisso de cada um —, mas nunca os deixava lá!

Jesus levava em consideração as diferenças culturais, de compreensão e de compromisso espiritual do povo. Ele sabia que usar o mesmo método com todas as pessoas não funcionaria. A mesma ideia está por trás dos Círculos de Compromisso. É uma estratégia simples, que reconhece a ministração em diferentes níveis. As pessoas não são iguais, elas têm diferentes necessidades, interesses e problemas, dependendo de onde se encontram em sua jornada espiritual. Não podemos confundir a função que exercemos na comunidade com o trabalho na multidão ou no núcleo. Cada grupo requer tratamento diferenciado. A multidão não é uma igreja, mas pode vir a ser.

Depois de organizar sua igreja em torno dos cinco propósitos e identificar os que dela participam em termos de compromisso com cada propósito, você estará no caminho certo para equilibrar seu ministério e produzir uma igreja saudável. Você está agora preparado para dar o passo final no sentido de transformá-la numa igreja com propósitos, aplicando os propósitos a cada área da vida de sua igreja. Esse é o assunto do capítulo seguinte.

8

Aplicar os propósitos

*Confiamos no Senhor que vocês estejam pondo
em prática as coisas que nós lhes ensinamos.*
2 Tessalonicenses 3.4

Chegamos à parte mais difícil no caminho da transformação de sua igreja em uma igreja com propósitos. Muitas igrejas fizeram tudo que falei nos capítulos anteriores. Definiram os propósitos, comunicando-os regularmente aos membros, e desenvolveram uma declaração de propósito. Algumas até reorganizaram as estruturas ao redor de seus objetivos. Uma igreja com propósitos, no entanto, deve ir um passo além e aplicá-los rigorosamente a cada área da igreja: programação, agenda, orçamento, pessoal, pregação, e assim por diante.

Integrar os propósitos a cada área e aspecto da vida de sua igreja é a fase mais difícil. Saltar de uma declaração de propósito para ações dirigidas por propósitos requer uma liderança totalmente comprometida com o processo. A aplicação dos propósitos demandará meses — ou talvez anos — de oração, planejamento, preparo e experimentação. Vá devagar. Concentre-se no progresso, e não na perfeição. Os resultados serão bem diferentes dos obtidos em minha igreja ou em qualquer outra igreja com propósitos.

Existem dez áreas a serem consideradas no processo de reformulação de sua igreja para que ela se torne uma igreja com propósitos.

Dez maneiras de se tornar dirigido por propósitos

1. Conquiste novos membros com base nos propósitos

Use os Círculos de Compromisso como estratégia para assimilar pessoas na vida da sua igreja. Comece levando os sem-igreja da comunidade para a multidão (para adoração). Depois, transfira-os da multidão para a congregação (para comunhão). Da congregação, eles devem ser encaminhados ao grupo dos comprometidos (para discipulado) e, daí, para o núcleo (para ministério). Finalmente, leve o ministério de volta à comunidade (para evangelismo). Esse processo cumpre todos os cinco propósitos da igreja.

Observe que minha sugestão é que você faça sua igreja crescer de fora para dentro; não de dentro para fora. Comece com a comunidade, e não com o núcleo! Esse conselho é o oposto dos sugeridos nos livros sobre implantação de igrejas. O método tradicional de começar uma igreja é criando um núcleo de cristãos comprometidos para depois atingir a comunidade.

O problema que vejo no método "de dentro para fora" é que, quando o implantador de igrejas consegue "discipular" seu núcleo, ele já perdeu o contato com a comunidade e fica receoso de interagir com os sem-igreja. É fácil ser contaminado com o que Peter Wagner denomina "koinonite", ou seja, uma comunhão tão fechada que os visitantes ficam com medo ou impossibilitados de se envolver com a igreja. É comum o núcleo que inicia uma igreja gastar tempo demais no estágio de pequenos grupos, perdendo o sentido missionário. O fogo do evangelismo se apaga.

O problema com a maioria das igrejas pequenas é que elas são somente núcleo. As mesmas 50 pessoas fazem tudo na igreja. São cristãos há tanto tempo que têm poucos ou mesmo nenhum amigo não-cristão a quem testemunhar. Uma igreja com essa característica precisa desenvolver os outros quatro círculos.

Quando iniciei a Saddleback, comecei pensando na comunidade inteira, especialmente nos sem-igreja. Conheci centenas deles pessoalmente nas 12 semanas que passei indo de porta em porta, ouvindo as pessoas que não costumavam ir à igreja e pesquisando sobre suas necessidades. Desenvolvi relacionamentos e construí pontes de amizade com o maior número possível de não-cristãos.

> Faça sua igreja crescer *de fora para dentro*; não de *dentro para fora*.

Depois, ajuntei uma multidão dessa mesma comunidade, por meio de uma carta que informava o início de nossas atividades, enviada a 15 mil lares. Enviei-lhes uma correspondência com base no que eu havia aprendido sobre eles em minhas pesquisas. Fizemos também bastante propaganda no primeiro ano, pois não tínhamos relacionamentos suficientes para depender somente de uma divulgação boca a boca. Essa é a realidade na maioria das igrejas pequenas. Hoje, com milhares de membros convidando os amigos para visitar nossa igreja, a propaganda é desnecessária.

Naquele primeiro ano, tudo que fizemos foi reunir uma multidão a fim de lhe apresentar Cristo. Assim como o lançamento de um foguete demanda enorme quantidade de energia, também é necessário muito esforço para juntar uma multidão a partir do nada. Nosso enfoque era bastante concentrado. Eu pregava uma mensagem evangelística simples e direta, com sermões intitulados "Boas notícias para problemas do dia-a-dia" ou "O plano de Deus para sua vida". No final do primeiro ano, cerca de 200 pessoas frequentavam as reuniões, a maioria de novos convertidos.

Em nosso segundo ano, comecei a trabalhar para introduzir os cristãos da multidão na congregação. Continuamos alcançando a comunidade e fazendo a multidão aumentar em número, mas sempre enfatizando a importância dos relacionamentos de comunhão. Nosso esforço estava concentrado em converter frequentadores em membros. Comecei a falar sobre o valor de ser membro de uma igreja, dos benefícios e responsabilidades de se tornar participante da família da igreja. Pregava mensagens intituladas "Estamos juntos nessa", "Pertencemos à família de Deus" ou "Por que temos uma igreja?". Ainda me lembro da emoção de ver Deus transformando a multidão, de meros frequentadores, em uma congregação amorosa de membros.

No terceiro ano, instituí um plano para aumentar o nível de compromisso de nossos membros. Desafiava constantemente a congregação a aprofundar sua dedicação a Cristo. Ensinei-os a estabelecer disciplinas e hábitos que levam à maturidade espiritual. Preguei uma série de mensagens sobre compromisso intitulada "Juntos, crescemos" e outra sobre doutrinas básicas: "Perguntas que eu queria fazer a Deus". É claro que ensinei essas coisas para os novos convertidos no primeiro e no segundo ano, mas no terceiro dei maior ênfase a esses ensinamentos.

Enquanto o povo se tornava solidamente estabelecido na fé, preguei sobre o envolvimento no ministério, por meio de mensagens como: "Cada membro é um ministro" e uma série denominada "Fazendo o máximo com o que Deus lhe deu". Deixei bem claro que o cristão que não ministra é uma contradição e desafiei o mito de que a maturidade espiritual é um fim em si mesma. Enfatizei que a maturidade é para investir no ministério.

Embora tivéssemos ministros leigos desde o princípio, começamos a organizá-los melhor em um núcleo distinto na igreja. Contatei pessoas para me ajudar a dirigir reuniões regulares de treinamento e a supervisionar os líderes de nossos ministros leigos.

Dá para ver o progresso natural? Você constrói um ministério multidimensional ao conquistar novos membros do ponto de vista dos propósitos, concentrando-se num nível de compromisso de cada vez. Não se sinta na obrigação de fazer tudo simultaneamente. Nem mesmo Jesus agiu assim!

> Você constrói um ministério multidimensional ao conquistar novos membros do ponto de vista dos propósitos, concentrando-se num nível de compromisso de cada vez.

Construa de fora para dentro. E, uma vez organizados os cinco grupos, você está no caminho certo. Depois, é só mantê-los equilibrados.

Alguns podem criticar a lentidão com que conduzimos as pessoas a um nível de compromisso mais profundo. Lembre-se, porém, de que começamos com os sem-igreja e que desenvolvemos uma filosofia de ministério a partir do nada, tudo ao mesmo tempo.

Sempre vi a edificação da Igreja Saddleback como tarefa para toda a vida. Meu desejo é semelhante ao de Paulo, que, como "sábio construtor", pôs o fundamento (1Co 3.10). Leva tempo conquistar comprometimento, desenvolver qualidade e conduzir as pessoas pelos círculos de compromisso. Posso dizer a você como construir uma igreja equilibrada e saudável, mas *não posso* ensiná-lo a fazer isso rapidamente.

Igrejas sólidas e estáveis não são construídas em um dia. Para fazer um cogumelo, Deus leva seis horas. Mas quando deseja fazer um carvalho, ele dispende 60 anos. Você quer que sua igreja seja como cogumelo ou como carvalho?

2. Elabore programas em torno dos propósitos

Quando você escolhe ou desenvolve um programa para cumprir cada um dos propósitos, lembre-se de que cada Círculo de Compromisso também corresponde a um propósito da igreja. Utilizando os cinco propósitos como estratégia para suas programações, você irá identificar seus alvos (comunidade, multidão, congregação, comprometidos e núcleo) e seu objetivo para cada um (evangelismo, adoração, comunhão, discipulado e ministério).

Deixe sempre bem claro para a igreja o propósito de cada programa. Elimine qualquer programa que não cumpra um propósito. Mude-o quando você achar outro programa que desenvolva melhor seus objetivos. Os programas sempre devem servir aos propósitos.

Eventos-ponte. Na Saddleback, o principal programa utilizado para causar impacto na sociedade é nossa série anual de eventos comunitários de longo alcance. Nós os chamamos "eventos-ponte", porque são desenvolvidos para construir uma ponte entre a igreja e a comunidade. São normalmente de grande magnitude, pois a ideia é chamar a atenção de todos. Esses eventos incluem: a Festa da Colheita, uma alternativa segura para as crianças no Halloween; um culto na véspera de Natal para toda a comunidade; um culto de Páscoa, também para todos; Um Dia no Velho Oeste, próximo ao Dia da Independência. Alguns de nossos eventos-ponte são essencialmente evangelísticos, enquanto outros são considerados "pré--evangelísticos" e simplesmente fazem que os sem-igreja de nossa comunidade conheçam nossas atividades.

Culto para interessados. O programa principal para a multidão é nosso culto de fim de semana para os sem-igreja. Ele foi planejado e desenvolvido para que nossos membros possam trazer amigos não-salvos para os quais estejam testemunhando. O propósito desse culto é ajudar, e não substituir, o evangelismo pessoal. Pesquisas demonstram que as pessoas se decidem por Cristo mais cedo quando existe um grupo de apoio.

O programa principal para a congregação é a nossa rede de pequenos grupos. Comunhão, cuidado pessoal e senso de pertencer são os benefícios dessas reuniões. Dizemos às pessoas: "Você não vai se sentir realmente parte da família desta igreja até que se junte a um pequeno grupo".

Instituto de Desenvolvimento de Vida. O programa principal para os comprometidos é o nosso *Instituto de Desenvolvimento de Vida*, que oferece um amplo conjunto de oportunidades para crescimento espiritual: estudos bíblicos, seminários, palestras, oportunidades de mentoreamento e programas de estudos independentes. No final do curso, os participantes recebem um certificado. Nosso culto de meio de semana é parte vital do *Instituto de Desenvolvimento de Vida*.

Processo de Desenvolvimento de Vida

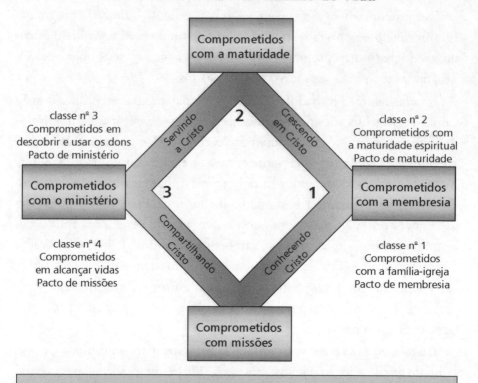

SALT. O programa principal para o núcleo é nossa reunião mensal do SALT, sigla de Saddleback Advanced Leadership Training [Treinamento avançado de liderança da Saddleback]. É uma reunião de duas horas que acontece na noite do primeiro domingo de cada mês. O programa é assim composto: testemunho dos líderes; explanação da visão pelo pastor; aperfeiçoamento de habilidades; treinamento em liderança, oração e ordenação de novos ministros leigos. Como pastor, considero essa a reunião mais importante e para a qual mais me preparo. É uma oportunidade sem preço de instruir, inspirar e expressar apreciação pelo povo que realiza o trabalho em minha comunidade.

A coisa mais importante em relação à programação da igreja é que não existe um programa, por mais eficiente que tenha sido no passado, que possa cumprir adequadamente todos os propósitos. Da mesma forma, nenhum programa por si só pode atender a todos os componentes de cada círculo. É necessário ter variedade para atingir os cinco níveis de compromisso e cumprir todos os objetivos.

3. Eduque seu povo com base nos propósitos

O programa de educação cristã de nossa comunidade é dirigido por propósitos. Nossa meta é ajudar as pessoas a desenvolverem um estilo de vida de evangelismo, adoração, comunhão, discipulado e ministério. Queremos produzir praticantes da Palavra, e não somente ouvintes. Desejamos transformar, não apenas informar. Um de nossos *slogans* é: "Você só crê na parte da Bíblia que pratica".

Transformação não acontece por acaso. Temos de estabelecer um processo de formação de discípulos ou de educação que encoraje as pessoas a agir conforme o que lhes foi ensinado e recompensá-los quando agem assim. Chamamos a isso "Processo de Desenvolvimento de Vida".

Usamos o diagrama simples de um campo de beisebol em forma de diamante para visualizar e explicar a nossos membros o processo de ensino e assimilação. Cada base representa um curso completo e um nível mais profundo de compromisso.

Você chega à primeira base (retângulo) quando completa a classe nº 1 e se compromete com o pacto de membresia. Atinge a segunda base após

completar a classe nº 2 e compromete-se com o pacto de crescimento espiritual. Alcança a terceira base quando

> Você não marca pontos se continuar na mesma base.

completa a classe nº 3 e compromete-se
a servir no ministério da igreja. Finalmente, ao concluir a classe nº 4, deve
comprometer-se em compartilhar sua fé, tanto em casa quanto em viagens missionárias.

No beisebol, você começa rebatendo a bola no retângulo inferior, que
é a primeira base. Depois, corre de base em base, no sentido anti-horário.
Nesse esporte, os corredores que não saem de sua base não marcam pontos.
Costumamos dizer à igreja que nossa meta é chegar à última base e, assim,
marcar pontos. Queremos que eles completem as 16 horas de treinamento
básico e se comprometam a cumprir os pactos explicados em cada base.
Existe um pacto por escrito em cada base, e nossa expectativa é que todos
a assinem e assumam um compromisso antes de seguir em frente. Nenhum
membro pode ir para a etapa seguinte sem que esteja comprometido com
as exigências de cada pacto.

A maioria das igrejas faz um bom trabalho ao levar pessoas à primeira
base ou até mesmo à segunda. Elas recebem Jesus, são batizadas e se unem
à igreja (primeira base). Algumas comunidades também fazem um trabalho excelente ao ajudar os cristãos a desenvolver hábitos que os levem à
maturidade espiritual (segunda base). Poucas igrejas, contudo, conseguem
conduzi-los ao ministério mais apropriado para cada um (terceira base),
e raras são as que treinam seus membros para ganhar outras pessoas para
Cristo e cumprir o propósito de sua vida (*home plate*).*

O maior alvo da Saddleback é transformar expectadores em soldados. Você não julga a força de um exército pela quantidade de soldados
que comem no refeitório, e sim pela sua atuação nas linhas de frente.
Da mesma forma, a força da igreja não pode ser medida pelo número
de pessoas que frequentam os cultos (multidão), mas por quantas servem no núcleo.

---

*Local onde os jogadores começam o jogo e para onde precisam retornar, depois de passar
em cada uma das bases, para poder marcar pontos [N. do T.].

Entendo que a igreja deve ser um posto de envio de missionários. Contudo, somente quando fazemos os membros percorrerem todas as bases e chegar no *home plate* é que podemos cumprir a Grande Comissão.

4. Comece pequenos grupos com base nos propósitos

Não espere que os pequenos grupos façam todos a mesma coisa. Permita que se especializem.

Grupos de interessados. Nossos grupos de não-cristãos são formados exclusivamente para evangelizar. Eles proporcionam um ambiente acolhedor para quem quer fazer perguntas, expressar dúvidas e examinar a doutrina cristã.

Grupos de apoio. Temos grupos de apoio com o propósito de cuidar da congregação, ter comunhão e adorar. Muitos deles são especializados em dar apoio e demonstrar companheirismo em algum estágio da vida, como por exemplo: pais que acabaram de ter o primeiro filho, estudantes universitários ou pais solteiros. Outros lidam com a dor dos que perderam o companheiro por morte ou divórcio. Temos vários grupos de restauração.

Grupos de serviço. Esses grupos são formados em torno de ministérios específicos: nosso orfanato no México, ministério nas prisões ou ministério voltado para casais em processo de divórcio. Grupos como esses naturalmente propiciam comunhão por meio de uma tarefa, projeto ou ministério em comum.

Grupos de crescimento. Dedicam-se a nutrir, treinar discípulos e estudar profundamente a Bíblia. Oferecemos dezenas de cursos, e alguns desses grupos fazem estudos mais aprofundados sobre a mensagem da semana anterior.

Em vez de forçar as pessoas a se conformar com a mentalidade "tamanho único", permita que escolham o tipo de pequeno grupo que melhor preencha necessidades, interesses, circunstâncias e maturidade espiritual de cada uma delas. Não esperamos que cada pequeno grupo preencha todos os propósitos da igreja, mas queremos que cada um deles seja organizado ao redor de pelo menos um desses propósitos.

5. Contrate funcionários de acordo com os propósitos

Cada pessoa que contratamos para trabalhar em nossa equipe recebe uma descrição de trabalho baseada nos propósitos. Durante a entrevista, usamos questões padronizadas, a fim de descobrir a qual dos propósitos o candidato é mais propenso, e então o posicionamos de acordo com o resultado. Não buscamos somente caráter e competência ao entrevistar alguém, e sim amor por um dos propósitos. Pessoas que sentem amor por alguma coisa farão o trabalho com mais motivação.

Se eu estivesse estabelecendo uma igreja com propósitos hoje, recrutaria cinco voluntários para ocupar algumas posições em minha equipe: um diretor de música para ajudar nos cultos voltados para a multidão; um diretor de membresia para ensinar a classe *Comprometidos com a membresia* e supervisionar os membros da congregação; um diretor de maturidade para ensinar a classe *Comprometidos com a maturidade* e supervisionar os programas de estudo bíblico para os comprometidos; um diretor de ministério para ensinar a classe *Comprometidos com o ministério*, entrevistar pessoas para definição ministerial e supervisionar os ministérios dos líderes do núcleo; por último, um diretor de missões para ensinar a classe *Comprometidos com missões* e administrar nosso programa de evangelismo e missões na comunidade.

> Sua igreja pode ser dirigida por propósitos, qualquer que seja o tamanho dela.

Daria a essas pessoas uma ajuda de custo e, depois, quando a igreja crescesse, um salário integral. Com esse plano, sua igreja pode ser dirigida por propósitos, qualquer que seja o tamanho dela.

6. Forme equipes em torno dos propósitos

Em vez de organizar departamentos tradicionais, organize-se com equipes baseadas nos propósitos. Na Saddleback, cada líder e cada membro de nosso grupo é designado para uma ou mais equipes baseadas em propósitos. Cada equipe é liderada por um pastor, que é auxiliado por um coordenador. Ela é composta por uma combinação de ministros remunerados e líderes voluntários. Juntos, lideram programas, ministérios e eventos que cumprem um propósito da igreja em particular, designado para aquela equipe.

Equipe de missões. A equipe de missões é designada com o propósito do evangelismo. Seu alvo é a comunidade. Seu trabalho é planejar, promover e supervisionar todos os eventos-ponte da igreja, grupos de interessados, treinamento de evangelismo (incluindo o curso *Comprometidos com missões*), programas e atividades evangelísticos e projetos missionários. Ela deve organizar o que é necessário para alcançarmos a comunidade e o mundo para Cristo.

Enviar pessoas é o negócio da igreja. Nossa meta é que 25% de nossos membros sejam envolvidos em algum tipo de trabalho missionário a cada ano. Ficaria muito feliz em ver nossa frequência baixar durante o verão, não porque o povo está de férias, mas por estar trabalhando no campo missionário. Outra meta é enviar 200 missionários de tempo integral nos próximos 20 anos. No ano passado, enviamos membros adultos para projetos missionários nos cinco continentes; vários jovens trabalharam em nosso projeto missionário no orfanato do México e em missões de resgate no centro decadente de Los Angeles.

Equipe de magnificação/musical. Essa equipe é designada para o propósito da adoração. Seu alvo é a multidão, e sua tarefa é planejar nossos cultos de fim de semana para interessados e visitantes, músicas especiais e eventos e providenciar cânticos de adoração para o restante da igreja.

Equipe de membresia. Seu propósito é a comunhão do rebanho. É responsável por nosso curso mensal de candidatos à membresia (*Comprometidos com a membresia*). Supervisiona todos os grupos de apoio, casamentos, funerais, cuidado pastoral, visitação em hospitais e obras de cunho social no âmbito da congregação. Opera também um centro de aconselhamento e é responsável por todos os principais eventos de comunhão na família eclesiástica.

Equipe de maturidade. A equipe de maturidade é responsável pelo propósito do discipulado. Sua meta é o compromisso. Seu alvo é levar nossos membros a um compromisso espiritual mais profundo e ajudá-los a desenvolver a maturidade espiritual. Essa equipe coordena o curso *Comprometidos com a maturidade* e é responsável pelo *Instituto de Desenvolvimento de Vida*, o culto de celebração do meio da semana, todos os estudos bíblicos, grupos de crescimento nos lares e campanhas especiais de crescimento espiritual para toda a igreja. Produzem também guias devocionais para a família, currículos de estudos bíblicos e outros materiais de apoio.

Equipe de ministério. Essa equipe atende ao propósito do ministério, como o nome já diz. Sua meta é o núcleo e trabalha para transformar membros em ministros, fazendo que descubram seu ministério. Essa equipe coordena o Centro de Desenvolvimento Ministerial e é responsável por todos os grupos de serviço, pelas reuniões mensais do curso *Comprometidos com o ministério* e pelas reuniões do SALT. Eles também auxiliam, treinam e supervisionam os líderes. O alvo dessa equipe é ajudar cada membro da igreja a encontrar uma atividade em que possa expressar seus dons e habilidades.

7. Pregue com base nos propósitos

Para produzir cristãos equilibrados e sadios, você precisa planejar sua agenda de mensagens, incluindo temas relacionados aos cinco propósitos. Uma série de 4 semanas para cada um dos propósitos da igreja pode ser ministrada em apenas 20 semanas. Sobraria mais de meio ano para pregar sobre outros assuntos.

Planejar sua pregação em torno dos propósitos não significa que você deva sempre pregar sobre igreja. Personalize os propósitos! Pregue sermões com o tema dos cinco propósitos de Deus para cada cristão. Aqui estão alguns títulos de séries que preguei, nas quais apliquei os propósitos de maneira personalizada: "Você foi formado para ter valor?" — uma série para mobilizar as pessoas para o ministério; "Os seis estágios da fé" — sobre as circunstâncias que Deus utiliza para amadurecer os cristãos; "Aprendendo a ouvir a voz de Deus" — sobre adoração; "Respondendo às perguntas mais difíceis da vida" — série baseada em Eclesiastes, a fim de preparar as pessoas para o evangelismo; "Construindo grandes relacionamentos" — sobre 1Coríntios 13 — para aprofundar os relacionamentos na igreja. Ao utilizar os cinco propósitos como guia para planejar sua agenda de mensagens, você está pregando com um propósito.

8. Faça um orçamento em torno dos propósitos

Classificamos cada item do orçamento de nossa comunidade pelo propósito a que ele servirá. A forma mais rápida para descobrir as prioridades de uma igreja é pela análise de seu orçamento e de seu calendário. A forma de gastarmos nosso tempo e dinheiro mostra o que é realmente importante para nós, a despeito do que afirmamos acreditar. Se sua igreja diz que o evangelismo é uma prioridade, você deve ser capaz de provar isso pela cota do orçamento destinada a esse item. De outra maneira, você estará fazendo as coisas "para inglês ver".

9. Prepare o calendário com base nos propósitos

Separe dois meses de cada ano para melhor enfatizar cada propósito. Depois, dê a cada equipe (composta por obreiros e voluntários) a missão de enfatizá-lo durante esse período.

Por exemplo, janeiro e junho podem ser os meses da maturidade. Durante o mês da maturidade espiritual, você pode ler o Novo Testamento como congregação, ajudá-los a memorizar versículos a cada semana ou ministrar estudos bíblicos para toda a igreja.

Fevereiro e julho podem ser os meses do ministério. Neles, você pode promover feiras ministeriais para recrutar pessoas para o ministério. O pastor pode pregar uma série de mensagens sobre o serviço ministerial. Os membros podem ser encorajados a se juntar a um grupo de serviço.

Março e agosto podem ser os meses dedicados a missões, com atividades como treinamento para evangelismo, conferências missionárias e projetos de missões para todos os membros da igreja.

Abril e setembro podem ser os meses da membresia, dedicados especialmente ao recrutamento de frequentadores para que se tornem membros. Você pode planejar uma série de eventos de comunhão com toda a igreja, tais como piqueniques, concertos e festivais.

Maio e outubro podem ser os meses da exaltação, período com ênfase na adoração pessoal e coletiva.

Separados esses meses para cada um dos cinco propósitos, você ainda terá dois meses livres. Nesse caso, novembro e dezembro ficam livres para os preparativos do Natal.

Não se engane. Se você não agendar os propósitos no calendário, eles não serão enfatizados.

10. Avalie com base nos propósitos

Para se firmar como igreja num mundo de constantes mudanças, é preciso estar continuamente avaliando o que se faz. Os processos devem ser construídos e revistos. Avalie para alcançar a excelência. Numa igreja com propósitos, a eficiência deve ser medida pelo padrão dos propósitos.

Ter um propósito sem meios práticos de avaliar os resultados é como se a NASA planejasse enviar um foguete à Lua sem um sistema de navegação. Provavelmente não haveria como corrigir o curso, e o alvo não seria alcançado. Em nossa igreja, desenvolvemos um sistema de navegação que chamamos "Instantâneo da Saddleback". Nossos pastores revisam-no a cada mês. O Instantâneo é um resumo de seis páginas de nosso processo de desenvolvimento de discípulos. Ele identifica quem está em cada uma das bases do Processo de Desenvolvimento de Vida (campo de beisebol). Indica também quantas pessoas fazem parte naquele momento de cada um dos Círculos de Compromisso e mede a saúde da igreja.

O Instantâneo força-nos a uma visão crítica e honesta do desempenho da igreja. Assim, fica fácil detectar falhas no sistema. Por exemplo, se nosso público nos cultos de celebração aumenta em 35% no ano, mas a membresia e a frequência aos pequenos grupos cresce apenas 20%, é sinal de que temos de corrigir alguma falha. Estatísticas como essa nos ajudam no processo de avaliação e determinam as áreas em que devemos nos concentrar. Como mencionei no capítulo anterior, devemos constantemente nos perguntar: "Qual é nosso negócio e como vai nosso negócio?".

Crescendo forte

Na tentativa de aplicar os propósitos em cada área da igreja, você perceberá que ela está ficando cada vez mais forte. Em vez de ficar criando programas para manter o povo motivado, você pode se concentrar apenas nos pontos essenciais. A aprendizagem se faz pelos erros e pelos acertos. Se propósitos imutáveis guiam sua igreja, você pode melhorá-los a cada ano. Quanto mais membros entenderem e se comprometerem com os propósitos, mais forte sua igreja irá se tornar.

Parte três

Alcançando a sua comunidade

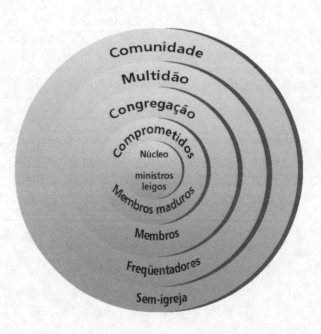

9
Quem é seu alvo?

Jesus: "Eu fui enviado apenas às ovelhas perdidas de Israel".
MATEUS 15.24

*Paulo: "A mim havia sido confiada a pregação do evangelho aos
incircuncisos, assim como a Pedro, aos circuncisos".*
GÁLATAS 2.7

Certa vez, li uma história do Snoopy que representa a estratégia evangelística de muitas igrejas. Charlie Brown estava praticando arco e flecha em
seu quintal. Em vez de mirar, ele cravava as flechas na cerca de madeira e
depois desenhava um alvo em torno do ponto que a flecha havia atingido.
Lucy aproximou-se dele e perguntou:

— Por que você está fazendo isso?

Ele respondeu, sem nenhuma vergonha:

— Assim eu nunca erro!

Infelizmente, a mesma lógica é usada por muitas congregações em seus
esforços evangelísticos. As flechas das boas-novas são atiradas na direção
da comunidade e se, por acaso, atingir alguém, a liderança diz: "Este era o
alvo que tínhamos em mente!". Em casos assim, há pouco planejamento e
estratégia por trás dos esforços e nenhum alvo específico é visado. O alvo é
desenhado ao redor da flecha, e todos ficam satisfeitos com isso. É um método patético. Trazer pessoas para Cristo é uma missão importante demais
para ser tratada de maneira casual.

Muitas congregações mostram-se "ingênuas" quando o assunto é evangelismo. Se você perguntar aos membros: "Qual é o alvo de sua igreja?",
a resposta provavelmente será: "Estamos tentando alcançar o mundo todo

para Jesus Cristo". Claro que esse é o alvo da Grande Comissão e deve ser a meta de cada igreja, mas, na prática, não há igreja capaz de alcançar o mundo inteiro sozinha.

Cada ser humano é diferente do outro. E nenhuma igreja é capaz de alcançar todos os tipos de pessoas. Assim, todos os tipos de igrejas são necessários para alcançar todos os tipos de pessoas. Juntos, podem conseguir o que nenhuma congregação, estratégia ou estilo conseguiria sozinho.

Sente-se na sala de espera de um aeroporto por algumas horas e verá claramente que Deus ama a variedade. Ele criou uma infinidade de pessoas com diferentes interesses, preferências, histórias e personalidade. Alcançar todas essas pessoas para Cristo exige uma variedade de estilos de evangelismo. A mensagem deve permanecer a mesma, mas os métodos e o estilo de comunicação precisam variar.

Sempre me recuso a debater sobre qual método de evangelismo é mais eficiente. Depende de quem você está tentando alcançar! Iscas diferentes são usadas para pescar diferentes espécies de peixes. Sou a favor de qualquer método que alcance pelo menos uma pessoa para Cristo, contanto que seja ético. Acredito que será bastante vergonhoso quando os críticos de um método em particular de evangelismo forem para o céu e descobrirem a quantidade de gente que lá está graças aos métodos que eles combatiam! Nunca critique o que Deus está abençoando!

> Nenhuma igreja é capaz de alcançar todos os tipos de pessoas. Assim, todos os tipos de igrejas são necessários para alcançar todos os tipos de pessoas.

Para a sua igreja, ser mais efetiva no evangelismo, você precisa decidir o seu alvo. Descubra quais os tipos de pessoas que vivem em sua área, decida qual grupo sua igreja está mais bem preparada para alcançar e depois verifique qual dos estilos de evangelismo melhor se encaixa ao seu grupo-alvo. Mesmo não sendo capaz de alcançar todo mundo, sua igreja pode ser útil alcançando um tipo determinado. Saber quem você está tentando alcançar torna o evangelismo bem mais fácil.

Imagine o que aconteceria com uma estação de rádio que tentasse atingir o gosto musical de todas as pessoas! Uma estação que alternasse sua programação entre clássico, *heavy metal*, sertanejo, *rap*, *reggae* e samba acabaria desagradando a todos. Ninguém iria querer sintonizá-la.

Rádios bem-sucedidas selecionam um público, pesquisam sua área de transmissão, buscam saber quais os segmentos da população ainda não alcançados por outras estações e assim escolhem o formato que alcança o objetivo traçado.

Definir o alvo evangelístico foi o segundo fator mais importante para o crescimento da Saddleback. Depois de descobrir quem nossa igreja tinha mais condições de alcançar para Cristo, fomos buscar conscientemente essas pessoas. Quando planejamos uma missão evangelística, sempre temos um alvo específico em mente. A Bíblia determina nossa mensagem, mas nosso grupo-alvo é que determina quando, onde e como vamos comunicá-la.

> **Nunca critique o que Deus está abençoando!**

Até que se esclareçam os propósitos de sua igreja, não é imperativo que se estabeleça o grupo-alvo. A fundamentação bíblica deve ser assentada primeiro. Tenho observado que algumas igrejas desenvolvem sua estratégia evangelística começando pelo alvo, antes de estabelecer a base dos propósitos eternos de Deus. O resultado é uma igreja instável e não-bíblica, dirigida pelo mercado, mais do que pela Palavra de Deus. A mensagem nunca pode ser comprometida.

Estabelecer um foco para evangelizar é bíblico

A prática de evangelizar um tipo específico de pessoa está de acordo com um princípio tão antigo quanto o Novo Testamento: Jesus fazia isso. Quando a mulher cananeia pediu a Jesus que libertasse sua filha endemoninhada, ele publicamente declarou que o Pai lhe ordenara um trabalho concentrado nas "ovelhas perdidas de Israel" (Mt 15.22-28). Mesmo que tenha atendido à mulher, por causa da fé que ela demonstrou, Jesus deixou bem claro que seu ministério estava direcionado para os judeus. Estaria ele sendo injusto ou preconceituoso? Claro que não! Ele direcionava seu ministério para que fosse eficaz; não exclusivo.

Antes disso, ele havia instruído os discípulos a também ministrar de maneira dirigida. Em Mateus 10.5,6, lemos: "Jesus enviou os doze com as seguintes instruções: 'Não se dirijam aos gentios, nem entrem em cidade alguma dos samaritanos. Antes, dirijam-se às ovelhas perdidas de Israel' ".

Paulo mirava seu ministério para os gentios; Pedro, para os judeus (Gl 2.7). Ambos os ministérios eram necessários, importantes e eficazes.

Até mesmo os Evangelhos foram escritos para públicos específicos. Você já se perguntou por que Deus usou quatro escritores e quatro livros para contar a vida de Cristo? Afinal, quase todas as passagens e ensinamentos do evangelho de Marcos também estão registradas no evangelho de Mateus. Por que então precisamos dos dois livros? Porque o evangelho de Mateus é direcionado aos leitores hebreus; o de Marcos, aos gentios. O conteúdo dos livros é o mesmo. No entanto, por terem sido escritos para públicos distintos, o estilo de comunicação é diferente. Especificar seu alvo para evangelizar é um método inventado por Deus! Ele espera que testemunhemos de maneira personalizada.

> A Bíblia determina nossa mensagem, mas nosso grupo-alvo é que determina quando, onde e como vamos comunicá-la.

O conceito de alvos evangelísticos está implícito na Grande Comissão. Precisamos fazer discípulos em "todas as nações". A expressão grega é *ta ethne*, de onde tiramos a palavra "étnico", que se refere literalmente a "todos os grupos humanos". Cada um desses grupos é único e necessita de uma estratégia evangelística que comunique o evangelho de uma forma que os atinja.

Em março de 1995, a Cruzada Billy Graham, em Porto Rico, foi transmitida simultaneamente em 116 idiomas para plateias em todo o mundo. A mesma mensagem foi traduzida para o idioma de cada país. Músicas e testemunhos culturalmente apropriados foram inseridos na transmissão. Mais de 1 bilhão de pessoas ouviram o evangelho em seu idioma, músicas e testemunhos que iam ao encontro de cada grupo humano. Foi o maior exemplo de evangelismo focado da História.

A prática do evangelismo com foco definido é especialmente importante em igrejas pequenas. Nelas, os recursos são limitados, e é vital que você faça o máximo com o que tem. Concentre seus recursos para alcançar pessoas com quem sua igreja tenha mais facilidade de se comunicar.

> Jesus direcionava seu ministério para que fosse eficaz; não exclusivo.

Igrejas pequenas também devem tomar decisões difíceis em alguns assuntos. Como é impossível agradar a preferência musical de todas as pessoas em um só culto e as igrejas não podem oferecer vários cultos, devem fazer uma opção. Mudar estilos semanalmente produzirá o mesmo efeito da estação de rádio com programação mista. A maioria ficará insatisfeita.

Uma das vantagens de uma igreja grande é que ela tem recursos para atingir vários públicos. Quando nosso trabalho começou, nos concentrávamos em um público limitado: jovens, sem-igreja e casais de classe média. Isso porque constituíam o maior grupo do bairro e eram as pessoas com as quais eu me relacionava com maior facilidade. Quando nossa igreja cresceu, pudemos adicionar ministérios para alcançar jovens adultos, adultos solteiros, prisioneiros, anciãos, pais com crianças especiais, latinos, vietnamitas, coreanos e muitos outros grupos.

Como definir o alvo?

Mirar no alvo começa com descobrir tudo o que puder sobre a sua comunidade. A igreja necessita definir seu alvo em quatro aspectos: geográfico, demográfico, cultural e espiritual.

Nas aulas de hermenêutica e homilética, no seminário, aprendi que a mensagem do Novo Testamento precisava ser entendida com base nos aspectos geográficos e culturais do povo daquela época. Dessa maneira, poderia extrair a verdade eterna de Deus de cada contexto. Esse processo é chamado "exegese". Todo pregador o utiliza.

> Concentre seus recursos para alcançar pessoas com quem sua igreja tenha mais facilidade de se comunicar.

Infelizmente, nenhuma das aulas me ensinou que, antes de comunicar a verdade eterna ao povo de hoje, eu precisava fazer uma "exegese" de minha comunidade! Se quiser transmitir com fidelidade a Palavra de Deus, devo estar atento à geografia, aos hábitos, à cultura e ao contexto religioso de minha comunidade tanto quanto ao contexto da Bíblia.

Defina seu alvo geograficamente

Jesus tinha um plano para evangelizar o mundo. Em Atos 1.8, ele identifica quatro públicos aos discípulos: "Mas receberão poder quando o Espírito Santo descer sobre vocês, e serão minhas testemunhas em Jerusalém, em toda a Judeia e Samaria, e até os confins da terra". Muitos estudiosos da Bíblia concordam que esse é o padrão exato descrito no restante do livro de Atos. A mensagem foi levada primeiro aos judeus, em Jerusalém; depois, à Judeia; em seguida, a Samaria; e, em pouco tempo, se espalhou pela Europa.

Em seu ministério, estabelecer um alvo do ponto de vista geográfico simplesmente significa que você irá identificar o lugar onde moram as pessoas que deseja alcançar. Pegue um mapa de sua cidade e marque onde sua igreja está localizada. Estime o tempo gasto no trajeto de sua igreja até determinado ponto e demarque as fronteiras de sua área ministerial. Esse é o seu "lago de pesca evangelística". Informe-se junto aos órgãos da prefeitura sobre o número de habitantes dessa área.

Ao determinar esse alvo, vários fatores devem ser considerados.

Primeiro, "uma distância que pode ser percorrida de carro" é uma definição bastante subjetiva. O deslocamento de automóvel ou de ônibus entre bairros, cidades, estados e países depende de fatores bastante variáveis. Residentes em áreas rurais têm disposição para se deslocar por distâncias maiores que os que vivem na área urbana. As pessoas também preferem dirigir em uma auto-estrada a conduzir seu carro pelo tráfego complicado da cidade. Minha estimativa é uma tolerância de 12 sinais de trânsito até a igreja.

Segundo, as pessoas escolhem uma igreja por causa de relacionamentos e de programas, e não por causa da sua localização. Só porque sua igreja é a mais próxima, não significa que você alcançará o povo à sua volta. Sua igreja pode não cair no gosto deles. No entanto, alguns passarão na frente de mais de 15 igrejas, de ônibus ou de carro, para frequentar a sua, se ela vier ao encontro de suas necessidades.

Em terceiro lugar, quanto mais sua igreja cresce, maior território ela alcança. Temos pessoas que dirigem mais de uma hora para frequentar nossa igreja, tudo porque oferecemos um programa ou um grupo de apoio que elas não encontram em nenhum lugar mais próximo. Como regra, elas preferem fazer trajetos mais longos para participar de uma igreja maior, que tenha um ministério diversificado, a se deslocar até uma igreja menor, com um ministério limitado.

Outra maneira de mapear sua área-alvo é desenhar um círculo ao redor da igreja, representando cerca de 8 quilômetros. Depois, descubra quantos habitantes vivem nesse círculo. Essa é sua área *inicial* de ministério. Cerca de 65% dos americanos são sem-igreja, e essa porcentagem é muito maior em algumas áreas, particularmente no Oeste, no Nordeste e nas áreas urbanas. Se você calcular a população de sua área e considerar, por exemplo, a porcentagem citada, verá que verdadeiramente "os campos estão prontos para a colheita". Uma vez definido o alvo do ponto de vista geográfico, você saberá a quantidade de peixes que existe em seu lago de pesca. Isso é fundamental, uma vez que o número de habitantes é um fator crucial para determinar a estratégia a ser utilizada para trazê-los à igreja. Num grande centro populacional, é possível concentrar-se em apenas um segmento e, ainda assim, ter uma igreja grande. Numa área populacional menor, você pode desenvolver planos para alcançar vários segmentos e assim fazer que a igreja cresça.

Seria tolice ignorar o fator populacional em relação ao crescimento da igreja. Não importa quão dedicada ela seja, se a área tem somente mil pessoas, a igreja nunca será grande. Não é culpa do pastor nem é falta de compromisso da parte da congregação. É só na questão de contas.

Visitei algumas igrejas grandes em áreas metropolitanas que estabeleceram o objetivo de conquistar 0,5% da população. Pelo fato de 200 mil pessoas viverem em cada uma dessas áreas, cada igreja tem uma frequência média de mil pessoas. Você cometerá um erro se estabelecer como meta a mesma porcentagem numa cidade pequena. A estratégia que alcança mil pessoas numa cidade de 200 mil habitantes alcançará apenas 50 numa cidade de mil habitantes.

Não ajuda em nada comparar a frequência entre igrejas diferentes. Cada uma tem seu lago de pescaria, e cada lago tem população e espécies variadas. É como comparar tangerina com aspirina. Pode soar semelhante, mas as diferenças são enormes.

Defina seu alvo demograficamente

Você não precisa apenas saber quantas pessoas vivem na área-alvo; deve também saber que tipo de pessoa vive lá. Primeiro, deixe-me adverti-lo a não gastar tempo demais na pesquisa demográfica. Você pode perder muito tempo na coleta de dados que, no final, pouca ou nenhuma diferença farão para sua igreja. Conheci alguns implantadores de igreja que passaram meses preparando belos relatórios, cheios de informações demográficas de sua região. Tudo era muito interessante, porém a maioria inútil para o propósito da igreja.

Somente alguns dados demográficos são importantes quando se mira para uma comunidade com o objetivo de evangelizá-la, e são os seguintes:

- Idade: quantos existem em cada faixa etária?
- Estado civil: quantos são solteiros e quantos são casados?
- Renda: qual é a renda média das famílias?
- Educação: qual é o nível educacional da comunidade?
- Ocupação: que tipo de trabalho é predominante?

Cada um desses fatores irá influenciar o modo de ministrar às pessoas e a comunicação das boas-novas.

Os jovens, por exemplo, têm diferentes esperanças e temores, se os compararmos aos aposentados. Apresentar um evangelho que enfatize a segurança de ir para o céu como um dos benefícios da salvação provavelmente não terá muito efeito entre os jovens, que têm a vida inteira pela frente. Eles não estão interessados na vida eterna. Estão preocupados apenas em saber se existe um significado para esta vida. Uma pesquisa nacional feita nos Estados Unidos demonstrou que menos de 1% dos americanos estão interessados em responder à pergunta: "Como posso entrar no céu?".

Um meio mais efetivo de testemunhar aos jovens é mostrar-lhes que fomos feitos para ter comunhão com Deus agora, por meio de Cristo. Já os idosos demonstram grande interesse em preparar-se para a eternidade, porque sabem que o tempo deles neste mundo está acabando.

Jovens casados têm interesses diferentes dos de outros jovens. Os problemas dos pobres não são os mesmos dos de classe média. Os ricos têm preocupações próprias. Os universitários não veem o mundo da mesma forma que os alunos do ensino médio. É fundamental conhecer a perspectiva daqueles que você está buscando ganhar para Cristo.

Se você deseja que sua igreja cause impacto, torne-se um especialista em sua comunidade. Os pastores devem saber mais sobre ela que qualquer outra pessoa. Como já contei, antes de me mudar passei três meses pesquisando estatísticas e relatórios demográficos para conhecer os tipos de pessoas que moravam em Saddleback Valley. Antes de chegar, sabia o número de pessoas que lá residiam, onde trabalhavam, quanto ganhavam, qual o nível educacional delas e muito mais.

Onde conseguir esse tipo de informação? Há uma série de fontes públicas federais, estaduais e municipais. Você também pode procurar nos jornais, na Junta Comercial e até mesmo em empresas privadas. Pode ainda pesquisar os arquivos de outras denominações.

Defina seu alvo culturalmente

Compreender a demografia de sua comunidade é importante, mas compreender a cultura dela é imprescindível. E isso é uma coisa que você não encontrará nos relatórios do censo. Uso a palavra *cultura* para me referir ao estilo de vida e à forma de pensar dos que vivem ao redor de sua igreja, ou seja, aos valores, interesses, ansiedades e temores do povo.

Nenhum missionário parte para uma terra distante sem primeiro conhecer a cultura do povo que vai evangelizar. Seria tolice ignorar esse cuidado. No ambiente secular de hoje, é fundamental entender a cultura em que ministramos. Não precisamos concordar com determinados aspectos de nossa cultura, mas devemos entendê-la.

É provável que existam dentro da comunidade muitas subculturas ou subgrupos. Para alcançar cada um desses grupos você precisa descobrir como pensam. Quais os interesses deles? Quais os valores? Quais os anseios? Quais os temo-

> Uma das maiores barreiras para o crescimento da igreja é a "cegueira cultural".

res? Quais os aspectos mais importantes na vida deles? Quais as emissoras de rádio mais populares? Quanto mais você souber acerca dessas pessoas, mais fácil será alcançá-las.

Umas das maiores barreiras para o crescimento da igreja é a "cegueira cultural", ou seja, desconhecer as diferenças culturais e sociais da comunidade. Um olho bem treinado é capaz de perceber distinções importantes entre habitantes da área ao redor de sua igreja.

A melhor maneira de se conhecer a cultura, o pensamento e o estilo de vida das pessoas é conversando com elas pessoalmente. Você não precisa

> A melhor maneira de se conhecer a cultura, o pensamento e o estilo de vida das pessoas é conversando com elas.

contratar uma empresa especializada em *marketing*. Tudo que precisa fazer é sair e conversar com os moradores de sua comunidade.

Faça sua pesquisa. Pergunte-lhes o que consideram as maiores necessidades. Fique atento às ansiedades, aos interesses e temores deles. Nenhum livro ou pesquisa demográfica substitui a conversa pessoal. As estatísticas mostram somente um quadro parcial. Você precisa passar tempo com o povo, sentindo o pulso de sua comunidade pela interação individual. Creio que não existe substituto para isso.

Defina seu alvo espiritualmente

Depois de definir seu alvo sob o aspecto cultural, você precisa descobrir a história espiritual do povo de sua comunidade. Procure saber quanto eles já conhecem sobre o evangelho. Quando fiz uma avaliação de Saddleback Valley, descobri que 94% dos residentes de Orange County acreditavam em Deus ou em um espírito universal, 75% acreditavam na definição bíblica de Deus, 70% acreditavam na vida após a morte e 52% acreditavam que estavam neste mundo para cumprir um propósito espiritual. Isso me auxiliou muito na hora de testemunhar para eles.

Para medir o clima espiritual da comunidade, você pode entrevistar outros pastores da região. Ministros que servem há vários anos na região devem estar familiarizados com os assuntos e as tendências espirituais da área.

Antes de me mudar para a Califórnia a fim de estabelecer nossa igreja, contatei cada pastor de Saddleback Valley para ouvir deles a estimativa sobre as necessidades espirituais da comunidade. A missão foi surpreendentemente simples. Fui até a biblioteca da cidade, busquei nas páginas amarelas o item "Igrejas" e copiei os nomes e endereços de todas as congregações evangélicas do lugar. Depois, escrevi uma carta para cada pastor, explicando o que eu estava fazendo e pedindo que respondessem a cinco perguntas num formulário previamente selado. Recebi de volta cerca de 30 cartões. Obtive um ótimo panorama da vida espiritual da comunidade e também fiquei amigo da maioria daqueles pastores.

Há alguns anos, li acerca de um estudo feito pela Universidade de Nova York a respeito da vida religiosa dos americanos. A pesquisa indicou que 90% dos americanos declararam ter algum tipo de filiação religiosa. Mesmo que isso não signifique que estejam praticando a fé, pelo menos indica que quase todo americano já teve algum tipo de contato com uma organização religiosa.

O termo *sem-igreja* não se refere somente a pessoas que nunca estiveram dentro de uma igreja evangélica. Ele inclui aqueles que possuem uma história religiosa, mas não mantêm um relacionamento pessoal com Cristo e não frequentam mais a igreja.

Vinte e seis por cento dos americanos declaram-se católicos. Se você vive na Costa Oeste, seu provável candidato a membro deve ser um ex-católico. Se você vive no Sul, a maioria dos candidatos definitivamente irá ter uma história na Igreja Batista (30%). Em Dakota do Norte, é provável que você converse com alguém associado com os luteranos (28%). No Kansas e no Iowa, provavelmente o contato foi com a Igreja Metodista (13%). Em Idaho, Wyoming e Utah, você acabará encontrando um mórmon. Você precisa conhecer sua comunidade!

Sempre que testemunho para alguém que não mantém relacionamento com Cristo, tento descobrir algo que ele possa ter em comum comigo em relação à vida espiritual. Por exemplo, quando estou conversando com um católico, sei que ele aceita a Bíblia, mas provavelmente nunca a leu, e aceita as doutrinas da Trindade, do nascimento virginal e da divindade de Jesus Cristo. Meu trabalho será comunicar as diferenças entre uma religião baseada em obras e outra baseada no relacionamento pessoal com Cristo por meio da graça.

Quando prego em conferências para líderes, alguns pastores sempre vêm me dizer que a igreja deles é "igualzinha à Saddleback". Quando pergunto o que querem dizer com isso, respondem: "Bem, nós nos dedicamos a alcançar os sem-igreja". Eu digo: "Isso é maravilhoso! Que tipo de sem-igreja vocês estão alcançando?". Afinal, os sem-igreja não são todos iguais! Dizer que seu alvo são os sem-igreja é uma descrição incompleta. Os sem-igreja com diploma universitário são bem diferentes dos sem-igreja analfabetos.

Definir o alvo de evangelismo da igreja leva tempo e demanda um estudo sério. Uma vez completada a pesquisa, porém, você entenderá por que alguns métodos funcionam em sua área e outros não. A pesquisa pode ajudá-lo a economizar esforços e dinheiro em estratégias que não funcionam.

No início dos anos de 1980, algumas igrejas tentaram usar o *telemarketing* como ferramenta de evangelismo. Nunca adotamos esse método porque em nossas pesquisas havíamos descoberto duas coisas. Primeira, que uma das coisas mais irritantes para os residentes de Orange County era "estranhos vendendo coisas por telefone". Segunda, que mais da metade dos habitantes de nossa comunidade não permitia que seus números fossem publicados na lista telefônica! Isso já resolve o assunto.

> Os sem-igreja não são todos iguais.

Surpreendo-me com igrejas que gastam milhares de dólares em projetos evangelísticos sem antes se informar junto ao povo se o programa que pretendem implantar é do interesse da comunidade.

Personalize seu alvo

Depois de coletadas todas as informações sobre sua comunidade, sugiro que você crie um perfil do sem-igreja que sua comunidade pretende alcançar. Combinar as características dos habitantes de sua área em uma personagem fictícia fará que os membros da igreja entendam quem é o alvo. Se a coleta de dados foi bem-feita, os membros com certeza reconhecerão seus vizinhos nessa personagem.

Em nossa igreja, demos à nossa personagem o nome de Saddleback Sam.* A maioria de nossos membros não teria nenhuma dificuldade para descrevê-lo. Nós o descrevemos detalhadamente em cada um de nossos cursos de membresia.

Saddleback Sam é o típico homem sem-igreja que vive em nossa região. Ele tem cerca de 40 anos e possui um ou mais diplomas universitários. (Saddleback Valley tem um dos mais elevados níveis de educação da América.) É casado com Saddleback Samantha e tem dois filhos, Steve e Selly.

---

*Serve apenas de exemplo. Cada pastor deverá definir o perfil dos habitantes de sua comunidade [N. do E.].

Pesquisas mostram que Sam gosta de seu trabalho, de onde mora e acha que hoje desfruta melhor a vida que cinco anos atrás. Está satisfeito e até se gaba de seu padrão de vida. É um profissional, gerente ou empresário de sucesso. Sam é um dos americanos mais prósperos, mas também tem despesas altas, especialmente por causa do financiamento da casa própria.

Saúde e forma física são prioridades para Sam e sua família. Ele costuma correr todas as manhãs, e Samantha frequenta a aula de aeróbica três vezes por semana. Ambos apreciam e escutam música *pop* contemporânea e *country*, especialmente enquanto estão fazendo exercícios.

Quando se fala em socialização, Sam e sua mulher preferem os grandes grupos aos pequenos. Por quê? Em uma multidão, Sam pode manter o anonimato e a privacidade que preserva com zelo. O telefone de Sam não consta na lista telefônica, e a família mora em um condomínio fechado. (Aqui está a razão de termos usado mala-direta nos primeiros anos de nosso trabalho em Saddleback Valley. Era a única forma de entrar em contato com os habitantes de nossa comunidade.)

> É culto.
>
> Gosta de seu trabalho.
>
> Gosta do local onde mora.
>
> Gosta de música contemporânea.
>
> Pensa que desfruta melhor a vida hoje que cinco anos atrás.
>
> Prefere mais situações casuais e informais que formais.
>
> É cético quanto à religião "organizada".
>
> Está satisfeito: até mesmo se gaba de sua situação na vida.
>
> Prefere estar num grupo grande a participar de um pequeno grupo.
>
> Está sempre sem tempo, e seu orçamento é apertado.
>
> Saúde e forma física são prioridades para ele e a família.

Outra característica importante de Sam é seu ceticismo em relação ao que ele chama religião "organizada". Ele provavelmente lhe dirá: "Acredito em Jesus. Só não gosto da religião organizada". Encaramos essa declaração com humor e dizemos: "Então você irá gostar de nossa comunidade. Somos uma religião desorganizada!".

Sam prefere reuniões informais, uma vez que é do sul da Califórnia. Gosta de se vestir à vontade por causa do clima quente. Levamos isso em conta quando planejamos cultos para atraí-lo. Nunca uso terno nem gravata quando prego na igreja. Intencionalmente, visto-me para combinar com a mentalidade daqueles que estou tentando alcançar. Sigo a estratégia de Paulo revelada em 1Coríntios 9.20. "Tornei-me judeu para os judeus, a fim de ganhar os judeus". Em minha situação, creio que Paulo diria: "Quando estou no sul da Califórnia, torno-me igual ao californiano do sul para ganhar os californianos!". Não acho que a forma de as pessoas se vestirem preocupava Jesus. Preferimos atrair um pagão de tênis e bermuda a perdê-lo pelo fato de ele não vestir um terno.

Saddleback Sam tem pouco tempo livre e vive com o orçamento apertado. Seu cartão de crédito está sempre no limite. É muito materialista, porém admite que sua riqueza não lhe traz felicidade duradoura.

Por que gastar tanto tempo em definir o cidadão típico que estamos tentando alcançar? Porque quanto mais entendemos alguém, mais facilmente podemos nos comunicar com ele.

Se você tivesse de criar um perfil do morador típico de sua área, que características ele teria? Que nome daria a ele? É algo em que vale a pena pensar. Uma vez que você definiu e deu nome ao alvo do evangelismo de sua igreja, faça-me este favor: envie-me uma cópia. Tenho o *hobby* de colecionar perfis evangelísticos de igrejas. Possuo um arquivo cheio de personagens como Dallas Doug, Memphis Mike e Atlanta Al.

Você pode imaginar um fotógrafo tirando fotos de algo sem ajustar o foco? Acha que um caçador se posicionaria no topo de um morro e começaria a atirar para todas as direções, sem mirar em nada? Sem um alvo, nossos esforços evangelísticos não passam de pensamento positivo. É claro que leva tempo para fazer a mira, mas a recompensa é segura. Quanto mais bem focalizado o alvo, mais chances você terá de acertá-lo.

10
Conhecendo quem você pode alcançar melhor

O primeiro que ele encontrou foi Simão, seu irmão, e lhe disse:
"Achamos o Messias" (isto é, o Cristo).
João 1.41

Estando Jesus em casa, foram comer com ele e seus discípulos
muitos publicanos e "pecadores".
Mateus 9.10

Até mesmo uma leitura superficial do Novo Testamento mostra que o evangelho se espalhou principalmente por meio de relacionamentos. Assim que André ouviu falar de Jesus, ele contou a novidade a seu irmão Simão Pedro. Filipe imediatamente contatou um amigo, Natanael. Mateus, coletor de impostos, ofereceu em sua casa um jantar evangelístico a alguns colegas. A mulher que encontrou Jesus perto do poço foi avisar os habitantes do vilarejo da presença de Cristo. E a lista continua.

Creio que a estratégia mais eficaz de evangelismo é tentar primeiro alcançar aqueles com quem você tem algo em comum. Depois de descobrir todos os possíveis grupos-alvo de sua comunidade, em qual você deve se concentrar primeiro? Com certeza, naquele que pode ser alcançado com maior facilidade.

Cada igreja é apta para atingir apenas alguns tipos de pessoas. Sua comunidade terá mais facilidade para alcançar determinado tipo de pessoa e dificuldade para alcançar outro. Também existem pessoas que sua igreja nunca conseguirá atingir, porque isso requer um estilo de ministério diferente do seu.

Muitas barreiras podem contribuir para que as pessoas se tornem resistentes à sua igreja: teológicas, relacionais, emocionais, estilo de vida e culturais. Apesar de as primeiras quatro barreiras serem significativas, neste capítulo quero me concentrar na barreira cultural. Sua igreja terá mais facilidade para alcançar aqueles que se identificam culturalmente com seus membros.

Quem já frequenta nossa igreja?

Como você determina a cultura de sua igreja? Pergunte-se: "Que tipo de pessoa costuma frequentá-la?". Isso pode desencorajar alguns pastores, mas é a realidade. Qualquer que seja o tipo de pessoa que faça parte de sua congregação, as outras que você atrair provavelmente serão do mesmo tipo. É difícil para qualquer igreja "segurar" alguém cuja cultura seja contrastante com a dos demais membros.

Quando um visitante entra em sua igreja, a primeira pergunta que ele se faz não é com respeito à espiritualidade, e sim à cultura. Enquanto seus olhos inspecionam o local repleto de rostos estranhos, inconscientemente ele pergunta a si mesmo: "Existe alguém como eu aqui?". Um casal de aposentados que visita sua igreja irá procurar companheiros da mesma faixa etária na congregação. Um militar procurará por outro vestido de uniforme ou que tenha um corte de cabelo característico. Um casal jovem com filhos imediatamente irá verificar se existem outros casais na situação deles. Se o visitante encontrar em sua comunidade pessoas com as quais se identifica, é muito provável que volte.

Qual a possibilidade de uma igreja frequentada apenas por aposentados alcançar os adolescentes? Muito pequena. E outra, composta por militares, de alcançar ativistas pela paz? Bastante improvável. Ou ainda de uma igreja composta basicamente por operários alcançar executivos? Quase nula.

É claro que, como cristãos, devemos dar as boas-vindas a todos. Afinal, somos todos iguais aos olhos de Deus. Lembre-se, porém, de que o fato de a igreja não ser bem-sucedida em alcançar determinados tipos de pessoas não é questão de certo e errado, mas de simplesmente respeitar a maravilhosa variedade de pessoas que Deus pôs neste mundo.

Que tipo de líderes temos?

A segunda pergunta que você deve fazer quando estiver tentando descobrir o tipo de pessoa que poderá alcançar com mais facilidade é: "Qual a bagagem cultural e a personalidade da liderança de nossa igreja?". As características pessoais de seus líderes, tanto dos remunerados quanto dos voluntários, têm enorme influência no ministério de sua igreja. Os líderes projetam uma imagem sobre a congregação. Estudos demonstram que o peso maior na escolha de uma igreja está na identificação com o pastor. Não confunda: o pastor pode não cativar o visitante à primeira visita, mas é o principal motivo para este retornar ou não.

Se você é pastor, seja honesto e pergunte a si mesmo: "Que tipo de pessoa eu sou? Qual a minha bagagem cultural? Com que tipo de pessoa me relaciono mais naturalmente e que tipo de pessoa tenho dificuldade para entender?". Só uma análise franca poderá mostrar quem você é e com que tipo de pessoa você se relaciona melhor.

Quando era universitário, servi como pastor interino em uma igreja pequena, composta quase que totalmente de caminhoneiros e mecânicos. Por não ter absolutamente nenhum conhecimento ou habilidade nessa área, era difícil manter diálogo com muitos membros. Embora amasse profundamente aqueles irmãos, eu era um peixe fora da água, e eles sabiam disso. Eram muito educados com o jovem pregador, mas eu não era a pessoa certa para aquela igreja. Eles necessitavam de um líder que combinasse com o estilo de vida deles.

Já com empresários, homens de negócios, gerentes e profissionais liberais, eu me sentia em casa. Na verdade, tenho notado que eles se sentem atraídos pelo meu ministério. Não é algo que eu tenha planejado; foi assim que Deus me fez.

Acredito piamente que Deus chamou e formou cada um de nós de maneira única para alcançar diferentes tipos de pessoas. Você pode atingir pessoas que nunca alcançarei para Cristo, e eu provavelmente consigo alcançar pessoas com as quais você não consegue se relacionar. É por isso que somos todos necessários no corpo de Cristo.

Se Deus o chamou para o ministério, então o fato de você ser quem é tem relação com esse plano. Você não ministra independentemente de você mesmo, mas por meio da personalidade que Deus lhe deu. Você foi formado pelo Senhor com um propósito. Se ele o chamou para ser pastor, isso significa que há pessoas, em algum lugar do mundo, que você é a pessoa mais indicada para conquistar.

Existem dois princípios a serem lembrados quando você estiver buscando a direção de Deus para seu ministério.

Você alcança melhor aqueles com quem se relaciona. É mais fácil conquistar para Cristo aqueles que são parecidos com você. Isso não significa que você *não possa* alcançar outros tipos de pessoas. É claro que pode. Só que é mais difícil. Alguns pastores se relacionam melhor com intelectuais, enquanto outros têm mais afinidade com gente simples. Ambos os grupos necessitam de Cristo e requerem um pastor que os compreenda e os ame. Você será mais bem-sucedido se combinar sua personalidade com seu alvo. Então poderá causar grande impacto sendo você mesmo.

Como líder, você atrairá aqueles que são como você; não quem você quer. Quando estabeleci a Saddleback, tinha 26 anos de idade. Por mais que tentasse, não conseguiria convencer ninguém com mais de 45 anos para se juntar à congregação. A maioria dos cristãos era de minha faixa etária. Somente depois de pôr pessoas mais velhas na equipe é que a barreira da idade foi rompida. Agora que estou com mais de 40 anos, devo pôr pessoas mais jovens na equipe, a fim de poder atingir os que têm menos idade que eu.

> Você alcança melhor aqueles com quem se relaciona.

Alguns pastores, ansiosos por alcançar determinado grupo-alvo, não enxergam quem realmente são. Conheci um pastor com mais de 50 anos que havia sido criado no campo. Ele decidiu estabelecer uma igreja com o objetivo de alcançar os *baby busters*,* pois não conhecia nenhuma igreja

---

*Baby busters são pessoas nascidas entre 1965 e 1981. Nos Estados Unidos, apresentam duas características principais: o fato de ser uma geração composta de filhos de pais separados (40%) e a convivência com grande evolução tecnológica.

voltada para esse grupo-alvo e achava a ideia interessante. Foi um fracasso total. Um dia, ele comentou comigo: "Não consigo sintonia com eles!".

Uma exceção a esses dois princípios ocorre quando você recebe o que denomino "dom missionário". A habilidade de ministrar transcultural-mente requer um dom especial do Espírito Santo, que o torna capaz de se comunicar com pessoas que têm uma história diferente da sua.

O apóstolo Paulo tinha esse dom. A sua criação o fizera "verdadeiro hebreu" (Fp 3.5),

> Como líder, você atrairá aqueles que são como você; não quem você quer.

mesmo assim Deus o chamou para implantar igrejas entre os gentios. Conheço pastores que foram criados em áreas rurais, porém ministram com grande eficiência em áreas urbanas. Conheço outros nascidos no Sul que estão sendo usados grandemente por Deus nas cidades do Norte. No entanto, eles são exceção à regra.

O crescimento explosivo ocorre quando os habitantes da comunidade se identificam culturalmente com o povo que frequenta sua igreja e ambos se identificam com o que você é. Quando os membros e o pastor não combinam, pode até haver uma explosão, mas sem crescimento! Muitos conflitos em igrejas são causados por líderes que não se identificam com os membros. Pôr o líder errado em uma igreja é como produzir curto-circuito na bateria do carro: as faíscas saltarão para todos os lados.

Já encontrei muitos pastores com dificuldade para ministrar ao povo porque não se identificavam com eles no aspecto cultural. O problema não é falta de dedicação, e sim a bagagem de vida que cada um carrega! Um grande homem de Deus no lugar errado produzirá resultados medíocres.

Pessoalmente, não tenho nenhuma dúvida de que em muitas partes do país eu fracassaria completamente como pastor, pois não me identifico com a cultura de determinadas regiões. Deus me fez para ministrar exata-mente onde estou. As vidas transformadas em nossa igreja são prova disso.

Às vezes, a coisa mais sábia que um pastor pode fazer é admitir que não se identifica com a igreja ou com a comunidade e ir para outro lugar. Há alguns anos, a Saddleback estabeleceu uma igreja perto de Irvine, na Ca-lifórnia. Um amigo meu, John, mudou-se de Atlanta para pastoreá-la. Ele já havia pastoreado uma igreja que crescera até 200 pessoas, e achei que ele tinha as qualidades necessárias a um implantador de igrejas. Depois de oito meses, a igreja em Irvine nem sequer havia começado.

Perguntei a John onde estava o problema. Ele respondeu:

— É óbvio que não me identifico com este lugar. Esta área em Irvine é composta de casais ricos com filhos adolescentes.

— Quem você acha que é capaz de alcançar mais facilmente? — perguntei.

— Creio que posso trabalhar melhor com casais jovens que tenham filhos pequenos e com jovens solteiros que não moram com os pais. Entendo os problemas deles.

— Então vamos transferir você para um setor de Huntington Beach! — decidi.

Transferi John para lá, e em um ano a nova igreja contava mais de 200 pessoas.

Outro amigo pastoreava uma congregação afro-americana em Long Beach, na Califórnia. Ele veio me ver um dia, bastante desencorajado com a falta de crescimento da igreja. Logo descobri que seu nível de instrução não combinava com o da congregação. Ele possuía vários diplomas e um vocabulário bastante sofisticado, enquanto a maioria dos membros da igreja nem sequer havia completado o ensino médio. Sua maneira de falar desanimava as pessoas. Depois de saber que havia uma comunidade inteira de profissionais liberais afro-americanos a 6 quilômetros da igreja dele, sugeri-lhe que se demitisse daquela igreja e começasse um trabalho nessa outra região de Long Beach. Ele fez exatamente isso. Dois anos depois, ele me procurou e contou que tinha uma nova igreja com uma frequência superior a 300 pessoas aos domingos.

Se você está envolvido com um ministério que "não lhe cai bem" e com o qual você não se identifica, sabe exatamente de que estou falando. Não se sinta mal por isso. Falta de afinidade não é pecado. Portanto, mude-se! Se Deus lhe deu dons e o chamou para o ministério, ele tem o lugar certo para você.

E se a nossa igreja não se identificar com a comunidade?

As comunidades normalmente mudam, mas a composição da igreja não. O que fazer quando a igreja não se identifica com a comunidade?

Construa sobre os seus pontos fortes

Não tente ser algo que você não é. Se a maior parte de sua congregação é composta de idosos, torne seu ministério o mais efetivo possível para essa faixa etária. Não tente alcançar os jovens. Fortaleça o que você já está fazendo e não se preocupe com o que não pode fazer. Faça o possível para melhorar ainda mais o que já possui de bom. Há uma grande possibilidade de que haja em sua comunidade um grupo humano que somente sua igreja pode alcançar.

Reinvente sua congregação

Reinventar a congregação significa mudar intencionalmente a composição de sua igreja para combinar com um novo alvo. O estilo de adoração e os ultrapassados programas e estruturas são substituídos.

Que fique bem claro: não aconselho isso! É um processo doloroso, que pode durar anos. Muitos irão abandonar a igreja em face dos inevitáveis conflitos. Como líder do processo, você será visto como a encarnação de Satanás pelos membros mais antigos, a não ser que esteja na igreja há mais tempo que qualquer membro. Já vi isso acontecer e dar bons resultados, mas para isso é necessário ter grande persistência e disposição para aceitar críticas. Só um pastor amoroso, paciente e capacitado pode levar a igreja a se reinventar.

Se sua igreja tiver mais de cem membros, meu conselho é que nem mesmo considere essa opção, a não ser que Deus lhe ordene claramente que o faça, pois é a estrada do martírio. Numa igreja com até 50 membros, pode ser uma alternativa viável. Uma das vantagens da igreja pequena é que ela pode ser completamente reformulada com a saída ou a entrada de poucas famílias. Quanto maior a igreja, porém, mais difícil será reinventá-la.

Organize uma nova igreja

A terceira opção é a que mais gosto de recomendar. Existem algumas formas de organizar uma igreja para alcançar determinado alvo em sua comunidade.

Primeiro você pode acrescentar um culto de adoração com estilo diferente, para alcançar aqueles que não se sentem atraídos pela forma de culto atual. Por toda a América, igrejas estão instituindo um segundo e até um terceiro culto de adoração, com o objetivo de oferecer novas opções e alcançar novos grupos-alvo.

Outro método é começar uma nova igreja que em pouco tempo se torne auto-sustentável. É a maneira mais rápida de cumprir a Grande Comissão.

Você deve ter aprendido nas aulas de biologia que a principal característica da maturidade biológica é a capacidade de reprodução. Creio que o mesmo vale para qualquer igreja, que também é chamada de "corpo". A marca da verdadeira maturidade da igreja ocorre quando tem filhos, isto é, quando dá origem a outras igrejas.

Você não precisa ter uma igreja grande para começar a se reproduzir. A Saddleback teve sua primeira igreja filha com apenas um ano de idade. Desde então, estabelecemos pelo menos uma igreja filha a cada ano. Com 15 anos de existência, havíamos gerado 25 igrejas.

Reconhecendo a receptividade espiritual em sua comunidade

Jesus, na parábola do semeador (Mt 13.3-23), ensina que a receptividade espiritual varia bastante. Cada um reage às boas-novas de uma forma, como diferentes tipos de solo. Alguns se mostram abertos à mensagem do evangelho, enquanto outros têm o coração fechado. Na parábola, o Senhor explica que existem corações duros, corações superficiais, corações perturbados e corações receptivos.

Para que o evangelismo seja o mais efetivo possível, devemos plantar a semente em terra boa, em solo que produza uma colheita de cem por um. Nenhum agricultor em sã consciência gastaria semente, um bem precioso, em solo infértil. Da mesma forma, comunicar o evangelho descuidadamente, sem planejamento, é sinal de mordomia medíocre. A mensagem de Cristo é preciosa demais para que se desperdice tempo, dinheiro e vigor em métodos e solos improdutivos. Precisamos alcançar o mundo com uma boa estratégia, concentrando nossos esforços onde realmente possamos fazer diferença.

Mesmo dentro do grupo-alvo de sua igreja, a receptividade espiritual varia, pois é algo que vai e vem na vida do ser humano, como as marés. Em determinados períodos, alguns se mostram mais abertos às verdades espirituais. Deus se vale de uma variedade de ferramentas para amaciar os corações e preparar as pessoas para a salvação.

E quem são os mais receptivos? Existem duas grandes categorias: pessoas em transição e pessoas sob tensão. Deus se utiliza tanto da mudança quanto da dor para chamar a atenção das pessoas e levá-las a aceitar o evangelho.

Pessoas em transição

Quando alguém experimenta uma mudança significativa, seja positiva, seja negativa, aparentemente isso provoca sede espiritual. Neste momento, o interesse por questões espirituais se intensifica, por causa das mudanças constantes em nosso mundo; as pessoas se sentem amedrontadas e inquietas. Alvin Toffler diz que o ser humano procura uma "ilha de estabilidade" sempre que as mudanças se mostram profundas demais. Essa é uma onda que a Igreja deve "pegar".

Em nosso trabalho, descobrimos que as pessoas são mais receptivas ao evangelho quando a vida delas sofre alguma alteração, como um novo casamento, a chegada de um bebê, a mudança de residência, uma nova escola ou um novo trabalho. Isso explica por que nas áreas em que a população é flutuante as igrejas crescem mais rápido que nas comunidades onde todos moram há 40 anos ou mais.

Pessoas sob tensão

Deus utiliza todo tipo de dor emocional para chamar a atenção do ser humano: divórcio, morte de uma pessoa amada, desemprego, problemas financeiros, dificuldades no casamento e na família, solidão, angústia, culpa e outras formas de estresse. A pessoa com medo ou ansiosa começa a procurar algo superior a ela mesma, a fim de amenizar a dor e preencher o vazio que está sentindo.

> Deus usa a mudança e a dor para tornar as pessoas abertas ao evangelho.

Não posso dizer que tenho uma percepção infalível, mas, com base em minha experiência pastoral, pude elaborar uma lista dos dez grupos mais receptivos que alcançamos em nossa igreja:

1. Visitantes que nos visitam pela segunda vez
2. Amigos próximos e parentes de novos convertidos
3. Pessoas em processo de divórcio
4. Pessoas que necessitam de algum programa de recuperação (álcool, drogas etc.)
5. Pais que tenham tido seu primeiro filho
6. Doentes terminais e seus familiares
7. Casais com problemas no casamento
8. Pais de filhos problemáticos
9. Recém-desempregados ou pessoas com problemas financeiros
10. Pessoas recém-chegadas à comunidade

Uma possível meta para sua igreja pode ser o desenvolvimento de um programa específico para cada grupo de sua comunidade, levando em conta a receptividade espiritual. Assim que você começar esse trabalho, alguém certamente irá dizer: "Pastor, acho que antes de tentar alcançar esses grupos, devemos tentar trazer de volta os antigos membros que se afastaram". Essa é uma estratégia garantida para o declínio da igreja! Não funciona. Normalmente, gastamos cinco vezes mais força para reconquistar o desviado do que para levar a Cristo alguém que nunca ouviu o evangelho. Deus se utiliza da mudança e da dor para chamar a atenção do ser humano e fazê-lo aceitar a mensagem da salvação.

> Igrejas que crescem concentram-se em alcançar os perdidos. As que não crescem, em arrolar membros inativos.

Deus chamou pastores para ganhar almas e alimentá-las espiritualmente, e não para ficar buscando membros que não se interessam mais pela igreja. Membros inativos provavelmente estarão melhor se filiando a outra igreja. Se você quiser crescer, concentre-se em alcançar os perdidos.

Uma vez identificado o seu alvo e as pessoas mais receptivas de seu grupo-alvo, você está pronto para o próximo passo: estabelecer uma estratégia de evangelismo para sua igreja.

11
Desenvolvendo a estratégia

Para com os fracos tornei-me fraco, para ganhar os fracos. Tornei-me tudo para com todos, para de alguma forma salvar alguns.
1Coríntios 9.22

Disse Jesus: "Sigam-me, e eu os farei pescadores de homens".
Mateus 4.19

"Meu pai é o melhor pescador que já conheci. Se houver somente um peixe no lago ou no rio, ele conseguirá pegá-lo". Isso sempre me maravilhava quando eu era criança. Podia haver dez pessoas pescando no mesmo lago, porém meu pai pegava mais peixes que todos. Como ele conseguia? Havia alguma mágica envolvida? Será que Deus gostava mais dele?

Quando fiquei mais velho, aprendi o segredo: meu pai entendia os peixes. Ele conseguia observar um lago e saber exatamente onde os peixes estavam. Sabia a que horas eles costumavam comer e que isca usar. Sabia também quando mudar de isca. Sabia até quanto exatamente precisava deixar de linha dentro da água. Ele facilitava as coisas para que os peixes engolissem a isca! Ele apanhava todos aqueles peixes porque os conhecia.

Eu, no entanto, nunca tinha uma estratégia quando ia pescar. Lançava a isca em qualquer parte do lago, esperando que alguma coisa a mordesse. E raramente eu atraía os peixes, porque minha atitude era do tipo pegar ou largar. Estava sempre mais interessando em desfrutar a natureza que em realmente pegar alguma coisa. Enquanto meu pai se lançava no pântano ou se molhava até a cintura para ir aonde o peixe estava, minhas áreas de pesca eram normalmente determinadas pelo conforto. Eu não tinha estratégia, e os resultados mostravam isso.

Muitas igrejas, infelizmente, têm a mesma atitude quando se trata de pescar homens e mulheres. Não gastam o tempo necessário para entender as pessoas que querem alcançar e não adotam nenhuma estratégia. Querem ganhar pessoas para Cristo, desde que isso possa ser feito de forma confortável.

O segredo do evangelismo efetivo não é somente compartilhar a mensagem de Cristo, mas também seguir a metodologia que ele usou. Creio que Jesus nos ensinou o que devemos falar e também como compartilhar o evangelho. Ele tinha uma estratégia e moldou princípios evangelísticos que independem de época. Eles ainda funcionam nos dias de hoje, se os aplicarmos.

Em Mateus 10 e Lucas 10, encontramos duas ocorrências reveladoras da estratégia evangelística de Jesus. Antes de enviar os discípulos a evangelizar, ele deu instruções específicas: a quem dar atenção, a quem ignorar, o que dizer, como compartilhar o evangelho. Quero identificar as cinco regras de pescaria para o evangelismo, encontradas nessas instruções de Jesus. Construímos a estratégia de evangelismo da Saddleback em torno desses princípios.

Conheça o que está pescando

O tipo de peixe que você quer pegar irá determinar sua estratégia. Pescar lambari ou salmão requer equipamentos e iscas diferentes. A época também não é a mesma. Você não consegue pegar sardinha da mesma forma que pega atum. Não existe um método único de pesca. Cada peixe demanda uma estratégia especial. A mesma coisa vale para a pescaria de homens: é imprescindível você saber quem está pescando!

Quando enviou seus discípulos para a primeira campanha evangelística, Jesus definiu o alvo: eles deveriam se concentrar nos compatriotas. "Jesus enviou os Doze com as seguintes instruções: 'Não se dirijam aos gentios, nem entrem em cidade alguma dos samaritanos. Antes, dirijam-se às ovelhas perdidas de Israel' " (Mt 10.5,6).

Jesus deve ter estreitado seu alvo por várias razões, mas uma coisa é certa: ele mirou no tipo de pessoas que seus discípulos teriam mais chances de alcançar, gente parecida com eles. O Senhor não estava sendo preconceituoso, e sim estratégico. Como já mencionei, ele definiu o alvo de seus discípulos para que fossem eficazes, e não para que se tornassem exclusivistas.

> Não existe um método único de pesca. Você precisa saber o que está pescando!

Vá até onde os peixes estão mordendo

Pescar num lugar em que os peixes não mordem a isca é perda de tempo. O pescador experiente busca outros locais. Ele sabe que cada tipo de peixe se alimenta em diferentes lugares, em diferentes horas do dia. Os peixes não estão com fome o tempo todo.

Esse é o princípio da receptividade, que expliquei no capítulo anterior. Em determinadas épocas da vida, os não-cristãos são mais abertos às verdades espirituais. Essa receptividade geralmente dura pouco tempo, por isso Jesus nos orienta a ir aonde as pessoas ouvem. Saiba aproveitar bem as oportunidades que o Espírito Santo prepara.

Note as instruções de Jesus em Mateus 10.14. "Se alguém não os receber nem ouvir suas palavras, sacudam a poeira dos pés quando *saírem daquela casa ou cidade*". Essa é uma declaração que não devemos ignorar. Jesus orientou os discípulos a não insistir com pessoas pouco receptivas. Não devemos colher o fruto verde, e sim o que já estiver maduro.

Antes de estabelecer a Saddleback, participei de cruzadas evangelísticas e de reavivamento em muitas igrejas. Geralmente, o pastor local passava as tardes fazendo visitas. Em muitas ocasiões, visitávamos pessoas teimosas que outros evangelistas não haviam conseguido ganhar. Pura perda de tempo.

Você acha que é boa mordomia de tempo ficar implorando a alguém que já rejeitou Cristo uma dúzia de vezes, enquanto uma comunidade inteira de pessoas receptivas está esperando para ouvir o evangelho pela primeira vez? O Espírito Santo quer nos dirigir às pessoas que ele já preparou para receber a Palavra. Jesus nos disse que não devemos nos preocupar com os que não são receptivos. Sacuda a poeira e vá em frente!

O apóstolo Paulo tinha a estratégia de atravessar portas abertas. Ele não perdia tempo batendo em portas fechadas. Da mesma forma, não devemos concentrar nossos esforços em quem não está pronto para ouvir. Existem muito mais pessoas no mundo prontas para receber Cristo que cristãos dispostos a testemunhar a elas.

Aprenda a "pensar" como peixe

Para que você possa fisgar os peixes, é necessário que entenda os hábitos, as preferências e a alimentação de cada espécie. Alguns gostam de águas calmas, outros preferem nadar em rios com correntezas rápidas, outros ainda preferem a profundidade ou gostam de se esconder nas rochas. Para ser um pescador bem-sucedido, é necessário pensar como peixe.

> Quanto mais tempo você passar dentro da igreja, menos será capaz de pensar como um não-cristão.

Jesus geralmente sabia o que os não-cristãos estavam pensando (v. Mt 9.4; 12.25; Mc 2.8; Lc 5.22; 9.47; 11.17). Ele era eficaz em lidar com as pessoas porque as entendia e era capaz de romper suas barreiras mentais.

Em Colossenses 4.5, lemos: "Sejam sábios no procedimento para com os de fora; aproveitem ao máximo todas as oportunidades". Devemos aprender a pensar como os não-cristãos para poder ganhá-los.

O problema é que quanto mais tempo você passar dentro da igreja, menos será capaz de pensar como um não-cristão. Seus interesses e valores mudam. Tenho sido um cristão durante quase toda a minha vida, por isso penso como cristão. Não costumo pensar como o não-cristão. Pior ainda, minha tendência é pensar como pastor, isto é, ainda mais distante da mentalidade do não-cristão. Tenho de mudar conscientemente minha forma de pensar quando tento me relacionar com eles.

Se você observar a propaganda de qualquer igreja, fica óbvio que ela foi escrita do ponto de vista de um cristão, e não da perspectiva de um sem-igreja. Por exemplo: "Pregamos a inerrante Palavra de Deus!". Tal declaração não faz nenhum sentido para o não-cristão. Pessoalmente, considero a inerrância das Escrituras uma crença incontestável, mas, se nem mesmo todos os cristãos sabem o que isso significa, imagine um sem-igreja! A terminologia espiritual a que os cristãos estão familiarizados é um idioma estrangeiro para o não-cristão. Se você quiser fazer propaganda de sua igreja para os de fora, precisa aprender a pensar e falar como eles.

Sempre ouço pastores reclamando que o povo hoje está mais resistente ao evangelho. Não acho que isso seja verdade. Na maioria das vezes, a resistência é pura falta de comunicação. A mensagem não está chegando ao destinatário. As igrejas precisam parar de dizer que as pessoas são fechadas para o evangelho e começar a encontrar formas de se comunicar numa linguagem acessível. Não importa quão transformadora seja nossa mensagem, ela não será suficiente se a transmitirmos por um canal que os sem-igreja não costumam sintonizar.

Como aprender a pensar como o não-cristão? Conversando com eles! Uma das maiores barreiras para o evangelismo é que a maioria dos cristãos passa seu tempo apenas com outros cristãos. Eles não têm amigos fora da igreja. Se você não se comunica com os de fora, como irá entender o que eles pensam?

Como já relatei no capítulo 1, comecei nosso trabalho indo de porta em porta durante 12 semanas, pesquisando os sem-igreja de minha área. Seis anos antes, havia lido *Your Church Has Real Possibilities* [Sua igreja tem grandes possibilidades], de Robert Schuller. No livro, o autor narra sua experiência. Em 1955, ele saiu de porta em porta perguntando a centenas de pessoas: "Por que você não vai à igreja?" e "O que você espera de uma igreja?". Achei que essa era uma grande ideia, mas senti que as perguntas deveriam ser refeitas para os céticos da década de 1980. Escrevi em meu caderno de anotações cinco perguntas que usei para começar nosso trabalho:

1. *Na sua opinião, qual a maior necessidade desta região?* Fazia essa pergunta simplesmente para abrir um canal de conversação com os moradores.

2. *Você está frequentando alguma igreja?* Se a resposta fosse positiva, eu agradecia e ia para a casa seguinte. Não me preocupava em fazer as outras três perguntas, porque não queria incluir na pesquisa a opinião dos cristãos. Note que não perguntei: "Você é membro de alguma igreja?". Muitas gente que não pisa em uma igreja há 20 anos ainda se diz membro de alguma denominação.

3. *Por que você acha que a maioria das pessoas não vai à igreja?* Isso me parecia menos constrangedor e ofensivo que perguntar: "Por que você não frequenta uma igreja?", porque muitos responderiam: "Isso não é problema seu!". Contudo, quando pergunto o que pensam sobre o motivo de as pessoas não frequentarem nenhuma igreja, quase sempre eles apontam razões pessoais, ainda que de maneira indireta.

4. *Se você estivesse procurando uma igreja onde frequentar, como ela seria?* Essa questão simples ensinou-me mais sobre como pensa o não-cristão que todo o treinamento que recebi no seminário. Descobri que a maioria das igrejas oferecia programas nos quais os sem-igreja não estavam interessados.

5. *O que posso fazer por você? Que conselho você daria a um ministro que realmente deseja ajudar as pessoas?* Essa é a pergunta básica que toda igreja deve fazer à comunidade. Estude os Evangelhos e descubra quantas vezes Jesus perguntou a alguém: "O que você quer que eu lhe faça?". Ele se importava com as necessidades das pessoas.

Durante a pesquisa, eu me apresentava dizendo: "Olá! Meu nome é Rick Warren. Estou fazendo uma pesquisa de opinião em sua comunidade. Não estou aqui para vender nada. Gostaria de fazer cinco perguntas. Não existem respostas certas ou erradas, e só vai levar dois minutos".

Milhares de igrejas têm utilizado essa mesma pesquisa. Uma denominação à qual prestei consultoria usou essas cinco perguntas para estabelecer 102 novas igrejas em um único dia! Se você nunca pesquisou os sem-igreja de sua área, recomendo que o faça.

Quatro reclamações básicas

Durante nossa pesquisa em Saddleback Valley, descobrimos quatro reclamações comuns contra as igrejas.

"A igreja é chata, especialmente os sermões. As mensagens não se relacionam com minha vida." Essa foi a queixa que mais ouvi. É impressionante como as igrejas são capazes de pegar o livro mais emocionante do mundo e

entediar as pessoas, a ponto de alguns dormirem durante o sermão. Algumas igrejas são capazes de transformar pão em pedra!

O problema com pregadores chatos é que eles fazem que as pessoas pensem que Deus é chato. Ouvindo isso, tornei-me determinado a aprender como comunicar a Palavra de Deus de forma prática e interessante. O sermão não precisa ser chato para ser bíblico nem seco para ser teológico. Os sem-igreja não estão querendo mensagens água-com-açúcar, mas querem ouvir algo que tenha aplicação prática à vida deles. Desejam ouvir alguma coisa no domingo que possam aplicar na segunda-feira.

"O povo da igreja não é amável com os visitantes. Se eu for para a igreja, quero me sentir bem-vindo, sem ser constrangido." Muitos sem-igreja declararam que viam a igreja como uma comunidade fechada. Como não conheciam a terminologia, as músicas nem os rituais, sentiam-se perdidos, imaginando que todos estavam olhando para eles, julgando-os. A emoção mais forte que os sem-igreja sentem quando vão a um culto é o medo. Como resultado, determinamos em nossa igreja fazer tudo que fosse necessário para que os visitantes se sentissem bem-vindos, sem experimentar a sensação de estar sendo vigiados.

"A igreja está mais interessada em meu dinheiro do que em mim." Por causa dos apelos explícitos dos televangelistas e de outras organizações cristãs para angariar dinheiro, os sem-igreja tornaram-se incrivelmente sensíveis aos pedidos de oferta. Bill Hybels descobriu que essa era a reclamação mais frequente em sua área quando realizou uma pesquisa similar à minha. Muitos acreditam que os pastores estão no ministério pelo dinheiro e que as igrejas suntuosas prejudicam a imagem do cristianismo. Decidimos caminhar na contramão dessa queixa, dizendo que a oferta é somente para os membros da igreja e que os visitantes não precisam contribuir.

"Preocupamo-nos com a qualidade do cuidado que a igreja tem com as crianças." Saddleback Valley está cheia de casais jovens, então não nos surpreendemos com essa queixa. A igreja precisa ganhar a confiança dos pais. Nossa igreja adotou e publicou um guia com regras estritas para o ministério infantil, a fim de assegurar segurança e qualidade no tratamento às crianças. Se você quiser alcançar jovens casados, deve proporcionar um atendimento de qualidade para as crianças.

20 de março de 1980
Olá, vizinho!

ATÉ QUE ENFIM!

Está nascendo uma nova igreja, planejada para aqueles que desistiram dos cultos tradicionais. Vamos encarar a verdade: muitas pessoas hoje não têm mais participação ativa na igreja.

POR QUÊ?

Quase sempre...

- os sermões são chatos e não se aplicam à nossa vida diária
- muitas igrejas se interessam mais pela sua carteira que por sua alma
- os membros não são amigáveis com os visitantes
- a qualidade do berçário é preocupante

Você acha que frequentar uma igreja deve ser algo agradável?

TEMOS BOAS NOTÍCIAS PARA VOCÊ!

A IGREJA DA COMUNIDADE DE SADDLEBACK VALLEY é uma nova igreja, planejada para preencher as necessidades de nossa época. Somos um grupo amigo de pessoas alegres que descobriram a alegria da vida cristã.

Na Igreja Saddleback você...

- fará novos amigos e conhecerá seus vizinhos
- ouvirá música alegre e contemporânea
- ouvirá mensagens positivas e práticas que o deixarão encorajado durante a semana
- pode entregar sem medo seus filhos aos cuidados de nosso berçário

POR QUE NÃO TORNAR O PRÓXIMO DOMINGO INESQUECÍVEL?

Convido você a comparecer em nosso primeiro culto de celebração da Páscoa, que acontecerá no dia 6 de abril, às 11 horas. Estamos nos reunindo no teatro da Laguna Hill High School. Se você não frequenta nenhuma igreja, tente a nossa.

DESCUBRA A DIFERENÇA!

Atenciosamente,
Rick Warren, pastor

Jesus recomendou aos seus discípulos que fossem prudentes no evangelismo: "Eu os estou enviando como ovelhas entre lobos. Portanto, sejam astutos como as serpentes e sem malícia como as pombas" (Mt 10.16). Para que um time seja bem-sucedido no futebol americano, precisa saber observar a defesa adversária. Quando o time ofensivo se alinha para uma jogada, o jogador que está com a bola analisa o posicionamento do time adversário. Ele tenta descobrir o que a defesa fará para impedi-lo de avançar. Se o jogador não tiver esse cuidado, acabará esmagado sob uma pilha humana!

No evangelismo, "observar a defesa" significa entender e antecipar as objeções dos não-cristãos, antes de se comunicar com eles. Isso significa aprender a pensar como um não-cristão.

O que me pareceu mais interessante em relação à nossa pesquisa foi que nenhuma das reclamações dos sem-igreja de nossa área era teológica. Não encontrei uma só pessoa que dissesse: "Não vou à igreja porque não acredito em Deus", embora tenha encontrado muitas pessoas que afirmassem crer em Deus, mas não sentiam que a igreja lhes pudesse oferecer alguma coisa de que precisassem. A maioria dos não-cristãos não é ateísta. Eles são desinformados, indiferentes ou muito ocupados.

Usando o material que coletamos, enviamos uma carta a toda a comunidade, baseada nas maiores preocupações dos sem-igreja, anunciando um culto planejado com uma estratégia de contra-ataque às desculpas mais comuns que ouvimos durante a pesquisa.

Escrevi a carta totalmente pela fé. Quando a enviamos, ainda não havíamos realizado nenhum culto. Pela fé, anunciamos com antecedência o tipo de igreja que estávamos determinados a ser.

Defini nossa meta na primeira frase da carta, ao declarar que Saddleback era uma igreja para os que estavam sem igreja. Isso foi feito para que a carta não atraísse membros de outras igrejas. Na verdade, as críticas que recebi vieram todas de cristãos que questionavam o fato de eu não mencionar Jesus ou a Bíblia. Alguns até levantaram dúvidas sobre minha salvação! Eles realmente não entendiam o que estávamos querendo fazer.

Por causa dessa carta, 205 pessoas compareceram ao primeiro culto da Saddleback. Nas dez semanas seguintes, 82 entregaram a vida a Cristo.

Os resultados valeram a pena, apesar da incompreensão de alguns cristãos. Você deve decidir a quem deseja impressionar.

Pegue o peixe de jeito

Este é o cerne da estratégia de evangelismo da Saddleback: devemos querer pegar o peixe do jeito que ele é. Uma pescaria bem-sucedida requer que façamos coisas que podem ser desagradáveis para nós. Você não se sacrificará tanto quanto um bom pescador, a não ser que ame a pescaria. Os pescadores comprometidos não medem esforços para pescar um peixe. Você está levando a sério a Grande Comissão? Sua igreja está realmente comprometida com o evangelho? Você está disposto a não medir esforços para alcançar as pessoas para Cristo?

Entendendo a cultura e se adaptando a ela

Jesus disse aos discípulos: "Quando entrarem numa cidade e forem bem recebidos, *comam o que for posto diante de vocês*" (Lc 10.8). O Mestre estava fazendo mais que dar um conselho sobre a dieta dos apóstolos. Estava ensinando a necessidade de se "voltarem para" a cultura dos que estavam querendo alcançar. Eles precisavam adaptar-se aos costumes da terra, desde que não violassem os princípios bíblicos.

Quando servi como estudante missionário no Japão, tive de aprender a comer o que era posto diante de mim. Não gostei de tudo que provei, mas amava os japoneses e queria ganhá-los para Cristo, então me adaptei aos costumes locais.

Às vezes, permitimos que diferenças culturais entre cristãos e não-cristãos se tornem barreiras que atrapalham a mensagem a ser proclamada. Para alguns cristãos, qualquer menção à cultura soa como teologia liberal. Esse receio não é novo. Na verdade, essa foi a razão pela qual os apóstolos realizaram o Concílio de Jerusalém (At 15). Naqueles dias, o assunto era: "Os cristãos gentios necessitam seguir os costumes e a cultura judaicos para serem considerados cristãos verdadeiros?". Os apóstolos e anciãos responderam de uma maneira clara: "De jeito nenhum!". Desde então, o cristianismo começou a se adaptar a cada cultura à medida que se espalhava pelo mundo.

O evangelho sempre foi comunicado respeitando-se cada cultura. A única pergunta que fica é: "Que cultura a igreja deve ter?". Nenhuma igreja deve ser neutra nesse ponto. Ela expressará alguma cultura porque é composta de seres humanos.

Durante 2 mil anos, o cristianismo tem se adaptado a diversas culturas. Se isso não tivesse acontecido, ainda seria uma facção do judaísmo! Quando insistimos que nossa expressão cultural de fé é melhor ou mais bíblica que qualquer outra, estamos ignorando todos esses anos de história da Igreja.

Tenho notado que, onde quer que eu pesque, os peixes não pulam sozinhos para dentro do barco nem se jogam para a praia por mim. A cultura dos peixes (aquática) é bem diferente da minha, porque vivo na atmosfera. É necessário um esforço intencional de minha parte para estabelecer contato com eles. De alguma forma, preciso descobrir como fazer para que a isca fique diante do "nariz" deles, ou seja, como trabalhar dentro da cultura em que vivem.

As igrejas esperam que os não-cristãos apareçam, simplesmente porque foi colocada uma faixa que diz: "Reuniões aos domingos. Entrada franca". As pessoas não pulam voluntariamente para dentro do "barco". Você precisa conhecer a cultura delas.

Você precisa estar disposto a fazer pequenas concessões em relação ao seu estilo de vida, para que possa ganhar a atenção e se fazer presente em qualquer tipo de cultura. Por exemplo, nossa igreja adotou um estilo informal de vestimenta para se adaptar à comunidade do sul da Califórnia, onde ministramos. A praia fica apenas a alguns quilômetros, e o tempo é sempre ensolarado e úmido. As pessoas não se vestem tão formalmente como em outras partes do país. Assim, planejamos nossos cultos para refletir esse mesmo estilo informal. Se você encontrar alguém com terno e gravata em nossa igreja, provavelmente é um visitante.

Permita que o alvo determine seu método

Para fisgar um peixe, é necessário jogar de acordo com as regras, permitindo que seu alvo determine o método a ser utilizado. Quando você vai pescar, utiliza o mesmo tipo de isca para todo tipo de peixe? Claro que não!

Você sempre usa o mesmo tamanho de anzol? Não! É necessário que se use a isca e o anzol apropriados ao peixe que você quer apanhar.

Paulo permitia que seu alvo determinasse seu método. Ele descreve sua estratégia em 1Coríntios 9.19-22:

> Embora seja livre de todos, fiz-me escravo de todos, para ganhar o maior número possível de pessoas. Tornei-me judeu para os judeus, a fim de ganhar os judeus. Para os que estão debaixo da Lei, tornei-me como se estivesse sujeito à Lei (embora eu mesmo não esteja debaixo da Lei), a fim de ganhar os que estão debaixo da Lei. Para os que estão sem lei, tornei-me como sem lei (embora não esteja livre da lei de Deus, e sim sob a lei de Cristo), a fim de ganhar os que não têm a Lei. Para com os fracos tornei-me fraco, para ganhar os fracos. Tornei-me tudo para com todos, para de alguma forma salvar alguns.

Alguns críticos podem dizer que Paulo estava se portando como camaleão, agindo de maneira diferente com cada grupo, como um hipócrita. Não é verdade. Ele estava usando de estratégia. Sua motivação era o desejo de ver as pessoas salvas. Gosto da passagem em que ele diz: "Faço tudo isso por causa do evangelho, para ser co-participante dele" (1Co 9.23).

Certa vez, li os Evangelhos para descobrir o padrão que Jesus usou para evangelizar. O que aprendi foi que ele não possuía um método definido. Ele simplesmente agia de acordo com a situação. Quando estava com a mulher no poço, falou sobre água viva. Quando em companhia dos pescadores, falou sobre pescaria. E quando estava com o povo do campo, discorreu sobre a tarefa de semear.

Começando com as necessidades sentidas pelos sem-igreja

Onde quer que encontrasse alguém, Jesus logo detectava as ansiedades, necessidades e interesses da pessoa. Quando enviou seus discípulos, disse a mesma coisa: "Curem os enfermos, ressuscitem os mortos, purifiquem os leprosos, expulsem os demônios. Vocês receberam de graça; deem também de graça" (Mt 10.8).

Note que a ênfase principal está no conhecimento das necessidades e ansiedades do povo. Quando você sente dor, física ou emocional, não fica interessado no sentido das palavras gregas ou hebraicas. Sua preocupação é melhorar logo. Jesus sempre ministrava visando às necessidades e ao coração das pessoas. Quando um leproso veio falar com Jesus, ele não começou a lecionar sobre as leis da purificação contidas em Levítico: apenas curou o homem! Quando se encontrava com um doente, um possuído por demônios ou algum doente mental, tratava de resolver o problema. Jesus não dizia: "Desculpe, isso não está na minha agenda. Hoje estamos numa série de estudos sobre o livro de Deuteronômio".

Se sua igreja leva a sério a tarefa de pregar aos sem-igreja, você deve estar disposto a aguentar pessoas com muitos problemas. O resultado de uma pescaria geralmente é sujo e cheira mal. Muitas igrejas querem pescar, mas querem que seu peixe já venha sem escamas, sem vísceras, limpos e cozidos. É por isso que nunca alcançam ninguém.

Entendendo e atendendo aos apuros dos sem-igreja

Em nossa igreja, entendemos as dificuldades dos sem-igreja e as levamos muito a sério, mesmo quando não as compreendemos totalmente. Os não-cristãos têm dificuldades com igrejas que vivem pedindo dinheiro, que usam a culpa ou o medo para "estimular" o povo à santificação, que exigem frequência a todas as reuniões e obrigam os visitantes a se levantar e se apresentarem

Nossa estratégia é remover essas dificuldades o mais rápido possível. Algumas de nossas pesquisas demonstram que os sem-igreja acham que o nome de uma denominação tem conotação negativa para quem mora no sul da Califórnia. Isso nos levou a escolher um nome neutro, ou seja, Igreja Saddleback.

Não tenho vergonha de minha herança batista, e explicamos em nosso curso de membresia que somos filiados doutrinária e financeiramente à Convenção Batista do Sul dos Estados Unidos. Certa vez, perguntei aos sem-igreja do sul da Califórnia: "O que o termo 'batista' significa para você?". Surpreendi-me com a total falta de informação das pessoas. Muitos não-cristãos, principalmente os de formação católica, declararam nunca haver pensado em visitar uma igreja batista.

Isso me deixou duas opções: passar anos educando as pessoas sobre as crenças dos batistas, antes que elas viessem nos visitar, ou esclarecer os mal-entendidos *depois* que aceitassem Cristo. Escolhemos a segunda opção.

Será que fui criticado por minha escolha? O que você acha? Alguns companheiros bem-intencionados acusaram-me de heresia e de falta de integridade, mas, para começar, eles não eram meu alvo. Eu não estava tentando atrair os batistas nem outros cristãos. Alguns desses críticos até se tornaram meus amigos depois que entenderam meus objetivos. A escolha de um nome neutro foi uma estratégia de evangelismo, e não de comprometimento ideológico.

Em 1988, uma pesquisa do Gallup revelou que 33% dos protestantes já mudaram de denominação. Estou certo de que esse número é muito maior agora. Por causa do crescimento da popularidade dos produtos genéricos, as novas gerações têm muito pouca inclinação à lealdade. Para a maioria das pessoas, os valores se tornaram menos rígidos, e poucas escolhem uma igreja com identificação denominacional. Preferem uma igreja que atenda às suas necessidades.

Seja flexível quanto aos métodos

Se você já pescou um dia inteiro, deve saber que é necessário mudar a isca com o decorrer do tempo. O que os peixes estavam beliscando pela manhã pode simplesmente ser ignorado à tarde. O problema de muitas igrejas é que ainda hoje estão usando as mesmas iscas e anzóis da década de 1950, e o peixe não está mais beliscando. O maior inimigo de nosso sucesso no futuro é nosso sucesso no passado.

Use mais de um anzol

No lugar em que cresci, usávamos uma técnica de pescaria que consistia em prender vários anzóis na mesma linha. A ideia era que quanto mais anzóis estivessem na água, maior era a possibilidade de os peixes morderem a isca.

Devido aos avanços tecnológicos, multiplicaram-se as opções de atividades. Antes, havia somente três redes de televisão. Agora você pode sintonizar dezenas de emissoras. Com os produtos, acontece algo semelhante. Havia apenas um tipo de Coca-Cola. Hoje, existe a Coca-Cola Light e a Lemon Light.

Certa vez, assisti a uma reportagem na TV sobre as possibilidades de escolha dos consumidores. O documentário estimava que, a cada semana, 200 novos produtos entram no supermercado e que, a cada ano, cerca de 300 novas revistas são publicadas, somente nos Estados Unidos. A empresa que fabrica as calças Levi's oferece, sozinha, 70 mil produtos de diferentes tamanhos, formas, tipos e materiais. Vivemos em um mundo de múltiplas escolhas.

Essas mudanças produziram uma geração que espera novas opções em todas as áreas. Infelizmente, no que diz respeito a cultos de celebração, a maioria das igrejas oferece apenas duas opções: pegar ou largar! Se você não pode vir à igreja nas noites de domingo, outro culto só na semana que vem!

Quando oferecemos cultos de vários estilos, não estamos cedendo ao consumismo. É uma atitude estratégica e altruísta: fazer o que for necessário para alcançar mais pessoas para Cristo. Nossa meta não é fazer algo de maneira mais difícil, e sim facilitar ao máximo para os não-cristãos o conhecimento de Cristo.

As congregações que crescem oferecem programas diversos, muitos cultos e, às vezes, várias opções de lugar. Reconhecem que a diversidade de métodos é necessária para alcançar todos os tipos de pessoas.

Jerry Falwell chama isso "evangelismo de saturação": usar todos os meios disponíveis para alcançar todas as pessoas disponíveis, em todos os horários disponíveis.

Por que normalmente pescamos só com um anzol? Por que a maioria das igrejas tem poucos programas de evangelização? Isso ocorre porque fazemos a pergunta errada. Na maioria das vezes, perguntamos: "Quanto isso vai custar?". A pergunta certa é: "Quem vamos alcançar?". Quanto custa uma alma? Será que não vale a pena gastar 500 dólares num anúncio de jornal, se ele ganhar um não-cristão para Cristo?

Alcançar a comunidade tem um custo

Se sua igreja leva a sério a estratégia de evangelismo, ela sabe que isso custará dinheiro. Levando isso em consideração, permita-me incluir neste capítulo algumas ideias sobre o financiamento de sua estratégia.

O dinheiro gasto em evangelismo nunca fica sem retorno, é sempre um investimento. As pessoas que você alcançar sempre irão render mais do que o valor investido nelas. Antes de realizar nosso primeiro culto na Saddleback, nosso pequeno grupo de estudo bíblico gastou 6,5 mil dólares para preparar a reunião. Como conseguimos o dinheiro? Usando nossos cartões de crédito! Acreditamos que as ofertas das pessoas que iríamos alcançar para Cristo seriam suficientes para pagar a dívida.

Um dos milagres de nosso "ensaio" para o primeiro culto aconteceu quando um homem que nunca frequentou nosso grupo de estudo bíblico contribuiu com um cheque de mil dólares quando passamos a oferta. Quando o culto terminou, a senhora responsável por contar a oferta veio me mostrar o cheque. Eu disse: "Isso vai funcionar!". E funcionou, pois pagamos toda a dívida em quatro meses. Por favor, não estou encorajando você a usar seu cartão de crédito para financiar campanhas evangelísticas. Estou somente ilustrando nossa disposição em pagar o preço para levar pessoas a Cristo.

Quando a situação financeira da igreja entra em colapso, a primeira coisa a ser cortada é o evangelismo e a propaganda. Pois essas são as últimas coisas que devem ser suprimidas. Elas são a fonte de sangue novo e vida nova para sua igreja.

Outra coisa que devemos reconhecer em relação às finanças da igreja é que o povo só contribui quando existe visão, e não necessidade. As instituições que mais angariam fundos são aquelas que possuem ampla visão. As igrejas que estão fazendo o máximo com o que têm são as que arrecadam mais ofertas. Por isso, Jesus disse: "Eu lhes digo que a quem tem, mais será dado, mas a quem não tem, até o que tiver lhe será tirado" (Lc 19.26).

Se sua igreja está continuamente enfrentando problemas financeiros, faça uma análise de sua visão. Ela é clara? Está sendo comunicada com eficiência? O dinheiro sempre flui quando as ideias são inspiradas pelo

Espírito Santo. Igrejas com problemas financeiros geralmente são igrejas sem visão.

Mais um fator: se sua igreja gastar apenas migalhas com o evangelismo, receberá também migalhas como resultado. Em Mateus 17.27, Jesus ordena a Pedro que vá buscar dinheiro na boca de um peixe para pagar os impostos romanos: "Para não escandalizá-los, vá ao mar e jogue o anzol. Tire o primeiro peixe que você pegar, abra-lhe a boca, e você encontrará uma moeda de quatro dracmas". Aprendemos uma lição importante com essa história. As moedas estão sempre na boca do peixe. Se você se concentrar em pescar (evangelizar), Deus pagará a conta.

Finalmente, lembre-se do lema do famoso estrategista missionário Hudson Taylor: "O trabalho de Deus, feito da maneira de Deus, não ficará sem o suporte de Deus".

Pescar é um trabalho sério

Sempre gostei muito da analogia que Jesus faz do evangelismo com a pesca, mas tenho um problema com ela. Atualmente, a pescaria, para a maioria das pessoas, não passa de um *hobby*, algo que fazem nas horas de folga. Ninguém vê a pescaria como responsabilidade; contudo, ser um pescador de homens é trabalho sério. Não se trata de mero passatempo para os cristãos: antes deve ser nosso estilo de vida!

Parte quatro

Atraindo as multidões

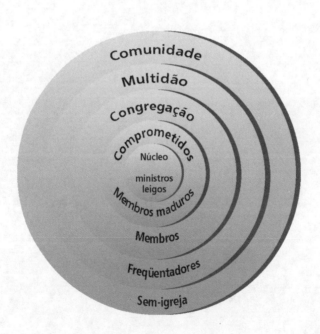

12
Como Jesus atraía as multidões

Grandes multidões o seguiam.
Mateus 4.25

E a grande multidão o ouvia com prazer.
Marcos 12.37

Uma das características mais impressionantes do ministério de Jesus era a capacidade de atrair multidões, *enormes* multidões. A multidão que Jesus atraía era tão grande que "o comprimia" (Lc 8.42). O povo gostava de ouvir Jesus e sempre o seguia, mesmo que fosse necessário percorrer uma longa distância. Isso ocorreu quando Jesus alimentou os 5 mil. Esse número contabiliza somente os homens (Mt 14.21). Se você acrescentar as mulheres e crianças que também deviam estar lá, talvez o número dos que participaram daquele culto ultrapasse 15 mil! O ministério de Jesus tinha uma qualidade magnética.

Todo ministério semelhante ao de Cristo atrai multidões. Você não precisa usar artifícios nem comprometer a essência da Palavra para reunir um grande número de pessoas. Também não é necessário pregar uma mensagem água-com-açúcar. Descobri que você nem precisa de templo para juntar uma multidão! No entanto, deve ministrar às pessoas da mesma forma que Jesus.

O que atraía grandes multidões para o ministério de Jesus? Observamos três motivos: Jesus amava as pessoas (Mt 9.36), ia ao encontro das necessidades delas (Mt 15.30; Lc 6.17,18; Jo 6.2) e as ensinava de maneira interessante e prática (Mt 13.34; Mc 10.1; 12.37). O povo hoje pode ser atraído pelas mesmas razões.

Jesus atraía as multidões amando os perdidos

O Senhor amava os perdidos e gostava de estar com eles. Nos Evangelhos, fica bem claro que Jesus preferia a companhia do povo à dos líderes religiosos. Ele frequentava festas e era chamado "amigo de publicanos e 'pecadores' " (Lc 7.34). Quantas pessoas já o chamaram desse modo?

As pessoas sentiam que Jesus gostava de estar com elas. Até mesmo as crianças queriam ficar ao redor dele, o que já diz muito sobre o tipo de pessoa que ele era. As crianças, instintivamente, buscam pessoas que as aceitem e as amem.

Amando os descrentes como Jesus amou

Amar os descrentes como o Senhor amou é a chave menos utilizada quando o assunto é crescimento de igreja. Sem paixão pelos perdidos, não teremos disposição para fazer os sacrifícios necessários para alcançá-los.

O mandamento de amar é o mais repetido no Novo Testamento. Aparece pelo menos 25 vezes. Se não amamos as pessoas, tudo o mais é inútil. "Quem não ama não conhece a Deus, porque Deus é amor" (1Jo 4.8). Quando pergunto aos novos convertidos que batizo o que os atraiu à nossa igreja, nunca ouvi ninguém responder: "Foi o prédio bonito"; ou: "Foi a agenda da igreja, cheia de programações". A resposta mais comum é: "Fui atraído por um incrível ambiente de amor".

Note o enfoque dessa declaração. O amor de nossos membros está centrado nos visitantes, e não nos outros irmãos. Conheço muitas igrejas onde os membros amam uns aos outros e têm grande comunhão, mas essas igrejas estão morrendo porque todo o amor se encerra nelas mesmas. A comunhão se tornou tão fechada que os visitantes não conseguem entrar no grupo. Essas igrejas não atraem os não-salvos porque não os amam.

Toda igreja *imagina-se* cheia de amor. Quem não frequenta a igreja, contudo, não pensa assim! Indague de qualquer membro, e ele responderá: "Existe muito amor em nossa igreja". O que ele está realmente dizendo é: "Amamos uns aos outros, somos amáveis e nos damos bem com as pessoas que *já estão aqui*". Eles amam as pessoas com quem se sentem à vontade,

> A chave menos considerada no crescimento da igreja: Devemos amar os descrentes como Jesus amou.

mas essa comunhão calorosa não se estende automaticamente aos não-
-cristãos nem aos visitantes.

Algumas igrejas mencionam sua falta de crescimento como evidência de que são bíblicas, ortodoxas ou cheias do Espírito. Dizem que o fato de serem pequenas é a prova de que são puras e de que não fizeram concessões a suas crenças. Isso, na verdade, pode significar simplesmente que elas não amam os perdidos o suficiente para ir além das quatro paredes e alcançá-
-los. A verdadeira razão pela qual muitas igrejas não reúnem uma multidão é porque não querem! Não gostam de se relacionar com os não-cristãos, pois atraí-los perturbaria sua confortável rotina. Esse tipo de egoísmo impede que tais igrejas cresçam.

Há muitos anos, Dean Kelly publicou uma pesquisa que mostrava que as igrejas crescem quando sua doutrina é conservadora. Elas tinham consciência de suas crenças e não se envergonhavam disso. Creio que Dean Kelly não estava totalmente certo. Há muitas igrejas que creem na Bíblia e estão morrendo. As igrejas que crescem são aquelas que sustentam doutrinas conservadoras *e* amam os não-cristãos. Win Arn fez um estudo exaustivo que confirma esse fato. A grandes igrejas são construídas com amor a Deus, amor de uns pelos outros e amor pelos não-cristãos.

Uma das principais razões do crescimento da Saddleback é que amamos os visitantes e temos compaixão pelos perdidos. Tenho observado em todos esses anos como nossos membros expressam esse amor na prática: colocando e tirando cadeiras e equipamentos das dependências temporárias da escola bíblica dominical, mostrando-se dispostos a nos acompanhar por 79 localizações diferentes para que a igreja continuasse crescendo e alcançando mais pessoas, estacionando longe do local do culto para que os visitantes possam estacionar mais perto, ficando de pé durante o culto para que os visitantes possam ter onde sentar e até lhes oferecendo o casaco para amenizar o frio do interior de nossas tendas.

> O amor aproxima as pessoas como se fosse um ímã poderoso. A falta de amor, por sua vez, faz que se afastem.

É um mito a ideia de que grandes igrejas são sempre frias e impessoais e igrejas pequenas são calorosas e cheias de amor. O tamanho não é proporcional ao amor ou à amizade. A razão pela qual algumas igrejas permanecem pequenas é justamente a falta de amor. O amor aproxima as pessoas como se fosse um ímã poderoso. A falta de amor, por sua vez, faz que se afastem.

Criando um ambiente de aceitação

As plantas precisam do clima ideal para crescer, e as igrejas também. O clima ideal para o crescimento da igreja é um ambiente de aceitação e amor. As igrejas que crescem amam, e as igrejas que amam crescem. Para que sua igreja cresça, você precisa demonstrar amor pelas pessoas que vêm visitá-la!

A segunda reclamação mais comum que detectei em minha primeira pesquisa foi que "o povo da igreja não é amável com os visitantes: não nos sentimos bem-vindos". Muito antes de o pastor pregar, os visitantes já decidiram se irão voltar ou não. Eles estão perguntando a si mesmos: "Somos bem-vindos aqui?".

Em nossa igreja, envidamos todos os esforços para diminuir esse problema. Temos pensado em como desenvolver uma estratégia para criar um clima de amor e aceitação, a fim de que nossos visitantes possam se sentir bem. Monitoramos nossa eficiência semanalmente, pedindo aos que nos visitam pela primeira vez uma opinião franca e anônima sobre nossa igreja.

Quando enviamos a todos os visitantes uma carta de agradecimento pela presença, incluímos um formulário já selado, pedindo sua opinião sobre nossa igreja, nestes termos: "Nossa igreja quer servir-lhe melhor. Você poderia nos dar uma sugestão?". O formulário contém apenas três perguntas: "O que você notou primeiro?"; "O que gostou mais?"; "O que não gostou?". Já recebemos de volta milhares de formulários preenchidos, e 90% das respostas à primeira pergunta são mais ou menos assim: "Notei que as pessoas são calorosas e amáveis". Essa resposta não é meramente incidental. É o resultado de uma estratégia para expressar amor aos visitantes de forma que eles possam compreender.

> Muito antes de o pastor pregar, os visitantes já decidiram se irão voltar ou não.

Para causar boa impressão ao visitante, o amor deve ser expresso de maneira prática. Mesmo que a igreja sinta genuína compaixão pelos perdidos, nem sempre ela consegue expressá-lo de maneira adequada. Precisamos agir de modo que nosso amor seja percebido pelos visitantes e por aqueles que não conhecem a Cristo. O amor é mais que um sentimento: é uma atitude. Isso é demonstrar habilidade em lidar com as necessidades dos outros.

O pastor deve ser amoroso

A atitude do pastor define o ambiente da igreja. Se você é pastor e quer saber se sua igreja está com febre, ponha o termômetro na própria boca. Já visitei comunidades onde a falta de amor do líder é a principal razão de a igreja não estar crescendo. A pose e a falta de calor humano de alguns líderes são a garantia de que os visitantes não irão retornar. Em algumas igrejas grandes, tive a impressão de que o pastor ama o público, mas não gosta das pessoas.

Sempre ouço pastores dizerem com entusiasmo: "Amo a pregação!". Isso nunca me impressiona. Pode simplesmente significar que gostem de atenção e da adrenalina que sentem quando estão diante de um auditório. O que quero saber desses pastores é: "Você ama as pessoas para quem prega?". Isso é o mais importante. A Bíblia diz: "Ainda que eu fale as línguas dos homens e dos anjos, se não tiver amor, serei como o sino que ressoa ou como o prato que retine" (1Co 13.1). Do ponto de vista divino, a pregação sem amor não passa de barulho.

Todas vez que prego num culto direcionado à multidão, repito para mim mesmo:

> Pai, eu te amo e tu me amas. Amo estas pessoas, e tu as amas também. Meu desejo é que possas amá-las por meio de mim. Essa não é uma plateia a ser temida, e sim uma família a ser amada. Não existe medo no amor. O amor perfeito expulsa todo temor.

Roger Ailes, consultor de comunicação dos ex-presidentes Reagan e Bush, acredita que o fator mais importante quando se fala em público é a "agradabilidade". Se as pessoas gostam de você, elas irão ouvi-lo. Se não gostam, irão ignorá-lo e descartar sua mensagem. Como você se torna agradável? É simples: ame as pessoas. Quando percebem que você as ama, elas o ouvem.

Deixe-me sugerir algumas maneiras práticas pelas quais o pastor pode demonstrar amor pela multidão.

Memorize nomes. A memorização de nomes mostra que você tem interesse pelas pessoas. Nada soa tão bem para o visitante que retorna quanto ouvir você chamando-o pelo nome. Embora eu não tenha boa memória, esforço-me para guardar nomes. Eu sabia o nome de todos em nossa igreja até ela atingir 3 mil membros. Depois disso, minha cabeça fundiu! Costumo pedir aos que fazem o curso de membresia que me digam seu nome em três diferentes ocasiões, para que eu possa memorizá-lo. O esforço para lembrar o nome das pessoas gera grande retorno nas relações humanas.

Cumprimente as pessoas antes e depois do culto. Seja acessível, não se esconda no gabinete. Nos primeiros três anos de nossa igreja, fazíamos as reuniões no prédio de uma escola cercada por grades, e todos tinham de sair pelo mesmo portão. A cada semana, eu cumprimentava pessoalmente cada um dos participantes. Não havia como sair sem passar por mim!

Uma das melhores maneiras de "esquentar" a multidão é fazer contato com o maior número possível de pessoas antes de falar a elas. Misture-se à multidão e converse com elas. Isso mostra que você está interessado nas pessoas.

Muitos pastores, antes do culto, gostam de se reunir com sua equipe de líderes em uma sala para orar, enquanto o povo está chegando. Pessoalmente, acho que você deve orar pelo culto em outra hora. Não perca a oportunidade de estar com o povo sempre que tiver chance.

Tenho uma equipe de oração composta por leigos que oram durante cada uma de nossas reuniões. Também passo bastante tempo durante a semana orando pelos nossos cultos. Nossa equipe também ora junto. Não temos, contudo, reunião de oração antes do culto. Temos apenas uma chance por semana de entrar em contato com um grupo tão numeroso. E, quando eles chegam, quero que cada membro de minha equipe e cada líder da igreja faça contato direto com eles.

Toque as pessoas. Se você estudar o ministério de Jesus, perceberá o efeito poderoso de ações como olhar o povo, falar ao povo e tocar o povo. Em nossa igreja, acreditamos em um ministério de "muito contato". Damos muitos abraços, apertos de mão e tapinhas nas costas. Nosso mundo está cheio de pessoas solitárias, famintas por compreensão e por um toque de amor. Muitos dos que moram sozinhos já me contaram que o único contato físico que experimentam é na igreja. Quando abraço alguém no domingo de manhã, às vezes me pergunto quanto tempo o efeito daquele abraço irá durar. Recentemente, recebi um cartão de registro com esta nota:

> Pastor Rick, não posso expressar a importância que teve para mim quando hoje o senhor colocou os braços em meu ombro para me confortar. Senti como se Jesus estivesse me tocando com grande compaixão e carinho. Sei que vou conseguir atravessar a fase difícil que estou passando e sei que ele o mandou para me ajudar. É maravilhoso que haja uma igreja tão carinhosa e amorosa como esta. Muito obrigada.

Não sabia, quando abracei aquela irmã, que ela iria passar por uma cirurgia para remover um câncer no seio no dia seguinte.

Outro cartão, naquela mesma semana, dizia: "Estava pedindo a Deus um sinal para mim. Antes do culto, o pastor Glen, que eu não conhecia, passou por onde eu estava sentado e, sem dizer uma palavra, colocou a mão em meu ombro. Agora sei que Deus não se esqueceu de mim". A mulher do homem que escreveu essas palavras o havia abandonado naquela semana.

Nos finais de semana, quando outra pessoa de nossa equipe de pastores é escalada para pregar, normalmente passo todo o tempo observando, conversando e tocando centenas de pessoas. Uma palavra branda e um toque carinhoso podem fazer toda a diferença do mundo para alguém. Atrás de cada sorriso existe uma ferida oculta, que uma simples expressão de amor pode curar.

> **Nosso mundo está cheio de pessoas solitárias, famintas por um toque de amor.**

Quando escrever aos visitantes, use um estilo caloroso e pessoal. Temos uma série de cartas que envio aos que nos visitam pela primeira, segunda e terceira vez, dizendo-lhes quanto ficamos felizes em vê-los. Não assino as cartas como "dr. Warren", nem mesmo como "pr. Warren". Simplesmente assino "Rick". Quero que os visitantes sintam que podem se dirigir a mim pelo primeiro nome, mesmo não sendo costume, nos Estados Unidos, chamar um pastor dessa forma.

Se você elaborar uma carta para os visitantes, utilize linguagem coloquial. Evite estilizações e formalidades. Certa vez, recebi uma carta que dizia: "Registramos a presença de V. Sa. conosco no domingo passado e gostaríamos de estender-lhe um convite cordial para retornar no próximo dia do Senhor". Será que alguém realmente fala assim? Em vez disso, escreva: "Foi muito bom ter você aqui com a gente. Esperamos vê-lo de novo". Não escreva como se você estivesse endereçando uma carta à rainha da Inglaterra!

Uma das decisões mais importantes que o pastor precisa tomar a cada semana é se ele quer *impressionar* as pessoas ou *influenciá-las*. Você pode impressionar as pessoas à distância, mas precisa se aproximar para amá-las e influenciá-las. A proximidade determina o impacto. Creio que a razão de alguns pastores ficarem distantes do povo é porque, de perto, eles não impressionam nem um pouco.

> Cada pastor precisa decidir se ele quer *impressionar* as pessoas ou *influenciá-las*.

Se uma igreja quer atrair a multidão, o pastor e os membros precisam agir de maneira amorosa para com os de fora. Sua atitude deve expressar o seguinte: "Se você vier aqui, vamos amá-lo. Não importa quem você seja, sua aparência ou o que tenha feito no passado, você será amado neste lugar".

Aceitar sem aprovar

Para que os não-cristãos sejam amados incondicionalmente, é preciso entender a diferença entre aceitação e aprovação. Como cristãos, somos chamados a amar os não-cristãos, sem aprovar o estilo de vida pecaminoso deles. Jesus fez isso quando mostrou aceitação e amor para com a mulher samaritana junto ao poço, sem, contudo, aprovar seus relacionamentos ilícitos. Ele também comeu com Zaqueu, sem aprovar sua desonestidade. O Senhor publicamente defendeu a dignidade da mulher flagrada em adultério, mas sem minimizar o pecado que ela havia cometido.

Como é do conhecimento de todo bom pescador, de vez em quando, para manter o peixe no molinete, especialmente um que luta até o fim, você precisa dar um pouco de linha. Se você puxar o tempo todo, sem dar uma folga, provavelmente o peixe partirá a linha ou até mesmo quebrará a vara de pescar. Você deve lidar com o peixe, deixando que ele faça o que quer fazer. O mesmo acontece quando pescamos pessoas. De vez em quando, você precisa dar alguma linha ao não-cristão a fim de trazê-lo para dentro do barco. Não o torture, recriminando-o pelas suas atitudes erradas.

Os pecados serão abandonados depois que ele aceitar Cristo.

Não podemos esperar que o não-cristão aja como cristão até que seja transformado. O livro de Romanos ensina que é impossível para o não-cristão agir como

> Não podemos esperar que o não-cristão aja como cristão até que ele seja cristão.

convertido, porque o Espírito Santo ainda não habita nele.

As multidões que vinham a Jesus eram uma mistura de pessoas que criam e descrentes. Alguns eram seguidores dedicados, outros estavam em busca da verdade, outros ainda eram céticos. Isso não incomodava o Mestre, pois ele amava a todos.

Sabemos que muitos que frequentam nossos cultos na Saddleback têm estilos de vida questionáveis, hábitos pecaminosos e até má reputação. Isso não nos incomoda. Fazemos distinção entre multidão (frequentadores não-comprometidos) e igreja ou congregação (nossos membros). A congregação, e não a multidão, é a igreja. O culto da multidão é aquele no qual os membros podem trazer amigos não-cristãos, a quem eles já testemunharam pessoalmente.

Aplicamos diferentes padrões de tratamento a membros e frequentadores. Dos membros de nossa igreja, esperamos que sejam seguidas as normas de vida estabelecidas no pacto de membresia. Os que se envolvem com atividades imorais estão sujeitos a disciplina, o que não acontece com os não-cristãos, porque não fazem parte da família da igreja. Paulo faz essa distinção em 1Coríntios 5.9-12:

> Já lhes disse por carta que vocês não devem associar-se com pessoas imorais. Com isso *não me refiro aos imorais deste mundo*, nem aos avarentos, aos ladrões ou aos idólatras. Se assim fosse, vocês precisariam sair deste mundo. Mas agora estou lhes escrevendo que não devem associar-se com *qualquer que, dizendo-se irmão*, seja imoral, avarento, idólatra, caluniador, alcoólatra ou ladrão. Com tais pessoas vocês nem devem comer. *Pois, como*

haveria eu de julgar os de fora da igreja? Não devem vocês julgar os que estão dentro?

Não esperamos que frequentadores não-cristãos controlem seus hábitos pecaminosos ou que mudem seu estilo de vida para poder participar de nossas reuniões. Ao contrário, eles são encorajados a vir "do jeito que estão". A igreja é um hospital de pecadores. Preferimos que um pagão do sul da Califórnia frequente nosso culto de bermuda e camiseta com propaganda de cerveja a ficar em casa ou ir à praia. Se conseguirmos que ele ouça o evangelho e veja algumas vidas transformadas, acreditamos que será apenas questão de tempo até ele abrir o coração para Cristo.

Jesus não disse: "Dê um jeito em sua vida, porque só depois vou salvá-lo". Ele o amou, mesmo *antes* de você mudar. Ele espera que você faça o mesmo com outras pessoas. Não consigo contar o grande número de casais em situação irregular que começaram a frequentar nossa igreja e, depois de salvos, pediram que eu os casasse. Recentemente, participei da cerimônia de casamento de um casal de novos convertidos que viviam juntos havia 17 anos. Assim que vieram para Cristo, disseram: "Achamos que devemos nos casar". Concordei imediatamente. A santificação vem somente *depois* da salvação.

Não existe método, programa ou tecnologia que possa substituir o amor pelos não-cristãos. Nosso amor por Deus e pelas almas perdidas é o que motiva a Saddleback a continuar crescendo. Isso também é o que me tem motivado a pregar em quatro cultos a cada final de semana, vários anos seguidos, por mais que isso seja desgastante. Acredite em mim: depois de pregar a mensagem para milhares de pessoas, não existe nenhuma vantagem pessoal em repetir uma mensagem três vezes. Faço isso porque as pessoas precisam de Deus. O amor é fator de motivação. O amor não me deixa escolha.

> Não existe método, programa ou tecnologia que possa substituir o amor pelos não-cristãos.

Toda vez que sinto meu coração esfriando para com os que não conhecem a Cristo, lembro-me da cruz. Essa é a maneira pela qual Deus "tanto amou" os perdidos. Foi o amor, e não os pregos, que seguraram Cristo na cruz. Ele abriu os braços e disse: "Amo os perdidos!". Quando amarmos os não-cristãos com essa intensidade, a igreja os atrairá aos milhares.

Jesus atraía multidões indo ao encontro de necessidades pessoais

O povo se aglomerava ao redor de Jesus porque ele ia ao encontro das necessidades físicas, emocionais, espirituais, relacionais e financeiras de cada um. Ele não classificava as necessidades, julgando uma "mais legítima" que a outra, nem fazia ninguém se sentir culpado por ter necessidades. Ele tratava a todos com dignidade e respeito.

Jesus costumava usar a necessidade para construir uma ponte até o coração da pessoa. Já mencionei que ele, às vezes, perguntava: "O que você quer que eu lhe faça?". Deus utiliza qualquer tipo de necessidade para chamar a atenção do ser humano. Quem somos nós para julgar se o interesse de alguém por Cristo é por uma razão certa ou errada? Não importa o motivo *pelo qual* as pessoas busquem Jesus; importa é *que* o procurem. Ele pode trabalhar os motivos, valores e prioridades deles depois que estiverem em sua presença.

> Jesus costumava usar a necessidade sentida para construir uma ponte até o coração da pessoa.

Duvido que alguém tenha pedido algo a Cristo de forma altruísta ou sem interesse pessoal. Todos nós viemos a Cristo ao sentir que ele poderia satisfazer alguma de nossas necessidades. Não devemos agora esperar que os não-cristãos tenham atitudes e valores semelhantes aos do Senhor.

Tenho a profunda convicção de que qualquer pessoa pode ser conquistada para Jesus se descobrirmos a chave para abrir o coração dela. Essa chave é única para cada um, e às vezes é difícil encontrá-la. Pode levar tempo até ser identificada, mas sua localização mais provável é o mesmo lugar em que se encontram as necessidades. Essa era a fórmula que Jesus usava.

> Qualquer pessoa pode ser conquistada para Jesus se descobrirmos a chave para abrir o coração dela.

Chamando a atenção das pessoas

Antes de compartilhar as boas-novas com alguém, você deve atrair a atenção dele. Quando dirijo pelas auto-estradas do sul da Califórnia, sempre me surpreendo orando: "Senhor, como posso fazer para que essas pessoas andem mais devagar, para que tenham tempo de ouvir o evangelho? Como posso chamar a atenção delas?". No início do século XX, chamar a atenção do povo não era problema para as igrejas evangélicas nos Estados Unidos. O templo geralmente era o maior prédio da cidade. O pastor era, muitas vezes, o cidadão mais culto e proeminente e ajudava a fixar o calendário social da comunidade.

Hoje é diferente. A igreja pode ficar à beira da estrada, com milhares de carros passando diante dela todos os dias, e ainda assim ser ignorada. Os pastores são vistos na televisão como criminosos, aproveitadores ou pervertidos. Os programas da igreja competem com tudo que é oferecido por nossa cultura obcecada por entretenimento. A única maneira de uma igreja atrair a atenção dos sem-igreja é oferecer-lhes algo que eles não podem conseguir em nenhum outro lugar.

Em nossa igreja, levamos a sério a missão de ir ao encontro das necessidades das pessoas, em nome de Jesus. A primeira linha de nossa declaração de visão diz: "É o sonho de um lugar onde os feridos, os desesperados, os desencorajados, os deprimidos, os frustrados e os confusos podem encontrar amor, aceitação, orientação e encorajamento".

Está escrito em nosso estatuto: "Esta igreja existe para beneficiar os moradores de Saddleback Valley, atendendo às suas necessidades espirituais, físicas, emocionais, intelectuais e sociais". Nosso objetivo é ministrar à pessoa como um todo. Não limitamos nosso ministério ao que é conhecido como "necessidades espirituais". Acreditamos que Deus se importa com todos os aspectos da vida humana. Ela não pode ser compartimentalizada. As necessidades vazam de uma área da vida para outra.

Tiago repreende os cristãos que pensam que a resposta a todas as necessidades é um sermão ou um versículo: "Se um irmão ou irmã estiver necessitando de roupas e do alimento de cada dia e um de vocês lhe disser: 'Vá em paz, aqueça-se e alimente-se até satisfazer-se', sem porém lhe dar nada, *de que adianta isso?*" (Tg 2.15,16). Ir ao encontro das necessidades humanas, não importando quais sejam, é o que significa ser "praticante da Palavra".

Observe as igrejas que estão crescendo e encontrará um denominador comum: elas descobriram uma forma de atender às necessidades das pessoas. Se sua igreja estiver procedendo dessa forma, a frequência será o menor dos problemas. Provavelmente será preciso trancar as portas por falta de espaço!

Quais as necessidades dos sem-igreja de sua comunidade? Não posso responder a essa pergunta por você. Isso deve ser pesquisado, porque cada área tem necessidades próprias. Conheço uma igreja que descobriu, depois de consultar a população, que havia a necessidade de treinar as crianças a ir ao banheiro na hora certa! A área logo foi tomada por jovens casais interessados em ajudar no treinamento fisiológico das crianças. Em vez de ignorar essa necessidade "não espiritual", a congregação usou o problema para evangelizar. A igreja patrocinou uma palestra para os pais de crianças em idade pré-escolar na qual, entre outras coisas, foi ensinado aquele procedimento vital. Mais tarde, o pastor brincou, dizendo que a base bíblica para o que estavam fazendo era Provérbios 22.6: "Ensina a criança no caminho em que deve *andar*" (*ARA*). A ideia era engraçada, mas os resultados foram sérios. Dezenas de casais foram alcançados para Cristo depois daquele contato inicial.

Depois de usar as necessidades como porta para o evangelismo, as possibilidades são ilimitadas. Temos mais de 70 ministérios para alcançar a multidão e a comunidade, cada um planejado de acordo com uma necessidade específica. Temos um grupo de apoio chamado Braços Vazios, para casais que perderam o filho. Os Construtores da Paz são um grupo que congrega pessoas que trabalham com segurança pública. O grupo Esperança para os Separados ministra aos que estão tentando reatar o casamento. Os Guias de Vida cuidam de adolescentes problemáticos. O grupo Celebrando a Recuperação ministra a mais de 500 pessoas que lutam contra o alcoolismo, a dependência das drogas e outros vícios. E a lista continua.

Existem necessidades universais entre os sem-igreja? Acredito que sim. Não importa por onde eu tenha viajado, percebo que as pessoas têm carências similares: necessidade de amor, aceitação, perdão, auto-expressão e propósito de vida. As pessoas também estão procurando a libertação do medo, da culpa, da preocupação, do ressentimento, do desencorajamento e da solidão. Se sua igreja estiver atendendo a necessidades como essas, você não deve se preocupar em fazer propaganda dos cultos. Vidas transformadas são a maior propaganda de qualquer igreja.

Se há um lugar onde as necessidades estejam sendo satisfeitas e vidas sendo transformadas, a notícia rapidamente se espalha pela comunidade. Certa vez, soube de alguém que viera a um culto de nossa igreja porque "o cabeleireiro falou para uma cliente, que falou para meu patrão, que falou para mim que este era o lugar onde eu deveria procurar quando realmente precisasse de ajuda".

> Vidas transformadas são a maior propaganda da igreja.

Cada vez que sua igreja atende às necessidades de alguém, os comentários positivos começam a se espalhar pela comunidade. Então a igreja começa a atrair pessoas, mais que qualquer programa de visitação poderia alcançar.

Jesus atraía as multidões com ensinos práticos e interessantes. Ele tinha o hábito de falar às multidões (Mc 10.1), e a Bíblia menciona algumas reações:

- "As multidões estavam *maravilhadas* com o seu ensino" (Mt 7.28).
- "...a multidão ficou *admirada* com o seu ensino" (Mt 22.33).
- "A grande multidão o ouvia *com prazer*" (Mc 12.37).

As multidões nunca tinham ouvido ninguém lhes falar como Jesus falava. Estavam "*maravilhadas* com o seu ensino". Nunca houve um melhor comunicador que ele.

Para chamar a atenção dos não-cristãos, como Jesus fez, devemos comunicar a verdade espiritual *da forma* em que ele a comunicou. Jesus — e nenhum outro — deve ser nosso modelo de pregação. Infelizmente, alguns livros de homilética dão mais atenção aos métodos de Aristóteles e à retórica grega que aos ensinamentos de Cristo.

Em João 12.49 (*The Message*) Jesus admite: "Não falei por mim mesmo, mas o Pai que me enviou me ordenou *o que dizer* e *como falar*". Note que tanto o conteúdo da mensagem quanto o estilo de Jesus foram ensinados pelo Pai.

Podemos aprender muita coisa com o estilo de comunicação de Jesus. Neste capítulo, porém, quero identificar apenas três características do ensino de Jesus à multidão.

Jesus começava pelas necessidades, sofrimentos e interesses das pessoas

O Senhor normalmente ensinava respondendo a uma questão ou se reportando a um problema de alguém na multidão. Ele coçava onde as pessoas sentiam coceira. Sua pregação tinha objetivos imediatos. Seus temas eram sempre relevantes e voltados para o momento.

Quando pregou seu primeiro sermão em Nazaré, Jesus leu um texto de Isaías para anunciar sua agenda de pregação: "O Espírito do Senhor está sobre mim, porque ele me ungiu para pregar boas novas aos pobres. Ele me enviou para proclamar liberdade aos presos e recuperação da vista aos cegos, para libertar os oprimidos e proclamar o ano da graça do Senhor" (Lc 4.18,19).

> Não precisamos *tornar* a Bíblia relevante: ela já é! Devemos *mostrar* a relevância da Palavra.

Observe a ênfase em atender às necessidades e em curar as feridas. Jesus tinha boas notícias para compartilhar, e o povo queria ouvi-las. Sua mensagem oferecia benefícios práticos aos que a ouviam. Sua verdade era "libertar o povo" e abençoar a vida deles.

Não precisamos *tornar* a Bíblia relevante: ela já é! Devemos *mostrar* a relevância da Palavra pela aplicação de sua mensagem à vida de cada um.

Temos de aprender a compartilhar o evangelho e sempre mostrar que a mensagem dele é tanto "boa" quanto "nova".

> As boas-novas oferecem às pessoas perdidas o que elas estão freneticamente buscando.

Se não é boa-nova, não é evangelho. O evangelho fala do que Deus tem feito por nós e do que podemos nos tornar em Cristo. Fala de um relacionamento pessoal com o Senhor como resposta às nossas necessidades mais profundas. As boas-novas oferecem aos perdidos o que eles buscam freneticamente: perdão, liberdade, segurança, propósito, amor, aceitação e força. O evangelho conserta nosso passado, assegura nosso futuro e dá sentido à nossa vida no presente. É a melhor notícia de toda a história da humanidade.

As multidões sempre se aglomeram para ouvir notícias boas. Notícias ruins já existem demais. A última coisa que alguém quer ouvir ao entrar em uma igreja é *mais* notícias ruins, porque ele está procurando algo que lhe dê esperança, auxílio e encorajamento. Jesus entendia isso e sentia compaixão pelas multidões. Ele sabia que elas estavam "aflitas e desamparadas, como ovelhas sem pastor" (Mt 9.36).

Começando pelas necessidades ao pregar ou ensinar, você imediatamente conquista a atenção dos ouvintes. Todo bom comunicador entende e usa esse princípio. O bom professor sabe despertar o interesse dos alunos para então conduzi-los ao estudo da lição. O bom vendedor sabe que sempre deve começar falando sobre a necessidade do consumidor, e não a respeito do produto. Você começa por onde o povo está e depois poderá levá-lo para onde você quer que eles estejam.

Pegue qualquer livro que fale sobre o cérebro e descobrirá que na base desse órgão existe um filtro chamado "sistema de ativação reticular". Deus graciosamente criou esse filtro para que não tivéssemos de responder conscientemente aos milhões de estímulos com que somos bombardeados diariamente. Você ficaria louco se tivesse de responder de forma consciente a tudo que seus sentidos detectam. Seu sistema reticular de ativação seleciona continuamente o que você deve ver, ouvir e cheirar, escolhendo apenas alguns estímulos para sua consciência. Dessa maneira, você não fica sobrecarregado.

Quais são as coisas que chamam sua atenção? Três delas passam pelo seu sistema reticular de ativação: coisas que você *valoriza*, coisas que são *diferentes* e coisas que o *ameaçam*. Esse fato tem implicações profundas para quem prega e ensina. Se você quiser despertar uma multidão desinteressada, deve atrelar sua mensagem a um desses três fatores.

Ainda que compartilhar o evangelho de maneira diferente ou ameaçadora chame a atenção dos sem-igreja, acredito que mostrar o valor dele está mais de acordo com os ensinamentos de Cristo. Jesus ensinava de uma maneira que as pessoas entendiam o valor e os benefícios do que ele lhes anunciava. Ele não tentou arrastar os sem-igreja para o Reino de Deus usando o medo. Na verdade, suas únicas ameaças foram dirigidas aos religiosos! Ele confortava os aflitos e afligia os que se sentiam confortáveis!

Uma vez que os pregadores são chamados "comunicadores da verdade", temos a tendência de pensar que os não-cristãos estão ansiosos por ouvi-la. Na verdade, as pesquisas mostram que a maioria dos americanos rejeita a ideia da verdade absoluta.

O relativismo moral está na raiz dos erros de nossa sociedade. As pessoas preocupam-se e queixam-se dos níveis crescentes de criminalidade, de famílias destruídas e do declínio geral da cultura, mas não reconhecem que tudo isso ocorre por elas não valorizarem a verdade. A tolerância hoje é mais valorizada. Portanto, é um grande erro pensar que os não-cristãos irão correr para a igreja se dissermos simplesmente: "Temos a verdade!". A reação será: "É, todo o mundo tem a verdade". Os proclamadores da verdade não chamam muito a atenção numa sociedade que a desvaloriza. Para que isso seja superado, alguns pregadores tentam "gritar" para a sociedade, mas aumentar o tom não é a solução.

Ainda que a maioria dos não-cristãos não esteja procurando a verdade, eles estão procurando *alívio*. Isso nos dá a chance de fazê-los interessados na verdade. Descobri que, quando prego algo que alivia a dor ou soluciona problemas, os não-cristãos dizem: "Obrigado! O que mais há de verdade nesse livro?". Compartilhar os princípios bíblicos que atendem a uma necessidade abre a porta para a introdução de outros princípios da Palavra.

Poucas pessoas vieram a Cristo em busca da verdade. Elas procuravam alívio. Jesus ia ao encontro das necessidades delas, quaisquer que fossem: lepra, cegueira ou problemas na coluna.

> A maioria dos não-cristãos está procurando *alívio*; não a verdade.

Depois que o problema era solucionado, sempre ficavam ansiosas por conhecer melhor o homem que as ajudara em um problema que ninguém podia resolver.

Em Efésios 4.29, lemos: "Nenhuma palavra torpe saia da boca de vocês, mas *apenas* a que for útil para edificar os outros, conforme a necessidade, para que conceda graça aos que a ouvem". Note que o que pregamos deve ser determinado pela necessidade das pessoas a quem nos dirigimos. Devemos falar somente o que as beneficia. Se essa é a vontade de Deus para nossas conversas, certamente deve ser a vontade dele para nossos sermões. Muitos pastores, infelizmente, determinam o conteúdo de suas mensagens mais pelo que sentem que precisam falar do que pelo que as pessoas precisam ouvir.

Uma das razões da dificuldade enfrentada por muitos pastores na hora de preparar o sermão é que fazem a pergunta errada. Em vez de "O que devo pregar no próximo domingo?", devem perguntar-se: "Para quem vou pregar?". Pensar nas necessidades do público-alvo o ajudará a determinar a vontade de Deus para sua mensagem.

Uma vez que Deus, em sua onisciência, já sabe quem irá assistir ao culto no domingo, por que lhe daria uma mensagem irrelevante para as necessidades daqueles que ele tem intenção de trazer? Por que ele o faria pregar sobre um assunto que não ajuda os ouvintes? As necessidades imediatas das pessoas são um bom começo para sua mensagem.

A multidão não determina se você vai ou não falar a verdade. A verdade não é opcional, mas seu público determina *as* verdades que você deve compartilhar. Para os não-cristãos, algumas verdades são mais relevantes que outras.

Uma coisa pode ser verdadeira e irrelevante ao mesmo tempo? Com certeza! Se você se envolvesse num acidente de carro e estivesse em uma sala de emergência com hemorragia, como se sentiria se o médico se pusesse a discorrer sobre a origem da palavra *hospital* ou começasse a lhe contar a história do estetoscópio? As informações seriam verdadeiras, porém irrelevantes, pois não ajudariam em nada na cura de seu ferimento. Seu desejo é que o médico o atenda.

Seu público também determina como você *começa* a mensagem. Se você estiver falando para os sem-igreja e passar muito tempo explicando o contexto histórico da mensagem, quando chegar à aplicação pessoal já terá perdido a atenção deles. Quando falar aos sem-igreja, comece seu sermão do ponto em que os sermões normalmente terminam.

> O tipo mais profundo de ensinamento é aquele que faz diferença no dia-a-dia das pessoas.

Jesus relacionava a verdade com a vida

Gosto da praticidade e da simplicidade dos ensinamentos de Jesus. Eles são claros, relevantes e aplicáveis. Ele enfatizava a aplicação, porque seu alvo era *transformar* pessoas, não meramente informá-las de alguma coisa. Consideramos o Sermão do Monte a maior pregação feita até hoje.

Jesus começou a mensagem compartilhando oito segredos para a felicidade genuína. Depois, dissertou sobre um estilo de vida exemplar: como controlar o temperamento, restaurar relacionamentos e evitar o adultério e o divórcio. Falou ainda sobre manter promessas e praticar o bem, mesmo quando se recebe o mal. Depois disso, abordou outras questões práticas da vida: contribuição com a atitude correta, oração, acúmulo de tesouros no céu e a superação das preocupações. Afirmou que não devemos julgar os outros, recomendou a persistência em pedir a Deus o suprimento de necessidades e alertou contra os falsos mestres. Jesus concluiu sua mensagem com uma história simples, que mostrava a importância de agir como ele ensinou.

Esse é o tipo de pregação que necessitamos na igreja. A mensagem verdadeira não somente atrai multidões: ela transforma vidas! Não é suficiente, para nós, proclamar que "Cristo é a resposta". É necessário mostrar aos sem-igreja *de que maneira* ele é a resposta. Sermões que exortam o povo a mudar sem ensinar como conseguir isso acabam, na prática, produzindo mais culpa e frustração.

Muitos sermões não proporcionam nada de concreto para o povo. Neles, só há reclamação contra a sociedade e acusações aos ouvintes. Prolongam-se no diagnóstico, mas nada falam sobre o remédio. Esse tipo de pregação talvez faça os cristãos se sentirem superiores aos "de fora", mas raramente muda alguma coisa. Em vez de trazer luz, apenas amaldiçoam as trevas.

Quando vou ao médico, não quero apenas ouvir o que está errado comigo; quero que ele me dê soluções concretas para minha melhora. O que o povo precisa hoje são menos sermões do tipo "você deve" e mais sermões "como ser".

Alguns pastores criticam o estilo de pregação "aplicação pessoal", dizendo que é superficial, simplista e inferior. Para eles, a única mensagem válida é a didática e doutrinária. Essa atitude passa a ideia de que Paulo era mais profundo que Jesus e que a carta aos Romanos é um material mais completo que o Sermão do Monte e as parábolas. Chamo a isso heresia! O tipo mais profundo de ensinamento é aquele que faz diferença no dia-a-dia das pessoas. D. L. Moody disse certa vez: "A Bíblia não

> O que o povo precisa hoje são menos sermões do tipo "você deve" e mais sermões "como ser".

nos foi dada para aumentar nosso conhecimento, mas para mudar nossa vida". Nossa meta é ter um caráter moldado à semelhança do de Cristo.

Jesus disse: "Eu vim para que tenham vida" (Jo 10.10). Ele não disse: "Eu vim para que tenham *religião*". O cristianismo é vida, e não meramente doutrina. Jesus era um pregador de aplicação pessoal. Quando terminava seu ensinamento à multidão, sempre expressava o desejo de que eles "fossem e fizessem o mesmo".

Uma pregação semelhante à de Cristo relaciona-se com o cotidiano e produz mudanças no estilo de vida. Muda pessoas porque a Palavra se aplica à realidade delas. Sermões que ensinam as pessoas a viver nunca ficam sem plateia.

Por favor, entenda: os sem-igreja não estão pedindo que mudemos nossa mensagem ou que ela seja rala. Pedem somente que mostremos a eles a relevância da Palavra. A grande pergunta na mente deles é: "E daí?". Eles querem saber a diferença que nossa mensagem faz. Descobri que os sem-igreja da América estão interessados na doutrina bíblica, desde

> Uma pregação à semelhança de Cristo relaciona-se com o cotidiano e produz mudanças no estilo de vida.

que ela seja ensinada de maneira prática e tenha relevância na vida deles.

Para mim, é desafiador e divertido ensinar teologia para os não-cristãos sem dizer a eles o que estão aprendendo, fazendo isso sem usar termos teológicos. Preguei uma série de mensagens para a multidão sobre encarnação, justificação e santificação, sem utilizar nenhum desses termos. Também preguei para os sem-igreja sobre a obra do Espírito Santo, os atributos morais de Deus, mordomia e até mesmo sobre os pecados mortais.

Não passa de mito a afirmação de que iremos fazer concessões à mensagem ao tentar atrair uma multidão. Jesus certamente não fez isso.

Você não deve *transformar* a mensagem da Bíblia, mas deve *traduzi-la* em termos que os sem-igreja possam entender.

Jesus falou às multidões num estilo interessante

A multidão gostava de ouvir Jesus. Em Marcos 12.37, lemos: "A grande multidão o ouvia *com prazer*". As pessoas ouvem com prazer suas mensagens?

Alguns pastores pensam que erraram em alguma coisa sua quando o povo gosta da pregação. Já ouvi pastores afirmarem orgulhosamente: "Não estamos aqui para entreter". Obviamente, estão fazendo um bom trabalho.

Uma pesquisa do Gallup feita alguns anos atrás concluiu que, de acordo com os não-cristãos, a igreja é o lugar mais chato para se estar.

Se você olhar a palavra *entretenimento* no dicionário, achará uma definição semelhante a "prender a atenção por um período de tempo". Não conheço um pregador que não queira fazer isso. Não podemos ter medo de ser interessantes. O sermão não precisa ser seco para ser espiritual.

Para os sem-igreja, a pregação chata é imperdoável. A verdade é que irão ignorar a mensagem pregada de maneira pobre. No entanto, ouvirão a besteira mais absurda, se for dita de forma interessante. Para provar isso, ligue a televisão em determinados programas e verá toda espécie de malucos diante das câmeras.

Já disse que fico admirado de ver como alguns pregadores conseguem entediar as pessoas tendo o livro mais emocionante do mundo nas mãos. É um pecado chatear as pessoas com a Bíblia. Quando a Palavra de Deus é apresentada de forma desinteressante, o povo não acha apenas que o pregador é chato: pensa também que *Deus* é chato! Diminuímos o caráter de Deus quando pregamos com um estilo inadequado ou sem inspiração. O evangelho é importante demais para ser compartilhado mediante uma oferta do tipo "pegar ou largar".

Jesus cativava o interesse das grandes multidões com técnicas que você e eu podemos usar. Ele contava histórias para ser compreendido. O Senhor era um mestre na arte de contar histórias. Ele dizia: "Ei, você já ouviu aquela do...", e contava uma parábola para ensinar certa verdade. A Bíblia mostra que essa era a técnica preferida de Jesus quando se dirigia à multidão. "Jesus falou todas estas coisas à multidão por parábolas. Nada lhes dizia sem usar alguma parábola" (Mt 13.34). Por alguma razão, os pregadores se esqueceram de que a Bíblia é essencialmente um livro de histórias. Essa é a maneira pela qual Deus escolheu comunicar sua Palavra aos seres humanos.

> Quando a Palavra de Deus é apresentada de forma desinteressante, o povo não acha apenas que o pregador é chato: pensa também que *Deus* é chato!

São muitas as vantagens de se usar histórias para comunicar as verdades espirituais:

- *As histórias prendem a atenção.* O motivo de a televisão ser tão popular é porque ela é essencialmente um aparelho de contar histórias. Comédias, dramas, notícias, entrevistas, comentários e até mesmo comerciais são histórias.
- *As histórias mexem com as emoções.* Elas produzem sobre nós um impacto que preceitos e proposições não conseguem. Se você quiser mudar vidas, deve preparar uma mensagem que cause impacto, e não uma que apenas informe.
- *As histórias ajudam a lembrar a mensagem.* Muito depois de o esboço inteligente do pastor ter sido esquecido, o povo ainda se lembrará das ilustrações do sermão. É fascinante, e às vezes cômico, ver como os ouvintes reagem quando o pregador começa a contar a história e como rapidamente a atenção se dissipa após o fim da ilustração.

Jesus se expressava em linguagem simples, não usava jargões técnicos nem teológicos. Ele usava palavras que pessoas comuns podiam entender. Jesus não usou a língua grega clássica dos intelectuais. Ele falou em aramaico, a linguagem das ruas na época. Suas mensagens eram recheadas de pássaros, flores, moedas perdidas e outros objetos do dia-a-dia, com os quais todos tinham afinidade.

Embora Jesus ensinasse verdades profundas de um jeito simples, muitos pastores hoje fazem exatamente o oposto: ensinam verdades simples de maneira profunda. Pegam um texto direto e claro e fazem dele algo bem complicado. Acham que estão sendo "profundos", mas na realidade estão apenas sendo chatos. É melhor ser claro que ser profundo quando se prega o evangelho.

Alguns pastores gostam de mostrar seu conhecimento de palavras gregas e de termos acadêmicos durante a pregação. Todos os domingos, falam em línguas estranhas sem serem pentecostais! Esses pastores precisam entender que o povo não estuda grego. Chuck Swindoll disse-me certa vez que o excesso de menções a palavras gregas e hebraicas durante a pregação desencoraja a confiança no texto no idioma que a pessoa está usando. Concordo com ele.

Jack Hayford, Chuck Smith, Chuck Swindoll e eu certa vez ensinamos separadamente em um curso de doutorado como preparávamos e pregávamos nossos sermões. No final do curso, os alunos mencionaram que nós quatro,

> Jesus ensinou verdades profundas de um jeito simples. Hoje, muitos ensinam verdades simples de maneira profunda.

sem combinação prévia, havíamos enfatizado a mesma coisa: *faça que ele seja simples*.

É muito fácil complicar o evangelho, e é claro que Satanás fica satisfeito quando fazemos isso. O apóstolo Paulo expressa sua preocupação com esse assunto: "O que receio, e quero evitar, é que assim como a serpente enganou Eva com astúcia, a mente de vocês seja corrompida e se desvie da sua *sincera* e pura *devoção* a Cristo" (2Co 11.3). É necessário muita meditação e preparação para comunicar verdades profundas de forma simples. Einstein disse certa vez: "Você realmente não entendeu uma coisa, a não ser que possa comunicá-la de maneira simples". Você pode ser brilhante, mas, se não conseguir compartilhar seus pensamentos com simplicidade, eles não terão muito valor.

Saddleback Valley é uma das comunidades mais cultas dos Estados Unidos. Mesmo assim, acho que quanto mais simples a mensagem que prego, mais Deus abençoa. Simples não significa *superficial* ou *simplista*. Significa ser claro, inteligível. Por exemplo: "Este é o dia que o Senhor fez" é simples, enquanto "Tenha um bom dia" é simplista.

Esboços de mensagens simples são sempre fortes. Considero um elogio quando me dizem que sou um pregador "simples". Estou interessado em ver almas transformadas, e não em impressionar o povo com meus conhecimentos.

A maioria das pessoas se comunica com um vocabulário que não excede 2 mil palavras e utiliza apenas 900 no dia-a-dia. Se você quiser se comunicar com mais pessoas, deve fazer isso de um jeito simples. Não se permita ser intimidado por aqueles que se julgam intelectuais. Quem usa palavras rebuscadas está muitas vezes escondendo grandes inseguranças.

Ministrar à multidão: um tema controvertido

Reconheço que alguns cristãos irão discordar da tese apresentada nesta seção. A controvérsia em torno da questão de atrair multidões resume-se a dois pontos: a legitimidade do chamado "evangelismo de atração" e a maneira pela qual a igreja se relaciona com a cultura que pretende evangelizar.

"Vá e proclame" ou "Venha e veja"?

Alguns líderes de igreja negam que a atração seja um método legítimo de evangelismo. Já ouvi pastores dizerem: "A Bíblia não diz que o mundo tem de vir para a igreja, e sim que a igreja deve ir ao mundo". Essa declaração é inexata, porque conta apenas metade da história.

A Bíblia conclama os cristãos a "ir" e "pregar". Esse é o significado da Grande Comissão. Não devemos esperar que o mundo venha nos perguntar sobre Cristo. Devemos tomar a iniciativa de compartilhar as boas-novas. Jesus ordena ao cristão: "Vá!".

Para o mundo perdido, Jesus diz: "Venha!". Quando dois discípulos quiseram saber quem era Jesus, ele respondeu: "Venham a mim, todos os que estão cansados e sobrecarregados, e eu lhes darei descanso". No último dia da festa dos tabernáculos, "Jesus levantou-se e disse em alta voz: 'Se alguém tem sede, venha a mim e beba' " (Jo 7.37).

> Para o cristão, Jesus diz: "Vá!", mas, para o mundo perdido, ele diz: "Venha!".

Ambas as formas — "Vá e proclame" e "Venha e veja" — são encontradas no Novo Testamento. Em Lucas 14, quando Jesus compara o Reino de Deus com um grande banquete, os servos do mestre *saíram* para convidar os famintos a *virem* comer, "para que a minha casa fique cheia".

Não temos de escolher entre "ir" e "vir". Ambas são formas válidas de evangelismo. Alguns serão alcançados por atração, e outros, por confrontação. A igreja equilibrada e saudável deve proporcionar oportunidades e programas para ambos os tipos de pessoas. Em nossa igreja, utilizamos os dois métodos —"Venha e veja" para a comunidade e "Vá e proclame" para quem é do núcleo.

Respondendo à cultura: imitação, isolamento ou infiltração?

Outro debate constante que afeta o evangelismo é o modo em que a igreja se relaciona com a cultura. Existem duas posições extremadas: imitação e isolamento.

Os que estão no campo da "imitação" defendem a ideia de que a Igreja cristã deve conformar-se à sociedade para ter condições de ministrar a ela. As igrejas desse grupo sacrificam a mensagem bíblica e a própria missão da Igreja para poder se *misturar* à cultura. Estão dispostas a apoiar valores culturais da atualidade, como adoração ao sucesso, culto ao corpo, individualismo exacerbado, feminismo radical, padrões liberais de sexualidade e até mesmo o homossexualismo. Na tentativa de serem relevantes, sacrificam a teologia bíblica, os marcos doutrinários e o evangelho de Cristo. A chamada ao arrependimento e ao compromisso é rarefeita para atrair o povo. O sincretismo destrói esse tipo de igreja.

O outro extremo é o "isolamento". Os que pertencem a esse grupo insistem em que devemos evitar *qualquer* adaptação à cultura, a fim de preservar a pureza cristã. Não conseguem ver a distinção entre os valores pecaminosos de nossa cultura e os costumes, preferências e estilos não pecaminosos que cada geração desenvolve. Rejeitam novas traduções da Bíblia, estilos de música atuais e qualquer tentativa de mudar tradições humanas, como os horários e a ordem dos cultos. Os defensores do isolamento às vezes criam códigos de vestimenta e listas do que é ou não permitido a respeito de questões não referidas na Bíblia. (É natural da raça humana erguer muros teológicos para defender preferências pessoais.)

As igrejas desse grupo confundem tradição com ortodoxia. Não reconhecem que os costumes, estilos e métodos, nos quais seus líderes se sentem tão à vontade, foram tachados de "modernos, mundanos e heréticos" por gerações anteriores.

É preciso escolher entre liberalismo e legalismo? Existe uma terceira opção entre imitação e isolamento? Acredito que sim. A estratégia de Jesus é o antídoto para ambos os extremos: *infiltração*!

Assim como o peixe de água salgada passa a vida no oceano sem se tornar saturado de sal, Jesus ministrou *no* mundo sem se tornar *do* mundo. Ele "viveu entre nós" (Jo 1.14) e foi tentado da mesma forma que nós, "porém, sem pecado" (Hb 4.15). Ele andou entre o povo, falou o idioma deles, observou seus costumes, cantou *suas* canções, participou de suas festas e usou fatos conhecidos deles a fim de chamar-lhes a atenção para o que ensinava (v. Lc 13.1-15). Fez tudo isso, no entanto, sem corromper sua missão.

Em seu ministério, Jesus *demonstrava muito tato com os pecadores*, e isso irritou a religião estabelecida. Os líderes religiosos criticavam-no ferozmente, a ponto de atribuir seu ministério a Satanás! (Mc 3.22). Os fariseus, em especial, odiavam o método que Jesus utilizava para deixar os ouvintes à vontade em sua presença e sua insistência em priorizar as necessidades dos pecadores em detrimento das tradições religiosas. Maldiziam o Senhor, chamando-o "amigo de publicanos e 'pecadores' ". Esse título era ofensivo, mas Jesus o usava como medalha de honra. Sua resposta era: "Não são os que têm saúde que precisam de médico, mas sim os doentes. Eu não vim para chamar justos, mas pecadores" (Mc 2.17).

Na época de Cristo, os fariseus usavam a desculpa da "pureza" para evitar qualquer contato com os não-judeus. Hoje, ainda temos "fariseus" na igreja, mais preocupados com a pureza que com o ser humano. Se sua igreja leva a sério a Grande Comissão, você nunca terá uma igreja inteiramente pura, pois ela estará sempre atraindo não-cristãos — com seu estilo de vida questionável — para os cultos. Para evangelizar, às vezes é necessário sujar as mãos. Mesmo depois de convertidos, ainda é necessário lidar com a imaturidade deles. Assim, você jamais terá uma igreja totalmente pura.

Existem pagãos não arrependidos misturados aos milhares que compõem a multidão de minha igreja? Sem dúvida! Quando você pesca com uma rede grande, apanha todos os tipos de peixes. Mas isso é normal. Jesus, numa parábola, recomendou não arrancar o joio: " 'Ao tirar o joio, vocês poderão arrancar com ele o trigo. Deixem que cresçam juntos até a colheita. Então direi aos encarregados da colheita: Juntem primeiro o joio e amarrem-no em feixes para ser queimado; depois juntem o trigo e guardem-no no meu celeiro' " (Mt 13.29,30). Devemos deixar essa separação para Jesus, porque só ele sabe quem é de fato joio.

Jesus reservou suas palavras mais severas para os intransigentes tradicionalistas religiosos. Quando os fariseus perguntaram: "Por que os seus discípulos transgridem a tradição dos líderes religiosos?", Jesus respondeu: " 'E por que vocês transgridem o mandamento de Deus por causa da tradição de vocês?' " (Mt 15.2,3). Cumprir o propósito de Deus deve sempre ter precedência sobre a preservação das tradições.

Se você pretende ministrar às pessoas da mesma forma que Jesus, não se surpreenda se um dia alguém o acusar de vender o evangelho à cultura ou de quebrar tradições. Você com certeza será criticado! Alguns defensores do isolamento são extremamente críticos em seus livros e artigos a respeito das igrejas que demonstram ter tato com as necessidades dos pecadores. Essas críticas, na maioria, são caricaturas injustas, fruto de ignorância, e não expressam o que de fato ocorre dentro dessas igrejas.

Os desbravadores sempre têm flechas apontadas para si. Traduzir a verdade em termos contemporâneos é um empreendimento perigoso. Lembre-se de que queimaram Wycliffe por isso. Mas as críticas de outros cristãos não devem nos afastar do modelo que Jesus ministrou. Ele, e ninguém mais, é nossa referência de ministério.

13
A adoração pode ser um testemunho

*Deus é espírito, e é necessário que os seus adoradores
o adorem em espírito e em verdade.*
João 4.24

Neste final de semana, milhões de pessoas irão participar de algum culto evangélico. O que me impressiona é que a maioria não sabe dizer qual o propósito do culto que eles frequentam. Podem ter uma vaga ideia, mas é difícil para elas expressá-lo em palavras.

Nos próximos capítulos, explicarei como planejamos um formato de culto que alcançou milhares de não-cristãos para Cristo. Antes disso, porém, creio ser necessário esclarecer algumas questões teológicas e práticas. Tudo que fazemos em nossos cultos de final de semana baseia-se em 12 profundas convicções que temos acerca da adoração.

Doze convicções sobre adoração

1. Somente os cristãos podem verdadeiramente adorar a Deus. O caminho da adoração é este: dos cristãos para Deus. Glorificamos o nome de Deus na adoração, expressando nosso amor e nosso compromisso com ele. Os não-cristãos simplesmente não podem fazer isso. Na Saddleback, "adoração é expressar nosso amor por Deus, por quem ele é, pelo que ele disse e pelo que ele está fazendo".

Acreditamos que existem muitas formas apropriadas de expressar nosso amor por Deus: orar, cantar, agradecer, ouvir, contribuir, testemunhar, confiar, obedecer à Palavra e outras. Deus, e não o homem, é o foco e o centro de nossa adoração.

2. Não precisamos de um prédio para adorar a Deus. Em Atos 17.24, lemos: "O Deus que fez o mundo e tudo o que nele há é o Senhor dos céus e da terra, e não habita em santuários feitos por mãos humanas". Você não irá estranhar uma ênfase como essa vinda de uma igreja que, com 15 anos de existência e uma frequência superior a 10 mil pessoas por domingo, ainda não tinha edifício próprio. Acho que não preciso acrescentar nada sobre o assunto.

Infelizmente, muitas igrejas são obcecadas em construir templos. Nenhum prédio (ou a falta de um) deve impedir ou desviar o povo de Deus de adorá-lo. Não existe nada de ruim com os prédios, a não ser que você os adore no lugar do Criador. Jesus afirmou: "Onde se reunirem dois ou três em meu nome, ali eu estou no meio deles" (Mt 18.20).

3. Não existe o "estilo" correto de adoração. Jesus destacou apenas dois elementos na adoração legítima: "Deus é espírito, e é necessário que os seus adoradores o adorem em espírito e em verdade" (Jo 4.24). Deus não fica ofendido, nem mesmo aborrecido, com os diferentes estilos de adoração, contanto que sejam feitos "em espírito" e "em verdade". Estou certo de que Deus ama a variedade! Lembre-se: foi ideia dele fazer-nos diferentes uns dos outros.

O estilo de adoração em que você se sente mais à vontade está mais relacionado com sua cultura do que com sua teologia. As discussões sobre estilos de adoração são quase sempre sociológicas e pessoais, balizadas em linguagem teológica.

Toda igreja gosta de acreditar que seu estilo de adoração é o mais bíblico. A verdade é que não existe um estilo bíblico de adoração. A cada domingo, cristãos verdadeiros ao redor do mundo dão glórias a Jesus Cristo, usando milhares de expressões e estilos, todos igualmente válidos. Independentemente do estilo, a adoração verdadeira usa tanto o lado direito do cérebro quanto o esquerdo. Ela utiliza tanto a emoção quanto o intelecto — o coração e a mente. É imprescindível adorar em espírito e em verdade.

> O estilo de adoração em que você se sente mais à vontade está mais relacionado com sua cultura do que com sua teologia.

4. Os não-cristãos podem observar a adoração dos cristãos. Os não-cristãos notam a alegria que sentimos. Podem ver como valorizamos a Palavra de Deus, como nos relacionamos com ela e como a Bíblia responde aos problemas e questões de nossa vida. Podem notar como a adoração nos encoraja, fortalece e transforma. É até possível, para eles, sentir como Deus age sobrenaturalmente num culto, mesmo que não sejam capazes de explicá-lo.

5. A adoração é um poderoso testemunho para os não-cristãos. Isso ocorre se a presença de Deus é sentida e se a mensagem é compreensível. Em Atos 2, no dia de Pentecoste, a presença de Deus foi tão evidente no culto de celebração dos discípulos que atraiu a atenção dos não-cristãos de toda a cidade, e "ajuntou-se uma multidão" (At 2.6). Sabemos que deve ter sido uma grande multidão, porque quase 3 mil pessoas foram salvas naquele dia.

Por que elas se converteram? Porque sentiram a presença de Deus e entenderam a mensagem. Elementos estes essenciais à ordem de adoração, para que possa servir de testemunho. A presença de Deus deve ser perceptível em cada culto. Mais pessoas são ganhas para Cristo pelo fato de sentirem a presença de Deus que pela junção de todos os argumentos apologéticos. Poucas pessoas, se é que existe alguma, voltam-se para Cristo por motivos puramente intelectuais. É definitivamente a presença de Deus que faz corações se quebrantarem e barreiras mentais serem demolidas.

Ao mesmo tempo, a adoração e a mensagem devem ser compreendidas. No Pentecoste, o Espírito Santo miraculosamente traduziu a mensagem em palavras que cada um dos presentes podia entender. A multidão de descrentes exclamou: "Nós os ouvimos declarar as maravilhas de Deus *em nossa própria língua!*" (At 2.11). Isso levou-os à conversão. Embora a presença de Deus fosse evidente no culto, eles não saberiam o que fazer se não pudessem entender a mensagem.

Existe uma relação profunda entre adoração e evangelismo. A meta do evangelismo é produzir adoradores para Deus, pois "são estes os adoradores que o Pai procura" (Jo 4.23). Assim, o evangelismo é a missão de recrutar adoradores do Deus vivo.

Ao mesmo tempo, é a adoração que *motiva* o evangelismo. Ela produz em nós o desejo de falar de Cristo. Após uma poderosa experiência de adoração, Isaías exclamou: "Eis-me aqui. Envia-me!" (Is 6.1-8). A verdadeira adoração faz de nós testemunhas.

Na adoração genuína, a presença de Deus é sentida, o perdão de Deus é oferecido, os propósitos de Deus são revelados e o poder de Deus é manifestado. A meu ver, esse é o contexto ideal para o evangelismo! Tenho notado que, quando os não-cristãos observam um relacionamento inteligente e sincero entre Deus e os cristãos, eles passam a ter o desejo de conhecer a Deus.

> Na adoração genuína, a presença de Deus é sentida, o perdão de Deus é oferecido, os propósitos de Deus são revelados e o poder de Deus é manifestado.

6. *Deus espera que sejamos sensíveis aos temores, dificuldades e necessidades dos não-cristãos presentes em nossos cultos de celebração.* Esse princípio é ensinado por Paulo em 1Coríntios 14. No versículo 23, Paulo ordena que o uso de línguas seja limitado em adorações públicas. Qual a razão disso? Falar em línguas parece loucura para os não-cristãos. Paulo não disse que as línguas eram loucura, apenas que *pareciam* loucura para os de fora: "Assim, se toda a igreja se reunir e todos falarem em línguas, e entrarem alguns não instruídos ou descrentes, não dirão que vocês estão loucos?".

Acredito que existe um princípio mais abrangente por trás do conselho dado à igreja de Corinto. O que Paulo está querendo dizer é que devemos estar dispostos a ajustar nossas práticas de adoração quando há não-cristãos no culto. Deus quer que demonstremos tato com as dificuldades deles. Ter um culto que revele tato com os que o frequentam é orientação bíblica.

Mesmo que Paulo nunca tenha usado expressões como "demonstrar tato com frequentadores", o apóstolo foi o pioneiro dessa ideia porque estava bastante preocupado em não pôr adiante delas nenhuma pedra de tropeço — como bem recomendou à igreja em Corinto: "Não se tornem motivo de tropeço, nem para judeus, nem para gregos, nem para a igreja de Deus" (1Co 10.32). E também aconselhou à igreja de Colossos: "Sejam sábios no procedimento para com os de fora; aproveitem ao máximo todas as oportunidades" (Cl 4.5).

Quando você tem convidados em sua casa para jantar, sua família age diferente de quando vocês estão sozinhos? É claro que sim! Você se interessa pelas necessidades dos seus convidados, assegurando-se de que sejam servidos primeiro. A comida pode ser a mesma, mas você usa pratos diferentes. A conversa na mesa é geralmente mais amena e polida. Será que isso é ser hipócrita? Não! Ao agir dessa maneira, você está sendo compreensivo e demonstra respeito com os convidados. De forma semelhante, a ceia espiritual permanece a mesma num culto para não-cristãos, embora, por causa da presença de nossos convidados, a apresentação seja mais elaborada.

7. O culto de celebração não precisa ser superficial para que alcance aos frequentadores não-cristãos. *A mensagem não deve ser comprometida, e sim compreendida.* Fazer um culto "agradável" para os sem-igreja não significa mudar a teologia: significa mudar o ambiente do culto. Tal mudança pode se expressar na maneira de cumprimentar os visitantes, no estilo da música, na tradução da Bíblia usada na pregação e até nos avisos feitos durante o culto.

A mensagem nem sempre é convidativa — às vezes, a verdade de Deus é bastante incômoda! Ainda assim, devemos ensinar a Palavra de Deus. Demonstrar tato com os não-cristãos não limita o que se diz, e sim a maneira com que se fala.

Como já mencionei, os sem-igreja não estão pedindo uma mensagem rala e inexpressiva. Quando vêm à igreja, eles esperam ouvir a Palavra. O que realmente querem é saber — de um modo acessível, compreensível e que demonstre respeito e carinho por eles — como a Bíblia se relaciona com a vida. Os sem-igreja estão buscando soluções, não repreensões.

Os não-cristãos enfrentam as mesmas questões profundas que incomodam os cristãos: "Quem sou eu? De onde vim? Para onde estou indo? Qual o sentido da vida? Por que existe sofrimento e mal no mundo? Qual o meu propósito de vida? Como posso aprender a me relacionar com as pessoas?". Assuntos como esses certamente não são superficiais.

> Fazer um culto "agradável" para os sem-igreja não significa mudar a teologia: significa mudar o ambiente.

8. As necessidades dos cristãos e dos não-cristãos têm aspectos comuns. *Embora muito diferentes em alguns aspectos, as necessidades de ambos os grupos são muito parecidas em outros aspectos.* O culto para os sem-igreja concentra-se em necessidades comuns tanto para os cristãos quanto para os não-cristãos. Por exemplo: cristãos e não-cristãos necessitam saber como Deus realmente é. Ambos precisam compreender o propósito da vida, precisam saber por que e como podem perdoar os outros, carecem de ajuda para fortalecer seu casamento e sua família, precisam aprender como lidar com sofrimento, tristeza e dor e têm de saber por que o materialismo é tão destrutivo. Os cristãos não deixam de ter necessidades depois que são salvos.

9. O melhor é focalizar os cultos de acordo com o propósito deles. A maioria das igrejas tenta evangelizar os perdidos e edificar os cristãos num mesmo culto. Quando você envia sinais misturados, recebe de volta resultados confusos. Tentar mirar em dois alvos com uma única arma só pode resultar em frustração.

Desenvolva um culto de celebração para edificar os cristãos e outro para evangelizar os sem-igreja, trazidos pelos membros. Em nossa comunidade, o culto para o público cristão é realizado nas noites de quarta-feira, e o culto para o público não-cristão acontece no sábado à noite e no domingo de manhã. Dessa forma, podemos usar estilos de pregação, música, oração e outros elementos apropriados a cada público.

Quando iniciamos a igreja Saddleback, perguntei aos sem-igreja qual o melhor dia para visitar uma igreja. Todos responderam: "Se um dia eu fosse à igreja, seria no domingo de manhã". Também perguntei aos nossos membros qual o melhor dia para trazer os amigos sem-igreja ao culto. De novo, disseram: "Domingo de manhã". Até

> Demonstrar tato com os não-cristãos não limita o que se diz, e sim a maneira com que se fala.

mesmo para a cultura contemporânea americana, as pessoas ainda pensam na manhã de domingo como "a hora de ir à igreja". Por esse motivo, decidimos usar a manhã de domingo para o evangelismo e a noite de quarta-feira para a edificação.

Os cultos evangelísticos não são novidade; somente a ideia de usar a manhã de domingo para isso é que é uma variação recente. No início do século XX, os cultos de domingo à noite ficaram conhecidos como "cultos evangelísticos" nas igrejas americanas. Esse modelo ainda acontece em muitas partes do mundo. Algumas igrejas anunciam o culto de domingo à noite como evangelístico, mesmo que não se tenha certeza de que os não--cristãos apareçam. Nos Estados Unidos, nem mesmo os *cristãos* gostam de ir à igreja no domingo à noite! Há muitas décadas, eles usam *uma forma de protesto para se manifestar.* Simplesmente não aparecendo!

10. O culto direcionado para os não-cristãos deve complementar o evangelismo pessoal; não substituí-lo. É comum as pessoas acharem mais fácil tomar uma decisão por Cristo quando vários relacionamentos apoiam essa decisão. O culto para os sem-igreja atua como testemunho coletivo que propicia e confirma o testemunho pessoal dos membros da igreja. Quando o não-cristão participa de um culto com um amigo que lhe falou de Jesus, ele se vê reunido com todos os cristãos e pensa: "Opa! Aqui tem muita gente que acredita nisso. Deve ser coisa séria".

Existe um incrível poder de persuasão no testemunho de uma multidão de cristãos reunidos em adoração. Por essa razão, quanto mais frequente for o culto para os não-cristãos, melhor ferramenta evangelística ele irá se tornar.

11. Não existe um padrão para esse tipo de culto. Isso acontece porque os não-cristãos não são todos iguais! Alguns querem sentir-se parte do culto; já outros

> O culto direcionado para os não-cristãos deve complementar o evangelismo pessoal; não substituí-lo.

preferem sentar-se passivamente e assistir à reunião. Alguns gostam do silêncio e da meditação; outros têm preferência por cultos com muita vibração. O estilo que melhor funciona no sul da Califórnia, provavelmente não funcionará na Nova Inglaterra, ou vice-versa. Todos os tipos de cultos são necessários para alcançar todos os tipos de pessoas.

Existem, no entanto, três elementos dos quais não se pode abrir mão num culto para frequentadores não-cristãos: 1) tratar os não-cristãos com amor e respeito; 2) relacionar o culto com as necessidades deles; 3) compartilhar a mensagem de maneira prática e compreensível. Todos os outros elementos são secundários, e a igreja não deve prender-se a eles.

Há muitos anos, comecei a sugerir que as igrejas planejassem cultos para os não-cristãos. Atualmente, como esse tipo de reunião tem recebido bastante atenção da mídia, costumo ver pessoas priorizando fatores secundários: deixar de usar o púlpito, uso ou não de uma toga, apresentação ou não de uma peça de teatro — como se essas coisas automaticamente trouxessem os sem-igreja para o templo. Estão erradas. Se todos estivessem procurando produções cinematográficas, ficariam em casa assistindo a programas de TV, produzidos ao custo de milhões de dólares.

O que *realmente* atrai um grande número de não-cristãos à igreja são vidas transformadas — muitas vidas transformadas. Eles querem ir a um lugar onde haja transformação de vidas, onde haja cura para as feridas e onde a esperança possa ser restaurada.

> O que realmente atrai um grande número de não-cristãos à igreja são vidas transformadas.

Na Igreja Saddleback, você verá vidas transformadas por todos os lados. Em quase todos os cultos para frequentadores não-cristãos, incluímos o testemunho de uma pessoa ou de um casal cuja vida tenha sido profundamente transformada pelo poder e pelo amor de Cristo. A participação semanal de "clientes satisfeitos" deixa pouco espaço para os céticos argumentarem.

Nosso posicionamento tem forçado uma reavaliação das tradições de muitas igrejas com relação aos não-cristãos, por causa da conversão de milhares de sem-igreja, a despeito das circunstâncias improváveis e complicadas. Imagine uma igreja cujo local de reunião continue mudando, aonde os sem-igreja se dirigem e congelam numa tenda durante o inverno, onde se molham por causa das goteiras durante as chuvas de primavera, são assados no calor do verão e ainda têm de aguentar os ventos do outono! Pense em uma igreja cujo local de reunião exige que as pessoas estacionem a 5 quilômetros de distância e ainda fiquem do lado de fora, na chuva, debaixo de um guarda-chuva, só para estar no culto! Quando vidas estão sendo transformadas, problemas que até então pareciam insuportáveis para uma igreja são tratados como pequenos incômodos.

Em cada culto, pedimos às pessoas que preencham um cartão de registro e entoem alguns cânticos de louvor. Recolhemos a oferta e distribuímos um esboço da mensagem, com a transcrição dos versículos. Em seguida, fazemos um apelo para os que desejam comprometer-se com Deus. Apesar de alguns alegarem que não conseguirão alcançar os sem-igreja se fizerem essas coisas, milhares de não-cristãos já registraram seu compromisso com Cristo na Saddleback e outros milhares continuam refletindo sobre o assunto e voltando à igreja semana após semana. A diferença é *como* você faz essas coisas acontecerem.

Métodos e tecnologias novos não passam de ferramentas. Você não precisa usar peças teatrais, multimídia ou ter um prédio bonito com estacionamento para alcançar os não-cristãos. Tudo isso apenas torna as coisas mais fáceis. Por favor, tenha em mente que as sugestões apresentadas nos próximos dois capítulos são orientações gerais que funcionaram em minha igreja. Não trate essas sugestões como se fossem os Dez Mandamentos. Muito do que fizemos na Saddleback eu não faria se estivesse em outra parte dos Estados Unidos ou em outro país. É preciso descobrir o que funciona melhor para alcançar os não-cristãos dentro de cada contexto.

12. É necessário que haja cristãos altruístas e maduros para oferecer um culto que favoreça os não-cristãos. Em 1Coríntios 14.19,20, Paulo ensina que, quando pensamos apenas em nossas necessidades no culto de celebração, agimos como crianças imaturas. É grande prova de maturidade espiritual levar em consideração as necessidades, os temores e as dificuldades dos não-cristãos e estar disposto a priorizar essas necessidades durante o culto.

Em toda igreja, existe uma tensão constante entre os conceitos de "servirmos" e "servir-nos". A maioria acaba cedendo às necessidades dos membros, porque são eles que pagam as contas. Oferecer um culto aos frequentadores não-cristãos significa priorizar intencionalmente o lado oposto. É necessário que haja cristãos dispostos a criar um ambiente propício para os não-cristãos, à custa das próprias preferências e tradições e do próprio bem-estar. É preciso ter maturidade espiritual para, voluntariamente, sair de uma posição confortável.

Jesus disse: "O Filho do homem [...] não veio para ser servido, mas para servir e dar a sua vida em resgate por muitos" (Mt 20.28). Até que uma atitude de servo sem egoísmo permeie a mente e o coração dos membros, sua igreja não estará pronta para dar início a um culto que priorize os não-cristãos.

14
Planejando o ambiente para os não-cristãos

Se toda a igreja se reunir e todos falarem em línguas, e entrarem alguns não instruídos ou descrentes, não dirão que vocês estão loucos?
1 Coríntios 14.23

Sejam sábios no procedimento para com os de fora; aproveitem ao máximo todas as oportunidades.
Colossenses 4.5

Sempre me frustrava trazer amigos não-cristãos à igreja. Parecia inevitável que todas as vezes que eu levava alguns deles para assistir ao culto, era o domingo de meu pai pregar sobre dízimo ou de algum missionário mostrar *slides* ou era culto de ceia. Não era o que eles necessitavam ouvir ou experimentar.

Por incrível que pareça, nos finais de semana que eu não trazia ninguém a mensagem era sobre o plano de salvação. Eu pensava: "Puxa, queria que os meus amigos estivessem aqui hoje!". No entanto, eu não tinha como saber se o culto seria "seguro" para eu levar meus amigos não-cristãos. O enfoque da mensagem era imprevisível, alternando entre evangelismo e edificação. Notei esse mesmo padrão nas igrejas que frequentei quando estava na faculdade. Acabei desistindo de convidar não-cristãos para ir à igreja, pois estava cansado de "queimar meu filme".

A maioria das igrejas raramente atrai não-cristãos a seus cultos porque os membros não ficam à vontade em levá-los. Não importa quanto o pastor os incentive a trazer os amigos ou quantos programas de visitação a igreja tenha desenvolvido, os resultados são os mesmos: a maioria dos cristãos nunca traz um amigo perdido para assistir ao culto.

Por que isso? Há três razões importantes. Primeira, como já mencionei, não se pode prever o alvo das mensagens. Os membros não sabem se o pastor irá pregar uma mensagem de evangelismo ou de edificação. Segunda, os cultos não são planejados para os não-cristãos. Muito do que acontece neles é incompreensível para um não-cristão. Terceira, os membros ficam envergonhados com a qualidade do culto de suas igrejas.

Se você conversar com um membro típico da igreja, e ele for completamente honesto sobre ela, provavelmente dirá: "Amo minha igreja e amo o pastor. Sou abençoado em nossos cultos, pois eles vão ao encontro de minhas necessidades. Mas eu não convidaria um colega de trabalho porque o culto não faria nenhum sentido para ele. A mensagem é para mim, as músicas são para mim, as orações são feitas com palavras que eu entendo e até os avisos dizem respeito a mim. Meus amigos, porém, não entenderiam quase nada". Resultado: ele se sente culpado por não convidar os amigos, mas ainda assim não os convida.

Fazer a igreja crescer não requer a inteligência de um cientista nuclear. Tudo que você precisa fazer é atrair mais visitantes! Ninguém se torna membro de uma igreja sem primeiro ser visitante. Se você tem somente alguns visitantes cada ano, terá ainda menos nomes adicionados ao rol de membros. A multidão não é a igreja, mas a igreja necessita da multidão para crescer.

Qual a maneira mais natural de aumentar o número de visitantes em sua igreja? Fazer que os membros se sintam culpados por não convidar os amigos? Não! Colocar uma faixa na frente do templo, com os dizeres: "Bem-vindos, visitantes!"? Não! Telefonar para cada casa da região, convidando a família para o culto? Provavelmente não. Promover um concurso para aumentar a frequência? Bastante improvável. Utilizar propaganda? Errado.

> Aumentar o tamanho da sua igreja é fácil: tenha mais visitantes!

A resposta é bem simples: criar um culto planejado especialmente para que os membros tragam os amigos. Faça esse culto tão acolhedor e relevante para os sem-igreja a ponto de os membros ficarem ansiosos para convidar amigos e conhecidos não-cristãos para ir à igreja.

Desde o início de nossa igreja, oferecemos esse tipo de culto. Quando as outras igrejas começaram a desenvolver projetos semelhantes, a expressão "culto facilitador" ou "culto para interessados"* começou a ser usada para descrever esse tipo de reunião. Se você criar um culto em que os cristãos não se sintam constrangidos de trazer amigos não-cristãos, concursos, campanhas ou

> A multidão não é a igreja. Para a igreja crescer, ela precisa atrair a multidão.

fazer os membros se sentirem culpados serão artifícios desnecessários para aumentar a frequência. Os membros irão trazer alguém toda semana, e sua igreja experimentará um fluxo constante de visitantes.

Planeje os cultos com seu alvo em mente

A cada semana, relembramos quem estamos tentando alcançar: nosso público-alvo. Uma vez que você conheça seu alvo, ele irá determinar os vários componentes do culto: o estilo de música, o tema da mensagem, os testemunhos, as expressões artísticas e muito mais.

A maioria das igrejas evangélicas termina o culto de celebração com um apelo. Isso indica que, na prática, vinculamos a adoração ao evangelismo. Muitos, entretanto, não reconhecem que concentrar os primeiros 58 minutos do culto nos cristãos e mudar o enfoque para os não-cristãos nos dois últimos minutos é uma estratégia autodestrutiva. Os não-cristãos, durante 58 minutos, participaram de um culto sem nenhuma relevância para eles. O culto como um todo, e não apenas o apelo, deve ser planejado tendo-se em mente o não-cristão.

Faça o possível para facilitar a frequência

As pessoas estão condicionadas a esperar que as coisas sejam fáceis e convenientes. Sua meta deve ser remover o máximo de barreiras possível, de tal maneira que os sem-igreja não tenham desculpas para não vir ao culto.

Ofereça opções de horário. Isso dá mais oportunidades às pessoas. Nossa igreja oferece, há anos, quatro cultos idênticos por semana: sábado às 18 horas, domingo às 8 horas, às 9h30 e às 11h15. Sempre temos não-cristãos

---

* Em inglês "seeker-sensitive service" [N. do E.].

em nossos cultos, e eles, quando chegam às suas casas, acabam convidando outro amigo não-cristão para voltar à igreja no mesmo dia e ouvir a mesma mensagem!

Ofereça estacionamento. Nos Estados Unidos, para alcançar as pessoas, é necessário que a igreja tenha estacionamento. É a primeira coisa que os visitantes notam, aliada ao controle de trânsito. Certa vez, pedi aos pastores das maiores igrejas da Califórnia que me dissessem qual o maior erro que cometeram na construção do templo. Todos deram a mesma resposta: "Não fizemos estacionamento suficiente para todo mundo". Em nosso país, as pessoas gostam de vir de carro para a igreja. Se não houver lugar para estacionar o carro, também não há lugar para eles. Não importa quão grande seja o prédio, você não irá enchê-lo se não tiver estacionamento.

Tenha escola dominical ou culto infantil para as crianças durante o culto. Os sem-igreja não querem ser perturbados com barulho de crianças durante o culto, mesmo sendo os filhos deles. Em nossa igreja a escola dominical para crianças funciona em quatro horários, simultâneos aos cultos.

Coloque um mapa da igreja em todos os anúncios. Nada é mais frustrante que procurar um lugar sem o auxílio de um mapa. Temos uma estrada de quatro pistas adentrando nossa propriedade. É chamada "Avenida Saddleback". É a única igreja na rua, e mesmo assim as pessoas se perdem.

Acelere o ritmo e o dinamismo do culto

Quase todas as igrejas precisam acertar o passo de seus cultos. A televisão tem, permanentemente, encurtado o período de atenção dos americanos. Durante o intervalo de um jogo, você vê um *replay*, três comerciais e um breve noticiário. Eles não querem entediá-lo! A MTV (maior rede de televisão com programação musical do mundo, transmitida por todas as operadoras de TV por assinatura) tem diminuído o período de atenção dos adolescentes ainda mais. Em um só vídeo de três minutos, eles são bombardeados com milhares de imagens.

A maioria das igrejas, porém, conduz seus cultos a passo de tartaruga. Existe muito "tempo ocioso" entre os diferentes elementos da reunião. Quando o ministro de música termina o louvor, ele anda e se senta. Quinze segundos depois, o pastor começa a levantar-se. Caminha lentamente até o púlpito e dá as boas-vindas ao povo. Nesse momento, os não-cristãos já caíram no sono. Procure minimizar os períodos de transição. Assim que uma parte do culto acabar, a outra deve começar imediatamente.

Economize tempo. Normalmente, determinamos um tempo específico para cada período da reunião: orações, músicas, avisos, mensagem, encerramento e a transição entre os períodos. Depois nos perguntamos: "O que demorou além da conta e o que necessita de mais tempo?".

Nossos cultos duram cerca de 70 minutos em média. É possível fazer muita coisa nesse espaço de tempo se você usá-lo com sabedoria. Por exemplo, o tempo da oferta pode ser reduzido pela metade se você duplicar o número de pessoas que a recolhem.

Faça orações breves durante os cultos para os não-cristãos. Não é ocasião para interceder pela cura da unha encravada da irmã Maria! Os sem-igreja não aguentam orações longas. A mente deles começa a divagar ou então caem no sono. O pastor deve estar consciente de que não pode usar a oração pastoral para pôr em dia intercessões atrasadas!

> A diferença entre um culto mediano e um culto excepcional é sua dinâmica.

Além de acelerar o culto, trabalhe também para que ele flua com mais naturalidade. A diferença entre um culto mediano e um culto excepcional é sua dinâmica.

Em nossa igreja, usamos o acróstico IMPACT para nos lembrar de como queremos que nossa música seja:

Inspirar Movimento. Isso é o que queremos no cântico inicial. Usamos uma música rápida para que a pessoa se levante, bata o pé ou pelo menos dê um sorriso. Queremos relaxar os músculos dos visitantes, que geralmente entram bastante tensos. Quando o corpo está relaxado, a atitude é menos defensiva. Para começar o culto, acordamos o corpo de Cristo acordando nosso corpo. Quando as pessoas entram para o culto da manhã, geralmente ainda estão rígidas, adormecidas e reservadas. Após o "inspirado movimento", o ambiente sempre muda, tornando-se mais alegre. A diferença que essa primeira música faz é absolutamente inacreditável.

APlauso. Cânticos *sobre* a alegria que Deus nos proporciona.

Adoração. Cânticos que nos levam a meditar e a ter um relacionamento íntimo com Deus. As músicas são *para* Deus. Aqui, o compasso é mais lento.

Compromisso. Cânticos que dão ao povo a oportunidade de afirmar ou reafirmar seu compromisso com Deus. Eles são geralmente cantados na primeira pessoa, como, por exemplo: "Senhor, quero ser como tu".

Tudo junto. Terminamos o culto com outro cântico, breve e alegre.

Faça os visitantes se sentirem à vontade

Nos primeiros dez minutos, os visitantes já formaram uma opinião sobre sua igreja. Como mencionei no capítulo 12, eles decidem se irão voltar ou não muito antes de o pastor pregar. A primeira impressão é muito difícil de ser mudada. Você deve, então, pensar em qual será a primeira impressão que lhes deseja causar. Como diz o ditado: "A primeira impressão é a que fica".

Você deve estar ciente de que a primeira resposta emocional do visitante é o medo. O sem-igreja pergunta-se: "O que irá acontecer comigo aqui?". São as mesmas apreensões que você teria se entrasse em uma mesquita pela primeira vez: "Será que vão trancar as portas?"; "Vou ter de falar alguma coisa?"; "Vão me deixar constrangido?".

Uma vez que os visitantes estão inquietos e ansiosos, seu primeiro objetivo deve ser fazer que se sintam descontraídos. A comunicação é bloqueada quando a pessoa está com medo. Se você conseguir reduzir o nível de apreensão dos visitantes, eles serão muito mais receptivos ao evangelho. Existem muitas maneiras práticas de fazer isso.

Reserve o melhor lugar no estacionamento para os visitantes. Temos uma placa na entrada do estacionamento da igreja que pede aos que visitam a igreja pela primeira vez que acendam os faróis se quiserem estacionar na área reservada, mais próxima do templo. Se você tem esse lugar reservado, pode ainda ter pessoas para saudá-los com alegria e oferecer ajuda assim que saírem do carro. Na Saddleback, os melhores lugares são para os visitantes.

Posicione recepcionistas na entrada do templo. Acreditamos que dar boas-vindas aos visitantes é tão importante que temos quatro tipos de recepcionistas. O primeiro grupo trabalha no estacionamento; o segundo, na entrada do templo; o terceiro, nas mesas de informações; e o quarto, dentro do templo. Os recepcionistas que trabalham no estacionamento controlam o trânsito. São os primeiros sorrisos que os visitantes recebem. Os que trabalham na entrada do templo, tanto no estacionamento quanto no pátio, cumprimentam as pessoas enquanto elas entram no templo. Os que trabalham nas mesas de informações não apenas informam os visitantes como também os levam até onde eles precisam ir. Outros saúdam as pessoas dentro do templo, distribuem os programas, oferecem assistência em situações especiais e recolhem as ofertas.

Em qualquer organização, os funcionários mais importantes são os que estão em contato direto com os consumidores. Na Delta Airlines, os funcionários mais importantes para mim são os atendentes do balcão e as comissárias de bordo. O presidente da companhia não tem importância para mim. Por quê? Porque não tenho contato com ele. Em sua igreja, os recepcionistas são as pessoas mais importantes para os visitantes, porque fazem o contato naqueles primeiros dez minutos cruciais. Assegure-se de estar utilizando gente que transmita calor humano e saiba sorrir com facilidade.

Também é fundamental que você selecione recepcionistas que combinem com seu alvo. Se você quer alcançar jovens casados, use jovens casados. Se quer alcançar adolescentes, use adolescentes. Se deseja alcançar aposentados, use pessoas de mais idade. Em muitas igrejas, os recepcionistas são sempre os membros mais idosos. Se a primeira pessoa que o visitante encontra é quarenta anos mais velha que ele, já entrará na igreja questionando se está no lugar certo.

Um último ponto: não identifique com crachás os recepcionistas que trabalham na entrada do prédio, pois isso faz os visitantes pensarem que estão sendo saudados por "oficiais" da igreja. (Um de nossos pastores assustou um grupo quando anunciou: "Os recepcionistas na entrada do prédio não devem usar nada".) Diga aos recepcionistas para serem eles mesmos membros amigáveis.

Coloque mesas de informações na entrada do prédio. Aqui já não há problema se as pessoas que trabalham nas mesas usarem crachá, porque você deseja que os visitantes saibam que elas estão ali para responder a dúvidas.

Coloque placas indicativas em toda parte. Identifique claramente as principais entradas do prédio, o berçário e, especialmente, os banheiros. Os visitantes não devem ter de perguntar a alguém onde se localizam os banheiros.

Use som ambiente enquanto as pessoas estão entrando no templo. A maioria dos prédios públicos tem música de fundo. Você pode ouvir isso em supermercados, lojas, consultórios médicos e elevadores. Agora tocam até música no avião, enquanto ele está taxiando. Por quê? Simplesmente porque a música relaxa as pessoas.

O silêncio amedronta os visitantes. Se você entrasse numa sala com 200 pessoas, e ninguém estivesse falando nada, não se perguntaria: "O que está acontecendo?". Você pensaria: "O que eles sabem que eu não sei?". Mas, se entrar numa sala onde todos estão conversando, você não se sentirá tão amedrontado.

Há uma hora em que o silêncio é necessário à adoração, mas não é no início do culto para os não-cristãos. Você já deve ter visto uma placa à entrada de algum templo, dizendo: "Entre em silêncio". Essa é a última coisa que você deve querer num culto que busca atrair os não-cristãos. Você deve criar um ambiente vivo, alegre e contagiante antes do culto.

Notamos um fenômeno interessante: quanto mais alta a música de fundo, mais animadas as pessoas ficam. Se você tocar música suave, as pessoas conversarão baixinho. Quando os visitantes entram num ambiente em que todos conversam normalmente e uma música alegre está tocando, eles se sentem menos amedrontados. Eles notam que todos estão desfrutando a companhia uns dos outros e que estão felizes por estarem ali. Percebem que existe vida na igreja.

Permita que os visitantes permaneçam no anonimato. Uma vez que os visitantes estão sentados, não há por que perturbá-los ou chamar a atenção para eles. Em nossa igreja, permitimos que assistam ao culto sem que se identifiquem. Queremos que saibam que são bem-vindos e que não se sintam como se estivessem sendo observados.

Ironicamente, a maneira pela qual muitas igrejas dão boas-vindas aos visitantes faz que se sintam mais intimidados. Eles preferem ser deixados em paz. Os visitantes detestam ser reconhecidos publicamente (exceto ministros de outras igrejas e políticos). Uma das razões pelas quais as igrejas maiores atraem muitos visitantes é porque eles gostam de se esconder na multidão. Em uma igreja pequena, todo mundo sabe quem é o visitante, e o visitante sabe que todos estão notando sua presença!

Nos Estados Unidos, um dos receios mais comuns é ir a uma festa e ficar cercado por estranhos. Outro medo comum é ter de falar a uma plateia ou mesmo ter de responder a uma pergunta pessoal em público.

> A maneira pela qual a maioria das igrejas dá boas-vindas aos visitantes faz que eles passem pelos três de seus maiores medos de uma só vez.

A maneira pela qual a maioria das igrejas dá boas-vindas aos visitantes faz que eles passem pelos três de seus maiores medos de uma só vez. O pastor, pensando que está sendo amigável, diz: "Por favor, levante-se e diga seu nome e conte um pouco de sua vida". Não reconhece que, ao fazer isso, leva o visitante ter vontade de morrer.

Quando morava em Fort Worth, Kay e eu pertencíamos a uma igreja que decidiu que seria melhor inverter o processo. Então, em vez de convidar os visitantes a ficar em pé e apresentar-se, eram os membros que se levantavam, enquanto os visitantes permaneciam sentados. Os membros, então, viravam-se para os visitantes sentados e cantavam uma canção! Você pode imaginar isso? A primeira vez que visitamos essa igreja, os membros ficaram de pé ao redor de nós e começaram a cantar: "Nós estamos tão felizes por ter você aqui./ É tão bom ter você perto de nós!". Quase caí morto! Algum estranho já cantou uma música para você? Fico encabulado se minha mulher canta para mim. Moral da história: faça tudo do ponto de vista do visitante.

Ainda que eu esteja usando a palavra "visitante", não os chamamos assim em nossa comunidade. Nós os chamamos "convidados". O termo "visitante" indica que não vieram à igreja para ficar. O termo "convidado" indica que se trata de uma pessoa que será alvo de toda a atenção, para que se sinta à vontade.

Se você distribui algum tipo de ficha aos visitantes, peça que todos a preencham. Se todos preencherem as fichas, nenhum deles se sentirá diferente. Perceberão que isso é uma prática comum.

Nosso cartão de boas-vindas é uma ferramenta imprescindível de comunicação. Nós o usamos com pelo menos doze objetivos diferentes: registrar a frequência, registrar decisões espirituais, recolher pedidos de oração, anotar dados, convidar pessoas para eventos e programas, alistar pessoas para a liderança, avaliar os cultos, atualizar informações sobre os membros, juntar ideias para sermões, iniciar novos ministérios e muitas outras. É um elo vital que me permite manter o dedo no pulso de nossa igreja. Esses cartões valem ouro.

BEM-VINDO!

Data _____

Sr./Sra./Srta. _____ ☐ Novo endereço

Endereço: _____

Cidade/Estado/CEP: _____

Telefone: _____ telefone comercial: _____

Esta é sua: ☐1ª ☐2ª ☐3ª visita

Eu sou: ☐Frequentador ☐Membro

Sou convidado de _____

Grau de escolaridade   Faixa etária

Pré-escola

Ensino fundamental

Série 1ª 2ª 3ª 4ª 5ª 6ª 7ª 8ª   18–22 23–30 31–35 36–40

Ensino médio

Série 1ª 2ª 3ª   41–45 46–50 51–60 61–70 acima de 71

Ensino superior

Por favor, indique se é: ☐Solteiro ☐ Casado

Nome das crianças que moram com você e data de aniversário

_____   _____

_____   _____

Eu costumava ler todos os cartões, toda semana. Eles me ajudavam a memorizar os nomes das pessoas até alcançarmos 3 mil frequentadores. Atualmente, leio somente os cartões com notas especificamente endereçadas a mim; essa prática permite uma conexão direta comigo. Todos sabem que qualquer pessoa pode enviar-me uma mensagem por meio

Minha decisão hoje:

- ☐ Estou entregando minha vida a Cristo
- ☐ Quero ser batizado
- ☐ Estou renovando meu compromisso com Cristo
- ☐ Quero me matricular no seguinte curso:
- ☐ Classe nº 1 — Descobrindo a Igreja Saddleback
- ☐ Classe nº 2 — Descobrindo a maturidade espiritual
- ☐ Classe nº 3 — Descobrindo meu ministério
- ☐ Estou disposto a ajudar no que for necessário
- ☐ Gostaria de falar com um dos pastores

Gostaria de receber informações sobre:

- ☐ Como ter um relacionamento com Cristo

Comentários, solicitações ou pedidos de oração

- ☐ Para a equipe de oração ☐ Confidencial

- ☐ Como posso fazer parte desta igreja
- ☐ Programa de construção
- ☐ Pequenos grupos para adultos
- ☐ Atividades de negócios e profissionais
- ☐ Atividades para solteiros
- ☐ Atividades para pais solteiros
- ☐ Atividades para mulheres
- ☐ Atividades para homens
- ☐ Aconselhamento
- ☐ Atividades recreativas
- ☐ Atividades musicais
- ☐ Atividades para jovens adultos (18-30 anos)
- ☐ Atividades para alunos do ensino médio
- ☐ Atividades para alunos do ensino fundamental
- ☐ Atividades para crianças
- ☐ Ministério voluntário de crianças

---

desse cartão. Tenho percebido que as pessoas me escrevem coisas que jamais falariam pessoalmente.

No cartão, há também um espaço em que o visitante pode indicar se é sua primeira, segunda ou terceira visita à igreja. Cada grupo recebe uma carta minha de agradecimento.

Recomendo não usar livros de registro, daqueles passados de mão em mão para cada um assinar. Eles violam o anonimato. Todos podem ver o que o visitante escreveu. Outro problema é que a logística para recuperar os nomes dos livros de registro é bem mais complicada. Nossos cartões são entregues durante o momento de oferta, assim todos têm a oportunidade de colocar algo no gazofilácio. Em seguida, uma equipe de digitadores separa os cartões e insere todas as informações no nosso banco de dados, que será usado posteriormente pela equipe interna.

Dê as boas-vindas de modo que os visitantes se sintam bem. As primeiras palavras do púlpito indicam o direcionamento do culto. Cada semana, um de nossos pastores diz algo assim: "Bem-vindo ao domingo na Saddleback! Estamos felizes em tê-lo conosco. Se você está aqui pela primeira vez, queremos que se sinta à vontade. Relaxe e aproveite o culto que planejamos para você".

Tenha certeza de que as pessoas saibam que podem aproveitar o culto. Diga-lhes que não terão de falar nada nem de fazer algo que possa constrangê-las. Deixe clara a política de contribuições da igreja: "Se você está nos visitando, por favor, não é nossa intenção que você contribua. Esta parte é somente para os membros da igreja. Como nosso convidado, esperamos que você leve alguma coisa daqui. Não pretendemos que dê nada".

Comece e termine cada culto com as pessoas saudando umas às outras. O Novo Testamento declara cinco vezes que devemos saudar-nos uns aos outros e mostrar afeição. Então, no começo e no fim de cada culto, pedimos que cada um aperte a mão de três pessoas (geralmente, as pessoas acabam saudando mais de dez pessoas).

No decorrer dos anos, essa tradição simples tem criado um senso caloroso de família e de camaradagem entre pessoas que não se conhecem. Tenho visto pessoas dizerem umas às outras, no final do culto: "Foi bom sentar a seu lado hoje". Para alguns, esse pequeno ato de amizade é a única afirmação positiva que terão durante toda a semana.

Nos primeiros anos de nossa igreja, os membros praticavam o que chamávamos "regra dos três minutos". Propusemos que, nos primeiros três minutos após o término do culto, os membros conversassem somente com pessoas que não conheciam. Isso se baseava no fato de que os primeiros a saírem da reunião eram os visitantes. Então, esperávamos que todos os visitantes saíssem, para depois ter comunhão uns com os outros.

Se você usa crachás, certifique-se de que todos tenham um. Não aja de modo diferente com os visitantes, fazendo-os usar um crachá que só eles usam ou não lhes dando um quando todos estão usando.

Ofereça um cafezinho. Os visitantes permanecerão mais tempo depois do culto se puderem tomar um café ou comer alguma coisa. Isso dá aos membros uma oportunidade para conhecê-los. A comida tem a tendência de relaxar as pessoas nos encontros sociais. Não sei como isso funciona, mas de alguma forma um homem de 120 quilos sente-se mais seguro escondido atrás de um copinho de café.

Sempre me fascina o fato de que Jesus ensinava enquanto as pessoas andavam ou comiam. Tenho certeza de que isso era intencional. Essas atividades são agradáveis e reduzem as barreiras interpessoais. Quando os ouvintes se sentem descontraídos, eles escutam melhor e ficam mais abertos a mudanças.

Ilumine o ambiente

O ambiente físico exerce influência no culto. A configuração física do prédio determinará a forma de seu culto. Entre em alguns prédios, e seu humor instantaneamente melhorará. Em outros, porém, você se sentirá deprimido. Assim como o formato do ambiente pode mudar seu humor, ocorre o mesmo com a iluminação e a temperatura. Esteja ciente desses fatores e use-os em seu benefício. Descubra que tipo de ambiente você quer ter no culto e depois crie algo que possa refleti-lo.

Na Saddleback, resumimos o ambiente que desejamos em nossos cultos para os não-cristãos com a palavra *celebração*. Cada domingo é Páscoa em nossa igreja.

> A forma do seu prédio determinará a forma de seu culto.

Somos especialistas em criar um ambiente agradável, bem iluminado e alegre. Os visitantes podem sentir isso no momento em que entram no santuário.

Olhe para seu prédio com os olhos de um visitante e tente determinar que mensagem esse edifício comunica. O que ele diz? Uma entrada com portas grandes de madeira escura expressa uma mensagem diferente do que uma entrada com portas de vidro? É claro que sim!

Mesmo antes de o culto começar, os visitantes já estão fazendo julgamento sobre nossa igreja. No momento em que saem do carro, no estacionamento, já estão olhando ao redor. O exterior de sua igreja indica uma boa manutenção? A grama está cortada? Existe lixo ao redor? A igreja precisa de pintura nova? A limpeza tem o poder de atrair. Lugares sujos e sem manutenção fazem exatamente o contrário.

Algumas vezes, a mensagem de nosso prédio contradiz a mensagem que queremos transmitir. Você pode estar dizendo: "Somos amigáveis!", mas seu prédio pode estar dizendo: "Somos frios e impessoais". Você pode declarar: "Somos relevantes", mas seu prédio pode estar gritando: "Estamos 50 anos atrasados!". É difícil projetar uma imagem positiva com um edifício caindo aos pedaços.

Um dos problemas enfrentados com a manutenção do ambiente da igreja é que temos a tendência de ignorar os defeitos depois de umas quatro semanas. Uma vez que se tenha acostumado com o prédio, você pára de notar o que há de errado com ele. Você se torna indiferente à pintura ruim, ao piso riscado, ao púlpito antigo, ao piano desafinado e às lâmpadas queimadas. Infelizmente, essas coisas são notórias no momento em que os visitantes entram. Eles observam todos os detalhes.

Uma das formas de combater essa tendência é fazer um painel do recinto da igreja. Contrate um fotógrafo para andar pelo prédio e tirar fotografias usando os olhos de um visitante. Depois, mostre as fotos aos líderes da igreja e determine o que deve ser mudado. Os pastores, em sua maioria, nunca olharam para o auditório sentados no último banco. Estes são os fatores que você deve considerar com mais cuidado: iluminação, som, assentos, espaço, temperatura, plantas, berçário e banheiros.

Iluminação. A iluminação tem um efeito profundo no humor das pessoas. Se for inadequada, porá abaixo a hipótese de um ambiente agradável durante o culto. Sombras no rosto do pregador reduzem o impacto da mensagem.

Muitas igrejas são escuras. Talvez isso se deva a um hábito que aponta para a época em que os cristãos se reuniam nas catacumbas. Mesmo havendo várias janelas, o espaço interno pode ser escuro. De alguma forma, as igrejas adotaram a ideia de que diminuir a iluminação cria um ambiente mais "espiritual". Discordo completamente.

Acredito que os prédios da igreja devem ser claros e cheios de luz. O caráter de Deus é expresso na luz. Em 1João 1.5, lemos: "Esta é a mensagem que dele ouvimos e transmitimos a vocês: Deus é luz; nele não há treva alguma". A luz foi a primeira coisa que Deus criou (Gn 1.3). Hoje, penso que Deus gostaria de dizer: "Haja luz" a milhares de igrejas.

Se você quiser renovar seus cultos, ilumine o ambiente. Tire as cortinas das janelas. Abra as janelas e as portas. Acenda todas as luzes. Nesta semana, secretamente, troque as lâmpadas do auditório por outras com o dobro de potência. Depois, estude a mudança de humor na reunião do domingo seguinte. Você terá um reavivamento em suas mãos.

Som. Invista no melhor sistema de som que você puder comprar. Se estiver tentando cortar custos, economize em outra área, mas não economize nessa área. Ficamos anos sem prédio próprio, mas sempre tivemos um sistema de som de altíssimo nível.

Não importa quão persuasiva é a mensagem se ninguém consegue ouvi-la de forma agradável. Um sistema de som sem potência pode limitar o músico mais talentoso e incapacitar o pregador mais profundo. Nada pode destruir o ambiente santo mais rapidamente que uma microfonia. Se você é pastor, insista para que sua igreja compre um microfone de lapela, sem fio, assim você não ficará algemado ao púlpito.

Assentos. Tanto o conforto quanto a disposição dos assentos afetam o ambiente durante o culto. A mente absorve melhor a mensagem quando o assento é confortável. Assentos desconfortáveis são uma distração que o Diabo gosta muito de usar.

Se você conseguir trocar os bancos da igreja, ótimo! Na cultura de hoje, o único lugar onde as pessoas são forçadas a sentar em bancos é na igreja. Todos preferem poltronas individuais. O espaço pessoal é bastante valorizado em nossa sociedade. É por isso que as cadeiras cativas são tão caras nos estádios. As pessoas sentem-se desconfortáveis quando forçadas a sentar-se muito próximas umas das outras. Deve haver pelo menos 50 centímetros de espaço entre as cadeiras e 60 centímetros entre as pessoas sentadas num banco.

Se você usa assentos móveis, disponha-os de maneira que cada pessoa possa ver o rosto da outra. Isso irá melhorar radicalmente a reação delas ao culto. Se você está implantando uma igreja, coloque menos cadeiras do que você precisa. Será animador para sua igreja ver que é preciso adicionar cadeiras para acomodar os que chegam. É muito desencorajador, no entanto, adorar num culto repleto de cadeiras vazias.

Espaço. A regra sobre o espaço é a seguinte: não tenha muito e não tenha pouco! Ambos os extremos irão limitar seu crescimento. Quando o ambiente começar a ficar cheio — cerca de 80% de sua capacidade —, é hora de criar outra reunião. Uma das razões por que muitas igrejas deixam de crescer é porque pensam que não precisam fazer um segundo culto enquanto há lugares disponíveis. Quando o espaço acaba, você experimenta o que Peter Wagner chama "estrangulamento sociológico". Um prédio pequeno pode estrangular o crescimento da igreja.

Você também pode ter bastante espaço. Muitas igrejas possuem um prédio muito grande para encher. Se você tem 200 pessoas no culto e o auditório comporta 750, é como se "não tivesse ninguém lá!". É quase impossível criar um sentimento caloroso e íntimo quando há mais cadeiras vazias do que pessoas. Uma dinâmica de crescimento importante é perdida quando o prédio é muito grande para a sua igreja.

Quanto menor o número de pessoas, mais perto o pregador deve estar deles. À medida que o público começa a crescer, o púlpito pode ficar mais afastado, em um tablado mais alto. Se você tem somente 50 pessoas no culto, pode-se posicionar a apenas alguns metros da primeira fila. Esqueça o púlpito.

Temperatura. Como pastor, tenho pregado muito em ginásios e tendas sem ar-condicionado ou aquecedor. Digo isso com a maior convicção: a temperatura pode destruir o culto mais bem planejado em questão de minutos! Quando está muito calor ou muito frio, o povo deixa de participar. Desligam-se mentalmente, e seu único desejo é que a reunião acabe logo. Isso vale especialmente para os Estados Unidos, onde temos verões muito quentes e invernos rigorosos.

Um dos erros mais comuns cometidos pela igreja em relação à temperatura é deixar que o prédio fique muito quente. A pessoa que ajusta o termostato a uma temperatura razoável antes do culto deve lembrar que, quando o recinto estiver cheio, o calor do corpo das pessoas irá elevar a temperatura significativamente. Quando o ar-condicionado esfriar o ambiente, o culto já terá acabado.

Antes de o culto começar, regule o termostato do ar-condicionado vários graus abaixo da temperatura desejada. Esfrie o auditório antes que o povo comece a chegar. A temperatura eleva-se rapidamente quando o culto começa. A temperatura mais baixa mantém todo mundo acordado.

Plantas. Recomendo o uso de plantas e flores em sua igreja. Durante anos, transportamos plantas, vasos e pequenas árvores até nossos prédios alugados, todas as semanas. As plantas dizem: "Pelo menos alguma coisa está viva neste lugar!".

Tenho certeza de que você já ouviu alguém dizer: "Eu me sinto mais perto de Deus quando estou em contato com a natureza". Isso é compreensível. Quando Deus fez Adão e Eva, não os pôs num arranha-céu de concreto com asfalto ao redor. Ele os pôs num jardim. A beleza natural da criação de Deus inspira, relaxa e restaura as pessoas. Não é por acidente que o salmo 23 é um dos mais queridos. As pessoas podem facilmente se imaginar no cenário refrescante das águas tranquilas e pastos verdejantes.

Tenha o cuidado de não mesclar muitos símbolos místicos e religiosos em sua igreja. Todo mundo sabe o que é uma cruz, mas os sem-igreja ficam confusos com cálices, coroas e pombas com fogo saindo do corpo.

Berçários limpos e seguros. Se você quer alcançar famílias jovens, deve oferecer berçários limpos e seguros. Não pode ter rodo e pano de chão nos cantos, e os brinquedos precisam ser limpos todas as semanas.

Banheiros limpos. Os visitantes podem esquecer um sermão, mas a memória de um banheiro que cheira mal permanece... e permanece! Você pode saber muito sobre o padrão da igreja ao verificar a limpeza de seus banheiros.

A triste verdade é que a maioria das igrejas necessita de um prédio completamente novo. Nunca alcançarão a comunidade com as instalações que estão usando. Um pastor disse-me, certa vez, que estava tão frustrado, a ponto de sua oração ser: "Deus, deixe o fogo cair!".

Quando meu amigo Larry DeWitt foi chamado para ser pastor no sul da Califórnia, encontrou um pequeno prédio de madeira em uma área suburbana *hi-tech*. Larry reconheceu que a idade e o estilo do prédio eram uma barreira para alcançar aquela comunidade. Então declarou aos líderes da igreja que aceitaria o pastorado se eles mudassem de templo e começassem a se reunir num restaurante. Os membros concordaram.

Hoje, depois de passar por diferentes lugares, a igreja cresceu e tem milhares de membros. Ela não cresceria tanto se ficasse naquele prédio. Como escrevi no capítulo 1, o sapato nunca pode dizer ao pé quanto este pode crescer. Durante treze anos, realizamos em uma escola de ensino médio nossos cultos para não-cristãos. Para fazer o melhor com o que tínhamos, organizamos dois grupos de controle de qualidade. O primeiro grupo chegava bem cedo, às 6 horas, e arrumava as 42 classes e o ginásio de esportes. O grupo fazia um diagrama da disposição de cada classe no quadro-negro antes de começar a arrumação. Dessa forma, tudo poderia ser colocado de volta no lugar de origem pelo outro grupo, que chegava às 13 horas, depois do final dos cultos. Cada classe era limpa duas vezes por domingo, uma no começo do dia e outra depois de usarmos as salas. Dava muito trabalho, mas era o preço do crescimento.

O alvo de tudo isso era alegrar o ambiente, como Paulo diz em Tito 2.10: "... para que assim tornem *atraente*, em tudo, o ensino de Deus, nosso Salvador".

Crie um ambiente acolhedor

Ambiente é aquela sensação difícil de definir, mas inconfundível, que temos ao entrar numa igreja. Ela é geralmente chamada "espírito", "clima" ou "atmosfera" do culto. Não importa como você o chame, o ambiente influencia definitivamente o que acontece no culto. Pode ajudar seu propósito ou ir contra aquilo que você está querendo alcançar.

Se você não determinar o tipo de ambiente que quer criar em um culto, está lançando mão da sorte. Em nossa igreja, usamos cinco palavras para descrever o ambiente que buscamos criar a cada semana.

Expectativa. Um dos comentários frequentes que os visitantes fazem sobre os nossos cultos é que nosso povo tem um sentimento de expectativa. Existe um entusiasmo persuasivo no começo de cada culto que diz: "Algo bom está para acontecer!". As pessoas sentem a animação, o vigor e um sentimento positivo de expectativa por estarem juntas. Os membros

Planejando o ambiente para os não-cristãos

sentem que Deus está conosco e que vidas serão transformadas. Não raro, os visitantes descrevem essa atmosfera como "elétrica".

O que causa esse sentimento de expectativa? Ele é produzido por vários fatores: os membros oram pelo culto durante toda a semana e trazem os amigos não-salvos à igreja; a possibilidade de mudanças de vida é sempre presente; há sempre muita gente nas reuniões; a música no estilo de celebração é contagiante; a fé da equipe dirige o culto.

Sua oração de abertura deve sempre expressar a expectativa de que Deus está no culto e que as necessidades dos ouvintes serão satisfeitas. *Expectativa* é somente outra palavra para "fé". Jesus disse: "Que lhes seja feito segundo a fé que vocês têm!" (Mt 9.29).

Celebração. Em Salmos 100.2, lemos: "Prestem culto ao Senhor com alegria; entrem na sua presença com cânticos alegres". Deus quer que nossa oração e nosso louvor sejam uma celebração. Cultivamos um ambiente de satisfação e alegria. Muitos cultos mais parecem uma cerimônia fúnebre que um festival. Geralmente, a principal causa disso é o comportamento dos que lideram a adoração. Já visitei cultos em que tive vontade de perguntar ao ministro de louvor: "Você já sorriu alguma vez na vida?".

A adoração é um prazer, e não um trabalho. É quando experimentamos a alegria da presença de Deus (Sl 21.6). Em Salmos 42.4, Davi lembra-nos que "costumava ir com a multidão, conduzindo a procissão à casa de Deus, com cantos de alegria e de ação de graças entre a multidão que festejava". Esse texto descreve a atmosfera de seus cultos?

Afirmação. Hebreus 10.25 alerta: "Não deixemos de reunir-nos como igreja, segundo o costume de alguns, mas procuremos encorajar-nos uns aos outros, ainda mais quando vocês veem que se aproxima o Dia". Já existe muita notícia ruim em nosso mundo. O povo precisa de um lugar onde possa ouvir as boas-novas.

Queremos que nossos cultos sejam fonte de encorajamento, e não de desestímulo. Mesmo quando a mensagem confronta o povo com seu pecado, devemos começar e terminar de maneira positiva. Você muda a atitude de uma pessoa mais rapidamente pela afirmação que pela crítica. Estude o ministério de Jesus e veja como ele, habilmente, usava atitudes positivas para fazer brotar o melhor de dentro das pessoas.

Integração. Trabalhamos duro para criar uma atmosfera familiar em nossos cultos, a despeito do tamanho da igreja. A forma como saudamos uns aos outros no começo e no final de cada reunião, a maneira pela qual as pessoas no púlpito interagem umas com as outras e o modo com que os pastores se dirigem à multidão proclamam a todos: "Somos uma família. Estamos neste barco juntos. Aqui é o seu lugar".

Gosto da passagem de 1Pedro 3.8, que diz: "Tenham todos o mesmo modo de pensar, sejam compassivos, amem-se fraternalmente, sejam misericordiosos e humildes". Num mundo que se torna cada dia mais impessoal, as pessoas estão buscando um lugar onde se sintam parte do todo.

Restauração. A vida é dura. A cada domingo, vejo a face de milhares de pessoas que foram maltratadas pelo mundo durante a semana. Elas chegam com suas baterias espirituais e emocionais descarregadas. Meu trabalho é reconectá-las à carga espiritual e restaurá-las com o poder de Cristo. Jesus convida: "Venham a mim, todos os que estão cansados e sobrecarregados, e eu lhes darei descanso. Tomem sobre vocês o meu jugo e aprendam de mim, pois sou manso e humilde de coração, e vocês encontrarão descanso para as suas almas" (Mt 11.28,29).

Um dos propósitos de nossa adoração semanal é sermos emocionalmente restaurados e espiritualmente recarregados a fim de enfrentar a semana que vem pela frente. Jesus insistia nisso, dizendo que "o sábado foi feito por causa do homem, e não o homem por causa do sábado" (Mc 2.27). Na preparação de minhas mensagens, sempre oro: "Pai, ajuda-me a dizer no domingo de manhã algo que prepare as pessoas para a manhã de segunda".

Vejo a igreja como oásis espiritual no meio do deserto. Fomos chamados para oferecer a refrescante água da vida aos que estão morrendo de sede ao nosso redor.

No sul da Califórnia, especialmente, as pessoas precisam de alívio, em razão de seu agitado ritmo de vida. Por essa razão, há humor em nossos cultos. "O coração bem disposto é remédio eficiente." (Pv 17.22) Não é pecado fazer que as pessoas se sintam felizes. Ensiná-las a rir de si mesmas e de seus problemas não somente lhes ilumina o caminho, como também ajuda no processo de mudança.

Acredito que um dos maiores problemas com os evangélicos é que estamos fazendo as coisas ao contrário: nós nos levamos muito a sério, mas não levamos Deus tão a sério assim! Ele é perfeito, nós não. É mais que coincidência que as palavras *humor* e *humildade* tenham a mesma raiz. Além do mais, se você aprender a rir de si mesmo sempre terá muitos motivos para dar risada.

Liberdade. A Bíblia diz: "Ora, o Senhor é o Espírito e, onde está o Espírito do Senhor, ali há liberdade" (2Co 3.17). Evitamos formalidades, rigidez ou qualquer tipo de pompa em nossos cultos. Cultivamos um ambiente informal, descontraído e amigável. Descobrimos que o culto informal e despretensioso desarma os temores e as defesas dos sem-igreja.

As pessoas sempre se sentem mais ansiosas num ambiente formal que num ambiente informal. Esse é um princípio que quem está interessado em transformar vidas não pode ignorar. Os cultos formais e cerimoniosos deixam os não-cristãos apreensivos com a possibilidade de fazer "algo errado". Isso os deixa incomodados. Tenho certeza de que você já experimentou esse sentimento em um ambiente estranho e muito formal.

Quando alguém se sente incomodado, ele aumenta as defesas emocionais. Como nosso desejo é nos comunicar com os sem-igreja, nossa primeira missão é reduzir a ansiedade deles, para que *baixem* as defesas. Uma vez descontraídos, eles deixam de pensar em si mesmos e passam a focalizar-se na mensagem.

Para muitos sem-igreja dos Estados Unidos, a palavra "informal" é sinônimo de "autenticidade", enquanto "formalidade" sugere "falta de sinceridade" e "cafonice". As gerações de jovens não se importam com ostentação nem protocolos. Por essa razão, os pastores da Saddleback não usam títulos honoríficos ou reverenciais. Ninguém se refere a mim como "dr. Warren". Em nossa igreja, só me chamam "Rick".

Também não temos um código de vestimenta. Os pastores vestem-se de modo casual, assim como todos os que frequentam as reuniões. Uma pesquisa recente da revista *GQ* indica que somente 25% dos homens americanos usam terno. Há muito tempo deixei de usar terno para pregar na Saddleback (é claro que pregar em tendas e ginásios quentes ajudou-me a tomar essa decisão!).

O que as pessoas vestem para ir à igreja é assunto cultural, e não teológico, por isso não damos muita atenção a esse aspecto. Agora, de uma coisa temos certeza: Jesus nunca usou terno e gravata, portanto isso não é necessário para nos tornarmos semelhantes a ele.

Imprima um programa simples

Os visitantes não sabem o que esperar quando chegam à igreja. Isso faz que se sintam ansiosos. Um programa impresso está dizendo: "Não temos surpresas aqui". Deixar claro para os sem-igreja o que irá acontecer na reunião faz que relaxem e baixem a guarda.

Descreva o culto em uma terminologia não técnica. Se os visitantes não entenderem a ordem de culto, não há razão para imprimir o programa. Num boletim comum, você encontra terminologias como "invocação", "ofertório", "hino de apelo", "bênção" e "poslúdio". Para o não-cristão, você pode estar falando em latim, pois não haverá diferença.

Na Saddleback, não usamos "invocação" prelúdio nem benção "poslúdio", simplesmente dizemos "oração música inicial" e "oração música final". Em vez de "chamada à oração", o programa traz "música"; em vez de "ofertório", "Devolvendo para Deus". Captou a ideia? Usamos em nossa igreja uma versão bíblica fácil e acessível. Estamos mais interessados em tornar a Bíblia clara para os sem-igreja que em impressionar os que já conhecem a Palavra de Deus.

Inclua notas explicativas. Quando você vai assistir a uma ópera ou a uma peça difícil de ser entendida, normalmente encontra notas explicativas no programa. Diga aos visitantes a razão de se cumprirem determinados preceitos bíblicos nas reuniões. Nosso programa fornece uma explicação sobre o cartão de boas-vindas, o momento da oferta, o do compromisso e de outras partes do culto.

Minimize os avisos internos

Quanto mais a igreja cresce, mais avisos você tem. Se não for estabelecida uma política para os diversos tipos de anúncios, você acabará gastando uma parte importante do culto com avisos que só interessam à igreja. Como lidar com isso?

Treine seus membros para que leiam o boletim. Diga algo assim: "Esta semana, teremos eventos especiais para homens, solteiros e estudantes do curso *Comprometidos com a membresia*. Por favor, leiam o boletim para saber o que está acontecendo em seu grupo". Isso é tudo que você precisa falar.

Anuncie em público somente os eventos que são para todos. Alguns avisos chamam a atenção para programas que envolvem apenas um departamento da igreja. Ele não é de interesse geral, e logo ninguém mais está ouvindo nada. Não perca tempo anunciando eventos que dizem respeito a apenas uma pequena parcela da congregação.

Evite pedir ajuda no púlpito. Chamar voluntários para ajudar em alguma atividade é algo que deve ser evitado no culto para os não-cristãos. Recrutamento pessoal sempre funciona melhor.

Não trate de assuntos internos durante o culto para não-cristãos. Esses assuntos são para o culto dos cristãos. Conheço uma igreja que pediu que todos os visitantes se retirassem no final do culto a fim de que os membros pudessem tratar de determinados assuntos. Isso é ser inconveniente e indelicado com os visitantes!

Melhore e avalie continuamente

Depois de cada partida, os atletas profissionais assistem a um videoteipe para analisar o jogo e corrigir as falhas. Temos motivos para estar ainda mais preocupados com o que acontece em nossos cultos. Os jogadores estão só num jogo, nós não.

As igrejas que crescem devem sempre se perguntar "Como podemos melhorar?". Elas precisam avaliar friamente seus cultos e ministérios. A avaliação é a chave da excelência. Você deve examinar continuamente cada parte do culto para poder determinar sua eficácia.

Dispomos, em nossa congregação, de três ferramentas que nos auxiliam na avaliação. Temos o cartão de primeira impressão, o cartão de boas-vindas e a folha de avaliação da adoração. Por meio deles, obtemos um retorno valioso, que é o segredo de nosso aprimoramento contínuo.

Com o cartão de primeira impressão, podemos avaliar os que nos visitam pela primeira vez. Ele nos ajuda a enxergar o culto da perspectiva deles. O cartão de boas-vindas informa-nos quanto aos frequentadores regulares e membros. Recebemos um fluxo constante de sugestões e dicas do grande grupo. A folha de avaliação da adoração contém a opinião de nossos assessores. Ela inclui uma avaliação sobre tudo: desde o estacionamento, o boletim e o cafezinho até a música e a mensagem.

Em 1Coríntios 14.40, Paulo conclui suas instruções sobre os cultos facilitadores aos não-cristãos, dizendo: "Tudo deve ser feito com decência e ordem". Esse versículo indica que o planejamento, a avaliação e o aprimoramento de nossos cultos são coisas que não podem deixar de ser feitas. Tanto a adoração a Deus quanto a evangelização merecem nossos melhores esforços.

Lembre-se de quem você está servindo

Talvez você se sinta sobrecarregado com todas as sugestões que lhe dei sobre o culto voltado para não-cristãos. Lembre-se: essas ideias são importantes, mas não são todas essenciais para o desenvolvimento de um culto desse tipo. Como já disse, os únicos elementos que não podem ser negociados num culto para não-cristãos são: tratá-los com amor e respeito, saber lidar com suas necessidades e compartilhar a mensagem de maneira prática e compreensível.

Nesse estilo de reunião, o trabalho requerido é árduo! É preciso ter quantidade enorme de vigor, criatividade, compromisso, tempo, dinheiro e preparação para que esses cultos possam ser realizados semana após semana. Por que se importar com isso? Por que ter todos esses problemas para construir uma ponte entre o vazio cultural que há entre os cristãos e os "sem-igreja"? Porque, como Paulo, fazemos tudo isso "por causa de Jesus" (2Co 4.5).

Você deve saber o motivo de fazer o que faz, ou será derrotado pelo desânimo. Ainda me lembro de um domingo em particular, há muitos anos. Estávamos arrumando a escola para os cultos de final de semana, e muitos de nossos ajudantes não apareceram, por motivos diversos. Eu estava carregando o equipamento do berçário para uma das classes quando senti um desânimo terrível.

Satanás começou a lançar dardos em minha direção: "Para que fazer toda esta arrumação e depois pôr tudo de volta no lugar, enquanto tudo que os outros pastores fazem é aparecer na hora do culto? Eles entram num templo que é deles. A maioria não tem de se expor a esse tipo de trabalho, mas você faz isso há tanto tempo!".

Quando eu já começava a gostar do sentimento de autopiedade, o Espírito Santo deu-me um tapinha nas costas e disse: "Ei, Rick! Para quem você está fazendo isso?". Parei ali mesmo, no meio do estacionamento da escola, e comecei a chorar, pois me lembrei de que estava fazendo aquilo por amor a Jesus. O que quer que eu faça não é nada comparado ao que ele fez por mim. "Tudo o que fizerem, façam de todo o coração, como para o Senhor, e não para os homens, sabendo que receberão do Senhor a recompensa da herança. É a Cristo, o Senhor, que vocês estão servindo" (Cl 3.23,24).

15
Selecionando a música

Pôs um novo cântico na minha boca, um hino de louvor ao
nosso Deus. Muitos verão isso e temerão, e confiarão no SENHOR.
SALMOS 40.3

Constantemente, me pergunto o que faria de diferente se tivesse de começar a igreja de novo. Minha resposta é: "Desde o primeiro dia, investiria mais força e recursos financeiros no ministério de música". Nos primeiros anos de nossa igreja, errei ao subestimar o poder da música e a parte musical dos cultos. Hoje, arrependo-me desse equívoco.

A música é parte importante de nossa vida. Comemos com ela, dirigimos com ela, compramos com ela, relaxamos com ela e alguns evangélicos até dançam com ela! O maior passatempo nos Estados Unidos não é o beisebol, é a música e as conversas sobre ela.

Muitas vezes, um cântico pode tocar pessoas de uma forma que o sermão não consegue. A música pode ultrapassar as barreiras intelectuais e levar a mensagem diretamente ao coração. É uma ferramenta forte do evangelismo. Em Salmos 40.3, Davi declara: "[O SENHOR] pôs um novo cântico na minha boca, um hino de louvor ao nosso Deus. Muitos verão isso e temerão...". Note a clara conexão entre a música e o evangelismo: "... e confiarão no SENHOR".

Aristóteles disse que "a música tem o poder de formar o caráter". Satanás está usando a música para fazer isso em nossos dias. As letras das canções de *rock* das décadas de 1960 e 1970 forjaram os valores dos americanos que hoje estão com 40, 50 ou 60 anos. Hoje, a MTV molda os valores da maioria dos adolescentes. A música é a principal comunicadora de valores para as gerações mais novas. Se não usarmos a música contemporânea para espalhar os valores divinos, Satanás terá acesso ilimitado a uma geração inteira. A força da música não pode ser ignorada.

Não somente subestimei o poder da música no início da Saddleback, como também cometi o erro de tentar satisfazer o gosto de todo mundo. Adotei todos os estilos musicais, "de Bach ao *rock*", geralmente em um só culto. Alternávamos entre hinos tradicionais, louvores e música cristã contemporânea. Tinha de tudo: música clássica, *country*, *jazz*, *rock*, *reggae* e até *rap*. A multidão nunca sabia qual seria o estilo seguinte. Resultado: frustramos a todos! Éramos como a estação de rádio que mencionei no capítulo 9, que tentava agradar o gosto musical de todos.

É impossível atender às preferências musicais de todas as pessoas. A música é um assunto que divide gerações, regiões do país, personalidades e até membros da mesma família. Assim, não devemos nos surpreender com as opiniões conflitantes em relação à música. Você deve decidir quem está tentando alcançar, identificar o estilo musical adequado e ficar com ele. Buscar um gênero de música que agrade a todos em sua igreja é perda de tempo.

Escolhendo o tipo de música

A escolha do estilo musical para o culto é uma das decisões mais críticas e controvertidas a serem tomadas na vida da igreja. E talvez seja o fator que *mais* contribua para determinar quem sua igreja irá alcançar para Cristo e se ela crescerá ou não. Você deve combinar sua música com seu grupo-alvo.

A música posiciona sua igreja na comunidade, determinando quem você é. Uma vez decidido o estilo de música que será usado na adoração, você deu à sua igreja um direcionamento mais significativo do que imagina. A música determinará o tipo de pessoa que será atraído, o que você irá manter e o que irá perder.

> Escolha a música pelo tipo de pessoas que Deus quer que sua igreja alcance.

Se você me disser o tipo de música que está usando em seus cultos, certamente eu poderia descrever o tipo de pessoa que está sendo alcançada, mesmo sem visitar sua igreja. Também seria capaz de dizer que tipo de pessoa sua igreja nunca irá alcançar.

Rejeito a ideia de que os estilos de música podem ser julgados "bons" e "ruins". Quem decide isso? O tipo de música que você gosta é determinado pela sua bagagem cultural. Alguns gêneros de sons e ritmos soam agradáveis aos ouvidos asiáticos, outros agradam apenas aos povos do Oriente Médio. Os africanos gostam de ritmos diferentes dos sul-americanos.

Insistir em que toda "boa" música foi escrita na Europa há 200 anos é puro elitismo cultural. Não há nenhuma base bíblica para esse ponto de vista. Nos Estados Unidos, dependendo de onde cresceu, a pessoa gosta de *country, jazz, blues, pop* ou *rock*. Nenhum desses estilos é "melhor" que os outros.

As igrejas também precisam admitir que não existe um *estilo* de música "sagrado". O que faz a música sagrada é sua *mensagem*. A música não é nada mais que um arranjo de notas e ritmos. São as palavras que fazem a música espiritual. Não existe música cristã, e sim letras cristãs. Se você ouvir uma música sem palavras, não saberá se é cristã ou não.

A mensagem sagrada pode ser comunicada por meio da música mediante uma grande variedade de estilos musicais. Por dois mil anos, o Espírito tem usado todos os tipos de música para dar glória a Deus. São necessários todos os tipos de igrejas, com todos os estilos musicais para alcançar todos os tipos de pessoas. Insistir em que determinado estilo de música é sagrado não passa de idolatria.

Divirto-me toda vez que ouço um cristão resistente à música contemporânea dizer: "Precisamos voltar às raízes musicais". Fico me perguntando quanto tempo ele quer retroceder. Quer voltar ao canto gregoriano? Ou está pensando nos hinos cantados pela igreja de Jerusalém? Normalmente, eles só querem voltar 50 ou 100 anos.

> Não existe música cristã, e sim letras cristãs.

Algumas pessoas afirmam que os "hinos" mencionados em Colossenses 3.16 correspondem à chamada música "sacra". A verdade é que não sabemos como soavam os hinos dos cristãos primitivos. Temos conhecimento de que as igrejas do Novo Testamento usavam o estilo de música que combinava com os instrumentos e a cultura daqueles dias. Uma vez que, obviamente, não tinham piano nem órgão para acompanhá-los, a música da época não soava como a música de nossas igrejas.

Lemos em Salmos que na adoração bíblica eram usados tambores, címbalos, trombetas, tamborins e instrumentos de corda. Isso me parece música contemporânea!

Cante um cântico novo

Ao longo de toda a história da Igreja, os grandes teólogos têm contextualizado a verdade de Deus no estilo musical de seus dias. A melodia do hino "Castelo forte", composto por Martinho Lutero, é emprestada de uma canção popular cantada nas tabernas de sua época (hoje, Lutero provavelmente teria usado uma música de karaokê). Charles Wesley usava as canções populares das tabernas e dos teatros de ópera da Inglaterra. João Calvino contratou dois músicos seculares para transpor sua teologia em música. A rainha da Inglaterra ficou tão aborrecida com as "canções vulgares" de Calvino que se referia agressivamente a elas como as "cantarolas de Genebra"!

As canções que chamamos de "clássicas" ou "sacras" já foram também criticadas, exatamente como a música cristã contemporânea. Quando "Noite feliz" foi cantada em público primeira vez, George Weber, diretor musical da Catedral de Mainz, chamou-a "vulgar, vazia de religiosidade e de sentimentos cristãos". Charles Spurgeon, o extraordinário pregador inglês, detestava as canções de seus dias — as mesmas que hoje reverenciamos.

Talvez o mais difícil de acreditar é que o oratório *Messias*, de Haendel, foi amplamente condenado pelos religiosos de seus dias, que o consideraram "vulgar". A exemplo da crítica aos refrões de hoje, o *Messias* foi depreciado por conter muitas repetições e pouca mensagem (o *Messias* repete quase cem vezes a palavra "aleluia").

Mesmo a consagrada tradição de cantar hinos foi, em outros tempos, considerada "mundana" em igrejas batistas. Benjamin Keach, pastor batista do século XVII, é visto como o introdutor dos hinos nas igrejas batistas inglesas. Ele começou a ensinar as crianças a cantar o que gostavam. Os pais, no entanto, não gostaram dos hinos. Estavam convencidos de que aqueles cânticos eram "estranhos à adoração evangélica".

Uma grande controvérsia aconteceu quando Keach tentou introduzir cânticos para toda a congregação, na cidade de Horsley Down. Em 1673, finalmente, ele conseguiu que concordassem em cantar um hino depois da ceia do Senhor, usando um texto inspirado em Marcos 14.26. Ainda assim, Keach permitia que os membros que se opunham saíssem antes do hino. Seis anos depois, em 1679, a igreja concordou em cantar um hino em "dias de ação de graças".

Mais 14 anos se passaram até a igreja concordar em que os hinos eram apropriados à adoração. A controvérsia custou caro, pois 22 membros da igreja de Benjamin Keach saíram e se juntaram a uma igreja "não cantante". Mesmo assim, a novidade contagiou outras igrejas, e as igrejas "não cantantes" logo começaram a contratar somente pastores que gostavam de cantar. Como as coisas mudam! Se você retardar o processo, poderá perder muito com isso, mas não será capaz de impedi-lo.

O que mais me impressiona na história do pastor Keach é sua incrível paciência. Ele levou 22 anos para mudar o estilo de adoração de sua igreja! Provavelmente é mais fácil mudar a teologia da igreja do que a ordem do culto.

Uma de nossas fraquezas, como evangélicos, é que não conhecemos a história da Igreja. Por isso, começamos a confundir nossas tradições com ortodoxia. Muitos métodos e ferramentas que utilizamos em nossa igreja, como hinos, piano, órgão, apelos e mesmo a escola bíblica dominical já foram considerados mundanos e até heréticos. Hoje, essas ferramentas são amplamente aceitas. Entretanto, depois veio uma nova lista negra. Objeções a teclados, baterias, teatro e vídeo na adoração.

O debate sobre qual estilo de música deve ser usado na adoração será, nos próximos anos, um dos maiores pontos de conflito nas igrejas. E toda igreja, cedo ou tarde, terá de encarar a questão. Esteja preparado para um debate acalorado. James Dobson certa vez admitiu em seu programa *Focus on the Family* [Foco na família]: "De todos os temas já tratados em nosso programa de rádio, do aborto à pornografia, o mais controverso foi quando falamos sobre música. A discussão sobre música aborrece as pessoas mais que qualquer outro assunto". O debate sobre os estilos de música tem dividido e polarizado muitas igrejas. Acho que é por isso que Spurgeon denominava seu ministério de música "Departamento de Guerra".

Porque os ânimos se exaltam quando a discussão é sobre estilos de louvor? Isso ocorre porque a maneira em que você adora está intimamente ligada à forma em que Deus o fez. A adoração é sua expressão pessoal de amor a Deus. Quando alguém critica seu modo de adorar, isso é naturalmente encarado como ofensa pessoal.

A Saddleback é, sem dever desculpas a ninguém, uma igreja com música contemporânea. Muitas vezes, a imprensa se refere a nós como "o rebanho que gosta de *rock*". Usamos o estilo de música que a maioria dos que frequentam nossa igreja ouve no rádio. Há alguns anos, quando estava frustrado por tentar agradar a todos, decidi fazer uma pesquisa em nossa igreja. Distribuí alguns formulários no culto e pedi que cada um escrevesse o nome da rádio que mais ouvia.

Descobri que 96% dos que responderam à pesquisa escutavam música contemporânea. A maioria das pessoas com menos de 40 anos gosta de qualquer música composta depois de 1965. Para elas, Elvis é um clássico! Gostam de música agitada e alegre, com cadência forte. Seus ouvidos estão acostumados a músicas bem ritmadas.

Pela primeira vez na História, porém, existe um estilo de música universal, que pode ser ouvida em qualquer lugar do mundo: a música *pop/ rock*. As mesmas músicas são tocadas em Nairóbi, em Tóquio e em Moscou. A maioria dos comerciais de televisão adota a música contemporânea. Até mesmo a música country sofreu adaptações. O *rock* é o principal estilo musical que escolhemos para usar em nossa igreja.

Depois de pesquisar entre os que já estávamos alcançando, tomamos a decisão estratégica de parar de cantar hinos nos cultos voltados para os não-cristãos. Um ano depois de escolhermos "nosso som", a Saddleback *explodiu* em crescimento. Admito que perdi centenas de membros em potencial por causa do novo estilo de música que adotamos. No entanto, atraímos milhares por causa de nossa música.

As regras para escolher um estilo de música

Reconheço que estou andando em campo minado, mas gostaria de oferecer algumas sugestões sobre estilos musicais. Não importa o estilo musical de sua igreja, algumas regras, no meu entender, precisam ser seguidas.

Informe-se a respeito das músicas que serão cantadas

Não tenha surpresas no culto. Aprendi esse princípio da pior maneira possível. Poderia contar histórias de fazer chorar, como a ocasião em que um cantor convidado cantou uma música de 20 minutos sobre desarmamento nuclear! Se você não gerencia a música, ela irá gerenciar o culto. Desenvolva alguns parâmetros para que a música apoie o propósito do culto, em vez de ir contra ele.

Ao analisar a música, considere letra e ritmo. Verifique se a letra é doutrinariamente correta, se é compreensível para os sem-igreja e se o cântico usa terminologias e metáforas que eles possam entender. Identifique sempre o propósito do cântico: ele é para edificação, louvor, comunhão ou evangelismo?

Em nossa igreja, escolhemos as músicas de acordo com nosso alvo. A lista de músicas para a multidão é apropriada para os não-cristãos (nos cultos voltados para eles). Os cânticos na lista da congregação são os que fazem sentido para os cristãos, mas não significam muito para os sem-igreja (são cantados em nosso culto de celebração, no meio da semana). As músicas cantadas no núcleo falam de serviço e de ministério (nós as cantamos no SALT).

Pergunte a você mesmo: "Como esse ritmo me afeta?". A música exerce grande influência sobre as emoções humanas. O tipo errado de música pode prejudicar a atmosfera e o ambiente do culto. Todo

> O tipo errado de música pode prejudicar a atmosfera e o ambiente do culto.

pastor sabe muito bem a agonia de tentar ressuscitar o culto depois de uma apresentação musical ter deixado as pessoas deprimidas. Decida o ambiente que você quer em seu culto e use o estilo de música que crie tal ambiente. Em nossa congregação, acreditamos que o louvor deve ser uma celebração, então usamos um estilo "para cima", ritmado e alegre. Raramente cantamos um cântico lento.

Mesmo quando convidamos cantores cristãos para se apresentar na igreja, insistimos em analisar previamente cada música que irão cantar. A atmosfera que estamos tentando manter em nosso culto é muito mais importante que o ego de qualquer cantor.

Acelere o ritmo

Como já mencionei, a Bíblia diz: "Prestem culto ao Senhor com *alegria*; entrem na sua presença com *cânticos alegres*" (Sl 100.2). Muitos cultos de celebração, porém, parecem mais um funeral que uma festa! John Bisagno, pastor de uma igreja batista com 15 mil membros em Houston, Texas, diz: "Músicas que parecem ter sido compostas para um funeral e ministros de música que mais parecem estátuas matarão a igreja mais rápido que qualquer outra coisa no mundo!".

Em nossa igreja, brincamos sobre nossos cânticos aeróbicos. Eles são cheios de vida! Recentemente, recebi um cartão de primeira impressão de um visitante de 81 anos e de sua esposa, dizendo: "Obrigado por fazer nosso sangue geriátrico ferver!". É impossível cair no sono quando nossa igreja canta. Queremos que nossa música tenha um impacto emocional e espiritual nas pessoas. As letras "I", "M", "P" e "T" de IMPACT, de que falei no capítulo anterior, são todas relacionadas a cânticos rápidos. Os cânticos "A" e "C" são mais lentos e inspiram a meditação. Os não-cristãos normalmente preferem músicas de celebração às de contemplação, porque ainda não têm um relacionamento com Cristo.

Atualize as letras

Muitas boas músicas poderão ser usadas nos cultos para os não-cristãos se mudarmos uma ou duas palavras, a fim de fazê-las compreensíveis. Metáforas bíblicas e terminologias teológicas em um cântico podem precisar de tradução ou de atualização. Se uma tradução da Bíblia feita no século XVII precisa ser refeita em linguagem corrente, para que seja entendida pelos não-cristãos, então letras obscuras e cânticos antigos também podem (e devem) ser reformulados.

Se você usa hinos, pode ser necessário uma edição maior. Expressões como "querubins e serafins", "anjos prostrados", "cabo da nau", "lavados no sangue do Cordeiro" e outras são incompreensíveis para os sem-igreja. Eles não têm a mínima ideia do que você está cantando. Nos Estados Unidos, provavelmente pensariam que uma música com a expressão "bálsamo de Gileade" é uma canção sobre terroristas.

Alguns membros irão insistir que existe boa teologia nos velhos hinos. Concordo. Mas por que não substituir os termos arcaicos e atualizar a música em ritmo contemporâneo? Lembre-se de que não existe nada sagrado em relação à música. Vista seus velhos amigos com roupas novas. Se você costuma imprimir os cânticos congregacionais no boletim, pode mudar a letra das músicas que já são de domínio público.

A propósito, alguns louvores contemporâneos são tão confusos quanto os hinos, quando se usa um vocabulário incompreensível para os de fora. Os não-cristãos não têm a mínima ideia de quem seja Jeová-Jiré.

Encoraje os membros a compor novas canções

Cada igreja deve ser encorajada a compor cânticos de adoração. Se você estudar a história da Igreja, descobrirá que todos os reavivamentos genuínos foram acompanhados de novas canções. Os novos cânticos têm a dizer: "Deus está fazendo alguma coisa *aqui e agora*, e não cem anos atrás". Toda congregação necessita de novas músicas para expressar sua fé.

Em Salmos 96.1, lemos: "Cantem ao SENHOR um *novo* cântico". É muito triste que a maioria das igrejas ainda esteja cantando as mesmas *velhas* músicas. A Columbia Records fez um estudo e descobriu que, depois de uma canção ser executada mais de 50 vezes, os ouvintes não pensam mais no significado da letra e cantam sem perceber o que estão dizendo.

Gostamos dos cânticos antigos porque nos trazem lembranças e mexem com nossas emoções. Hinos como "Vitória eu tenho em Cristo" e "Tudo entregarei" automaticamente trazem lágrimas aos meus olhos, porque me lembram de momentos espirituais importantes que vivi. Contudo, esses cânticos não causam o mesmo impacto sobre os não-cristãos, nem mesmo sobre outros cristãos, porque eles não compartilham minhas memórias.

> Todos os reavivamentos genuínos foram acompanhados de novas canções.

Muitas igrejas fazem uso abusivo de alguns cânticos em virtude da preferência pessoal do pastor ou do ministro de música. O repertório musical está nas mãos do líder. O que quer que o ministro de música ou o pastor gostem não deve ser o fator determinante no estilo de música adotado. Ao contrário, use seu alvo para determinar o estilo.

Se você não tem certeza se está utilizando músicas desgastadas em suas reuniões, eu o desafio a fazer uma experiência no domingo seguinte. Grave em vídeo a fisionomia de sua congregação enquanto estiverem cantando. Quando o povo entoa cânticos envelhecidos, o tédio e a apatia transparecem na face de todos. A preferência pessoal tem arruinado os cultos de celebração mais que qualquer outra coisa.

A música perde seu potencial de testemunho quando o povo não pensa no que está cantando. Só haverá testemunho poderoso por meio da música se os cristãos sentirem a letra no coração.

Muitos dos cânticos da primeira metade do século XX glorificam a experiência cristã, e não a Cristo. A maioria dos cânticos de adoração hoje, no entanto, é composta de músicas cantadas diretamente *para Deus*. Essa é a adoração bíblica. Nas Escrituras, somos instados, pelo menos 17 vezes, a *cantar ao Senhor*. Em contraste, a maioria dos hinos fala *sobre* Deus. A força de muitos cânticos de adoração contemporâneos reside no fato de que são centrados em Deus, e não no ser humano.

Troque o órgão por um teclado

Com a tecnologia atual, qualquer igreja pode ter a mesma qualidade de som disponível nos melhores estúdios. Tudo que você necessita é de um bom teclado eletrônico com alguns acessórios. A beleza de usar um teclado é que ele pode ser usado para "preencher as brechas", caso você não tenha muitos músicos. Por exemplo, se você tem uma pessoa que toca teclado, um trompetista e um guitarrista, mas não tem baixista nem baterista, tudo que tem a fazer é adicionar o baixo e a bateria na programação do teclado. Se ninguém em sua igreja está familiarizado com essa tecnologia, basta pedir instruções em qualquer boa loja de instrumentos musicais.

A Saddleback tem agora uma orquestra completa, porém muitas igrejas não são grandes o suficiente para juntar tantos músicos. Se estivesse começando uma nova igreja hoje, eu buscaria algumas pessoas que soubessem tocar teclado. A tecnologia desse instrumento ainda não estava disponível quando comecei nosso trabalho. De vez em quando, pergunto-me quantas pessoas a mais eu não teria conseguido alcançar nos primeiros anos se tivéssemos a qualidade atual dos teclados em nossos cultos.

Quando fiz a pesquisa sobre preferência musical, não achei ninguém que dissesse: "Gosto de ouvir órgão no rádio". O único lugar que você ainda pode ouvir órgão é na igreja. O que isso diz a você? Pense bem: convidamos os sem-igreja para se sentar em cadeiras do século XVII (bancos), cantar músicas do século XVIII (hinos) e ouvir um instrumento do século XIX (órgão). Depois, ficamos surpresos quando nos acham cafonas! Temo que já estaremos na metade do século XXI até que algumas igrejas comecem a utilizar os instrumentos musicais do século XX.

Devemos decidir se nossa igreja será um conservatório musical para a elite ou um lugar onde as pessoas comuns podem trazer seus amigos não-cristãos para ouvir uma música que compreendam e apreciem. Na Saddleback, usamos a música para o *coração*, e não como forma de *arte*.

Não obrigue os não-cristãos a cantar

Use mais apresentações especiais que cânticos congregacionais em cultos para não-cristãos. Os visitantes geralmente não se sentem à vontade para cantar músicas que não conhecem e dizer palavras que não entendem. Não é uma expectativa muito realista a de que eles cantem cânticos de louvor e de compromisso com Jesus Cristo antes de se tornarem cristãos. Isso é pôr a carroça na frente dos bois.

Os não-cristãos normalmente se sentem estranhos durante a parte do culto em que a congregação canta, uma vez que não conhecem as músicas e são forçados a se levantar com a congregação. Isso é especialmente difícil nas igrejas pequenas, porque todo mundo nota que você não está cantando. No entanto, os sem-igreja sentem-se bastante à vontade quando *ouvem* uma apresentação musical num estilo com o qual se identificam. Concentre-se, então, em apresentações especiais nos cultos para os não-cristãos e reserve o louvor congregacional mais extenso para as reuniões voltadas aos cristãos (nessas reuniões, costumamos ter de 30 a 40 minutos de louvor e adoração, sem interrupção).

Entenda que, quanto mais sua igreja cresce, mais louvor congregacional pode ser usado no culto para os não-cristãos. Isso porque, quando o visitante está cercado por milhares de pessoas, ninguém se importa se ele está cantando ou não. Eles podem se esconder na multidão, sem se sentirem observados e curtir a emoção do momento.

Mesmo que seja melhor não ter um período de louvor congregacional muito longo no culto para os não-cristãos, acredito que é um erro suprimir essa parte da reunião, porque é um elemento emocional poderoso. Quando os cristãos cantam juntos em harmonia, é criado um senso de intimidade, mesmo quando o público é muito grande. Essa intimidade impressiona os sem-igreja. Eles percebem que algo de bom está acontecendo, mesmo que não consigam explicar o que é.

"Harmonizar" significa "fazer acordo". Quando os cristãos cantam em harmonia, isso se torna uma expressão audível da unidade e da comunhão do corpo de Cristo. Cada pessoa está cantando sua parte enquanto está ouvindo os outros, de modo que todas as vozes se misturam. Existe algo profundamente acolhedor quando cristãos cantam juntos com sinceridade de coração. É um testemunho de que essas pessoas, no dia-a-dia, realmente mantêm um relacionamento com Cristo e com os outros ali reunidos.

> É um erro suprimir o período de louvor do culto para os não-cristãos.

Contextualize a música

Ainda que a música seja normalmente o elemento mais controverso do culto para os não-cristãos, é um elemento crítico, que não pode ser ignorado. Precisamos compreender o incrível poder que ela possui e usar esse poder, deixando de lado nossas preferências pessoais, para conduzir os sem-igreja a Cristo.

16
Pregando para os sem-igreja

Sejam sábios no procedimento para com os de fora;
aproveitem ao máximo todas as oportunidades. O
seu falar seja sempre agradável e temperado com sal,
para que saibam como responder a cada um.
COLOSSENSES 4.5,6

Nenhuma palavra torpe saia da boca de vocês, mas apenas a que
for útil para edificar os outros, conforme a necessidade, para que
conceda graça aos que a ouvem.
EFÉSIOS 4.29

Quando estabeleci a Saddleback, tinha cerca de dez anos de sermões arquivados, fruto de meu outro ministério, o de evangelista. Eu poderia ter me acomodado nos primeiros anos, utilizando as mensagens que já havia pregado. Depois que pesquisei os sem-igreja de minha comunidade, porém, rapidamente deixei essa ideia de lado.

Ao descobrir que a maior queixa dos não-cristãos ali era contra os "sermões chatos e irrelevantes", decidi reexaminar seriamente o conteúdo de minha pregação. Analisei cada um daqueles sermões acumulados ao longo de dez anos, perguntando-me: "Esta mensagem faria sentido para um sem-igreja?".

O fato de eu gostar da mensagem não era relevante. Também não era suficiente que o sermão fosse doutrinariamente correto e homileticamente bem apresentado. Se eu ia começar uma igreja atraindo os não-cristãos, teria de apresentar uma mensagem com a qual eles se identificassem. Acabei jogando fora todos os sermões, exceto dois deles.

Começando do zero, desenvolvi novas habilidades de pregação. Já mencionei, no capítulo 12, algumas de minhas convicções sobre a arte de pregar, quando falei sobre o método de Jesus para atrair as multidões. Se você estiver interessado em conhecer em detalhes meu método de preparar e pregar sermões, adquira a série *Communicating to Change Lives* [Comunicando para mudar vidas], do ministério Encouraging Word [Palavra de encorajamento].

Adapte seu estilo a seu público

Meu estilo de pregação no culto para não-cristãos é bem diferente do que adoto para ensinar os cristãos. O tipo de comunicação que a maioria dos membros de igreja está acostumada é contra-indicado para alcançar a maioria dos sem-igreja.

Quando estou falando aos cristãos, gosto de pregar sermões expositivos. Na verdade, em certo momento do crescimento da Saddleback, levei dois anos e meio numa exposição versículo por versículo da carta aos Romanos aos nossos membros. Esse tipo de mensagem edifica o corpo de Cristo (também pode ser livro por livro). Funciona muito bem quando você fala aos cristãos, que aceitam a autoridade da Palavra de Deus e estão motivados a aprender as Escrituras. E quanto aos sem-igreja, que ainda não estão motivados a estudar a Bíblia? Não creio que o ensinamento versículo por versículo ou livro por livro seja a maneira mais eficiente de evangelizá-los. Você precisa começar com um ponto de referência comum, assim como Paulo fez diante do auditório pagão no Areópago, em Atenas. Em vez de começar com um texto do Antigo Testamento, ele usou um dos próprios poetas gregos para chamar a atenção dos ouvintes e estabelecer um ponto de referência comum.

A palavra "comunicação" vem do latim *communis*, que significa "comum". Você não pode se comunicar com alguém até encontrar algo que você e ele tenham em comum. Você não conseguirá estabelecer um ponto de referência comum com os sem-igreja, dizendo: "Vamos abrir a Bíblia no livro de Isaías, capítulo 14, continuando o estudo desse maravilhoso livro".

O ponto de referência comum que temos com os não-cristãos não é a Bíblia, e sim nossas necessidades, sofrimentos e interesses como seres humanos. Você não pode começar a se comunicar com eles por meio de um texto bíblico, esperando que fiquem fascinados por ele. Você deve primeiro prender a atenção deles e depois levá-los à verdade da Palavra de Deus. Comece com um tema que interessa aos sem-igreja e depois mostre o que a Bíblia diz a respeito, assim você conseguirá chamar a atenção, desarmar preconceitos e despertar neles o interesse pelas Escrituras.

Cada semana, começo com uma necessidade, uma dor ou qualquer outro tema relacionado com eles. Só depois exponho o que Deus diz sobre o assunto em sua Palavra. Procuro não me concentrar em uma só passagem nem utilizar muitos versículos ou várias passagens. Chamo esse tipo de pregação "exposição versículo *com* versículo" ou "exposição tópica" (no seminário, a exposição tópica versículo com versículo é chamada "teologia sistemática"!).

Honestamente, não creio que para Deus faça diferença se você ensina a Bíblia livro por livro ou tópico por tópico, contanto que a Palavra seja ensinada. Ele não se importa se você começa com um texto e depois o aplica às necessidades do povo ou se você parte das necessidades para chegar ao texto.

Hoje, a "pregação direcionada às necessidades sentidas" é malvista e criticada em alguns círculos, acusada de baratear o evangelho e de se render ao consumismo. Quero deixar bem claro: começar uma mensagem a partir das necessidades humanas é mais que uma ferramenta de *marketing*! Isso se baseia num fato teológico: que Deus se revela ao ser humano conforme a necessidade deste. Tanto no Antigo quanto no Novo Testamento encontramos numerosos exemplos que comprovam essa verdade.

Até mesmo os nomes de Deus têm relação direta com nossas necessidades! Sempre que, na História, alguém perguntou a Deus: "Qual é teu nome?", a resposta foi a revelação de um nome de acordo com a necessidade do momento. Para os que necessitavam de um milagre, Deus se revelou como Jeová-Jiré (Eu Sou Seu Provedor). Aos que necessitavam de conforto, ele se revelou como Jeová-Shalom (Eu Sou Sua Paz). Para os que necessitavam de salvação, Deus se revelou como Jeová-Tsidkenu (Eu Sou Sua Justiça). Os exemplos continuam. Ele nos encontra onde estamos, no âmago de nossa necessidade. Pregar de acordo com as necessidades é um método teologicamente correto de apresentar o ser humano ao Pai celeste.

A pregação que muda vidas une a verdade da Palavra de Deus e as necessidades reais das pessoas por meio da aplicação. Começar pelo fim ou pelo princípio dependerá do tipo de plateia. O mais importante é que você, em algum momento, ponha lado a lado a verdade de Deus e as necessidades das pessoas por meio da aplicação, sem importar por onde a mensagem começou.

Tanto a exposição versículo por versículo (livro) quanto a exposição versículo com versículo (tópica) são necessárias para que a igreja cresça saudável. A exposição de um livro funciona melhor para a edificação. A exposição tópica funciona melhor para o evangelismo.

Torne a Bíblia acessível aos não-cristãos

Os não-cristãos normalmente se sentem intimidados pela Bíblia. Ela está cheia de nomes estranhos e não se parece em nada com o que estão acostumados a ler. As versões antigas são especialmente difíceis para os sem-igreja. Além disso, a Bíblia provavelmente é o único livro que eles manusearam cujas frases são numeradas e que tem capa de couro. Isso impõe aos não-cristãos um medo supersticioso quanto à leitura ou mesmo ao manuseio da Bíblia.

Sendo a Palavra de Deus, devemos fazer tudo que pudermos para que os sem-igreja tenham contato com ela e ajudá-los a se sentir à vontade ao manuseá-la. Há várias maneiras de aliviar a ansiedade e despertar o interesse dos não-cristãos pela Bíblia.

Use uma tradução mais moderna. Com todas as opções que temos hoje, não há razão para complicar as boas-novas com uma linguagem usada há quatrocentos anos. Usar uma versão antiga da Bíblia cria uma barreira cultural desnecessária. Lembre-se de que, há quatro séculos, a linguagem em que a Bíblia foi traduzida era contemporânea. A clareza é mais importante que a poesia.

Coloque exemplares da Bíblia nos assentos. Nos primeiros anos da Saddleback, compramos bíblias baratas e de capa dura e as colocamos em cada cadeira. Como os sem-igreja não conhecem os livros da Bíblia, muito menos a sequência deles, você pode simplesmente dizer em

> Tanto a exposição versículo por versículo (livro) quanto a exposição versículo com versículo (tópica) são necessárias para que a igreja cresça saudável.

que página das Escrituras está lendo [usando para isso exemplar idêntico ao que eles têm em mãos]. Isso evita que os visitantes se sintam envergonhados pela demora em localizar o texto. É humilhante sentar ao lado de alguém que acha o texto antes de você ter encontrado o índice!

Selecione os textos que irá ler. Toda a Escritura é igualmente inspirada por Deus, mas nem tudo é igualmente aplicável aos não-cristãos. Algumas passagens são claramente mais apropriadas para outras reuniões. Você provavelmente não irá ler num culto para não-cristãos a oração de Davi em Salmos 58.6,8,10: "Quebra os dentes deles, ó Deus; arranca, SENHOR, as presas desses leões! [...] Sejam como a lesma que se derrete pelo caminho; como feto abortado, não vejam eles o sol! [...] Os justos se alegrarão quando forem vingados, quando banharem seus pés no sangue dos ímpios". Guarde essa passagem para seus momentos devocionais ou para uma reunião de pastores!

Determinados textos requerem mais explicações que outros. Por isso, gostamos de usar na Saddleback passagens que não necessitam de explicações prévias. Também gostamos de usar passagens que mostram os benefícios de conhecer a Cristo.

Distribua o esboço com os textos bíblicos

Sempre providencio um esboço da mensagem com todos os versículos que usarei. Existem várias razões para fazer isso:

- Os sem-igreja não possuem Bíblia.
- O esboço elimina o constrangimento de encontrar textos.
- Você transmite mais da Palavra de Deus em menos tempo. Certa vez, contei quantas vezes um pastor conhecido disse: "Agora abram a Bíblia..." durante a mensagem dele e cronometrei o

tempo que as pessoas levaram para achar as passagens. Foram gastos sete minutos apenas para encontrar os textos.

- Todos podem ler juntos, em voz alta, o versículo, porque estão utilizando a mesma versão.
- Você pode usar e comparar várias traduções.
- A plateia pode sublinhar palavras enfatizadas e tomar notas nas margens.
- Isso ajuda as pessoas a lembrar a mensagem. Esquecemos 95% do que ouvimos em cerca de 72 horas. Isso significa que, se eles não tomaram nota, na quarta-feira sua congregação se lembrará apenas de 5% do que você pregou no domingo.
- As pessoas podem reler os versículos mais tarde, se fixarem as notas na geladeira.
- Isso pode se tornar a base para discussões em pequenos grupos.
- Os membros podem ensinar outras pessoas com o esboço. Um grande número de executivos membros da Saddleback estão ministrando estudos bíblicos no escritório. Eles usam o esboço que recebem no domingo.

A capacidade que um esboço tem de fixar valores sempre me surpreende. Recentemente, um professor de biologia contou-me como Deus usou um esboço para agir na vida dele. Ele recebeu um telefonema da filha adolescente, que havia sofrido um acidente de carro. Ela estava bem, mas o carro fora totalmente destruído, e a culpa era dela. Ele foi buscar a filha e, enquanto esperavam o reboque, sentou-se no meio-fio e começou a perceber quanto estava irritado com a irresponsabilidade dela.

Cada vez mais nervoso, notou um pedaço de papel caído na rua. Reconheceu que era um esboço de um de meus sermões e apanhou o papel. O tema da mensagem era: "Controlando sua raiva". Ele guarda até hoje esse pedaço de papel na carteira.

Existem tantos benefícios nesse método que jamais prego sem primeiro distribuir o esboço. Milhares de pastores o têm adotado. Se você quer uma amostra, escreva para mim.

Elabore títulos para chamar a atenção dos não-cristãos

Observe no jornal a seção onde as igrejas fazem os anúncios de suas atividades e perceberá que a maioria dos pastores está tentando atrair os sem-igreja pelo título de seus sermões. Uma coletânea de temas de mensagens publicada no *Los Angeles Times* inclui: "Formando tempestades", "Na estrada para Jericó", "Pedro saiu para pescar", "Castelo forte", "Instruções para a caminhada", "Tornando-se como Tito", "Nada como um relógio de borracha" "Rios de sangue", "O ministério dos potes quebrados".

Algum desses títulos faria você pular da cama e correr para a igreja? Algum deles despertaria interesse no não-cristão que folheasse o jornal? O que os pastores estão pensando? Por que gastam dinheiro fazendo propaganda de títulos como esses?

Tenho sido criticado por usar títulos de sermões dirigidos aos sem-igreja que soam como os artigos das *Seleções do Reader's Digest*. Isso é intencional. A revista *Seleções* ainda é uma das mais lidas no mundo porque seus artigos apelam para as necessidades, conflitos e interesses humanos.

Jesus disse: "Os filhos deste mundo são mais astutos no trato entre si do que os filhos da luz" (Lc 16.8). Eles sabem o que chama a atenção. Jesus espera que sejamos perspicazes e estratégicos em nosso evangelismo: "Eu os estou enviando como ovelhas entre lobos. Portanto, sejam astutos como as serpentes e sem malícia como as pombas" (Mt 10.16).

Os títulos dos meus sermões não são feitos para impressionar os membros de outras igrejas. Na verdade, se você julgar a Saddleback pelos títulos das mensagens, chegará à conclusão de que somos bastante superficiais. Mas, considerando que os cristãos não são o nosso alvo, não estamos sendo superficiais. Estamos sendo estratégicos. Por trás dos sermões direcionados às "necessidades sentidas", existe uma mensagem bíblica radical. A falta de compreensão de outros cristãos é um preço muito pequeno a ser pago para ganhar milhares de vidas para Cristo.

Pregue mensagens em série

Poucos pastores compreendem o poder de criar expectativa. Pregar sermões em série é um meio de fazer isso. Cada mensagem cresce apoiada na anterior, criando um pouco de suspense. As mensagens em série têm ainda a vantagem da propaganda boca a boca. Os ouvintes sabem exatamente para onde caminha cada mensagem. E, se os títulos forem previamente anunciados, as pessoas podem trazer os amigos nos dias em que o assunto vai ao encontro de suas necessidades.

Sempre anuncio uma nova série nos dias em que esperamos muitos visitantes, como, por exemplo, na Páscoa. Isso é um gancho para fazer os que nos visitam pela primeira vez retornarem na semana seguinte. A melhor duração para uma série é de quatro a oito semanas. Mais que isso fará as pessoas perderem o interesse e começar a se perguntar se você sabe pregar outro assunto. Certa vez, ouvi uma mulher reclamar: "Meu pastor está pregando sobre o livro de Daniel há 70 semanas!".

Seja coerente no estilo de pregação

Você não pode mudar a toda hora, tentando alcançar as necessidades de cristãos e não-cristãos. Por exemplo, não passe da série "Administrando o estresse" para "As preciosidades expositivas de Levítico" ou para "O que Deus pensa sobre sexo", seguida por "Desmascarando a besta do Apocalipse". Os membros de sua igreja ficarão esquizofrênicos, e ninguém vai saber se é seguro trazer os amigos para o culto.

Não estou dizendo que você não possa pregar temas de edificação nos cultos para os sem-igreja. Acredito que sim, e também faço isso. Como mencionei no capítulo anterior, gosto de ensinar teologia e doutrina para eles, mas sem dizer o que é e sem usar terminologia técnica. Mas, quando você pregar sobre algum aspecto da maturidade espiritual, faça-o de modo que a mensagem se adapte às necessidades dos não-cristãos.

Escolha cuidadosamente pregadores convidados

Ultimamente, não costumamos trazer muitos preletores de fora porque reuni um time de pregadores em nossa equipe pastoral que compartilha o fardo comigo. A vantagem de se usar equipe própria é que ela conhece e ama as pessoas, e por isso a pregação será coerente com a filosofia ministerial da igreja.

Basta um pregador de fora que não esteja em sintonia com sua visão para que você perca pessoas que está tentando cativar há meses. Quando o sem-igreja tem uma experiência ruim, é muito difícil trazê-lo de volta. Se está começando a ficar à vontade e a baixar a guarda, e um pregador desavisado o tira do trilho, as piores suspeitas sobre a igreja então "se confirmam".

Já cancelamos compromissos com pregadores depois do primeiro culto, ao perceber que eles não compartilhavam nossas crenças nem se adaptaram ao nosso estilo. Certa vez, eu estava de férias quando nossa igreja recebeu um pregador famoso, que iria me substituir. Infelizmente, sua mensagem era que Deus queria que todos os cristãos enriquecessem. Depois da primeira reunião, meu co-pastor procurou-o e disse: "Obrigado, mas não vamos mais precisar de você nas próximas três semanas!". Nosso pastor de jovens tirou um esboço de dentro da Bíblia e pregou no lugar do convidado. Os pastores devem proteger suas ovelhas das heresias.

Pregue com compromisso

Devemos sempre oferecer aos não-cristãos uma oportunidade para aceitarem Cristo nos cultos planejados para eles. Obviamente, a escolha é deles, e você precisa respeitar isso sem fazer pressão. No entanto, é necessário que a oportunidade seja sempre oferecida. Muitos pastores vão pescar, mas não lançam a rede.

Existem muitas formas de tirar a rede da água. Quando eu estava planejando o primeiro culto da Saddleback, tinha a intenção de fazer o apelo tradicional, convidando o povo para " vir à frente" no final do culto. Como bom batista do Sul, essa era a forma tradicional de fazer a coisa.

Entretanto, ao concluir minha primeira mensagem no teatro da Laguna Hills High School, percebi que tinha dois problemas. Primeiro, não havia corredor entre as cadeiras, que eram soldadas umas às outras, pois o lugar fora projetado para ser esvaziado pelas portas laterais. Segundo, reconheci que, mesmo que conseguissem ir à frente, iriam deparar com o poço da orquestra.

> Muitos pastores vão pescar, mas não lançam a rede.

Quase caí na gargalhada quando pensei: "Vou pedir que venham à frente e pulem no buraco para Jesus!". Honestamente, não sabia o que fazer. Como as pessoas iriam demonstrar que estavam assumindo um compromisso com Cristo se não podiam vir à frente?

Nas semanas seguintes, experimentamos formas diferentes de fazer as pessoas indicarem seu compromisso com Cristo. Preparamos a Sala de Aconselhamento, onde poderiam ir após o culto, mas descobrimos que, depois de sair da reunião, elas iam direto para o carro. Se você decidir usar uma sala em separado, não a chame "Sala de Aconselhamento". Para o sem-igreja, parece que você o está introduzindo em uma ala psiquiátrica. Adote um nome que não assuste, como "Centro de Visitantes" ou "Área de Recepção".

Depois de uma série de experiências, tivemos a ideia de usar o cartão de registro/compromisso e transformamos o verso de nosso cartão de boas-vindas em cartão de decisão. No começo do culto, convidamos todos a preencher a parte da frente. No final do culto, pedimos a todos que abaixem a cabeça enquanto faço a oração final. Nessa hora, concedo aos não-cristãos a oportunidade de firmarem um compromisso com o Senhor. Depois, faço uma oração padronizada, para servir de exemplo, e peço-lhes que me informem a decisão que tomaram, registrando-a no cartão de compromisso. A última parte de nosso culto consiste numa música especial e na coleta dos cartões e das ofertas, simultaneamente. Os cartões são processados na mesma hora, para que o acompanhamento seja feito. Enquanto o culto seguinte está acontecendo, a informação coletada nos cartões do culto anterior é introduzida nos computadores.

Esse método tem funcionado tão bem que continuamos a fazer uso dele, mesmo depois de mudarmos para um lugar que já permitia um apelo convencional. Tivemos cultos em que 100, 200, 300 e uma vez quase 400 não-cristãos aceitaram Cristo, indicando isso no cartão.

Alguns podem perguntar: "Onde as pessoas fazem sua profissão *pública* de fé?". Essa é a função do batismo, que é uma declaração pública de fé em Cristo. Algumas igrejas dão ênfase exagerada ao apelo e negligenciam o batismo.

Oferecer um momento para pensar em compromisso é um elemento importante num culto para os não-cristãos. Eis algumas sugestões para ajudar as pessoas a assumir esse compromisso.

Explique claramente o que fazer para aceitar Cristo. Muitos convites para a salvação são mal interpretados. O sem-igreja, em geral, não tem a mínima ideia do que está acontecendo.

Planeje o momento do compromisso. Deliberada e cuidadosamente, pense bem no que você quer que aconteça. Dar oportunidade para alguém vir a Cristo é algo importante demais para ser feito sem planejamento. O destino eterno de muita gente está na balança.

Seja criativo ao fazer o apelo. Se você falar a mesma coisa todas as semanas, seus ouvintes, tomados pelo tédio, deixarão de ouvir o apelo. A melhor forma de evitar a mesmice é você se forçar a escrever o chamado ao compromisso junto com a mensagem.

Dirija os não-cristãos em uma oração-modelo. Os sem-igreja não sabem o que dizer a Deus, então dê a eles um exemplo: "Você pode orar assim:...". Peça-lhes que repitam uma oração simples. Isso ajuda as pessoas a verbalizarem a fé.

Nunca pressione os não-cristãos a uma decisão. Confie no Espírito Santo para fazer o trabalho. Como já disse no capítulo 10, se a fruta estiver madura, não será necessário arrancá-la. O apelo extenso demais é prejudicial: endurece o coração, em vez de amaciá-lo. Costumamos orientar os ouvintes a usar o tempo que julgarem necessário para pensar nessa decisão. Acredito que, se forem honestos consigo mesmos, tomarão a decisão certa.

Lembre-se de que você está pedindo às pessoas que tomem a decisão mais importante da vida delas. O evangelismo é normalmente um processo de exposição repetitiva das boas-novas. É ingenuidade esperar que um homem de 40 anos tome outro rumo na vida com base numa pregação de 30 minutos. Você continuaria indo ao supermercado se toda vez um funcionário o forçasse a comprar carne, mesmo que você fosse apenas comprar leite? Imagine um funcionário dizendo: "Hoje é o dia da carne! Você deve comprar carne hoje, porque pode não haver carne amanhã!". As pessoas, em geral, não são tão fechadas como pensamos. Precisam apenas de tempo para ponderar sobre a decisão que você está pedindo que tomem.

Ofereça formas variadas de demonstrar compromisso com o Senhor. Se você está no momento fazendo o apelo tradicional, não o substitua: tente acrescentar o método do cartão. Lance outro anzol na água. O cartão pode ser uma alternativa para os que são tímidos e não querem ir à frente. Lembre-se: Jesus nunca disse que você deve ir do ponto "a" para o ponto "b" dentro do templo para professar sua fé.

Na verdade, o apelo é uma invenção moderna. Asahael Nettleton começou a usá-lo em 1817, e Charles Finney o popularizou. Não havia apelo nas igrejas do Novo Testamento porque, durante 300 anos, não existiram templos, o que significa que não havia corredores para que as pessoas passassem nem altar para os que fossem à frente!

Um dos métodos de apelo mais eficazes que já usei é o da "pesquisa espiritual", no final do culto. Depois de apresentar o plano de salvação e dirigir a oração de compromisso, digo: "Nada me deixaria mais feliz agora que ter uma conversa pessoal com cada um de vocês sobre sua jornada espiritual. Gostaria de convidá-los para comer alguma coisa, tomar um café, e que vocês me dissessem como a vida está indo. Infelizmente, por causa do tamanho de nossa igreja, isso não é possível. Então gostaria que vocês me fizessem o favor de participar de uma pesquisa. Peguem o cartão de boas-vindas, que vocês preencheram ainda há pouco, e no verso marquem a letra 'a', 'b', 'c' ou 'd', com base no que vou explicar. Se você entregou sua vida a Cristo antes deste culto, marque a letra 'a'. Se você está recebendo Cristo pela primeira vez, marque a letra 'b'. Se você está dizendo: "Rick, ainda não tomei uma decisão, mas quero que você saiba que estou pensando nisso", marque a letra 'c'. Se você sente que jamais entregará sua vida a Cristo, agradeço sua honestidade. Por favor, marque a letra 'd' no cartão".

Os resultados sempre me surpreendem. Num domingo, tivemos quase 400 profissões de fé em Cristo ("b"). Já chegamos a ter 800 motivos de oração, ou seja, pessoas que marcaram "c". Nunca tivemos mais de 17 pessoas que optassem pela letra "d".

Espere sempre uma reação. Não sei exatamente como a fé age numa batalha espiritual pela alma de alguém, mas uma coisa sei: sempre que espero uma resposta dos não-cristãos com relação a Cristo, nossos resultados são maiores que quando não temos expectativa de conversões.

Certa vez, um jovem estudante de seminário queixou-se a Charles Spurgeon:

— Não entendo! Quando prego, ninguém aceita Cristo, mas, quando você prega, as pessoas sempre se convertem!

— Você espera que as pessoas se entreguem a Cristo *toda vez* que prega? — retrucou Spurgeon.

— Claro que não! — respondeu o jovem.

— Esse é o seu problema — concluiu Spurgeon.

Sempre oro assim: "Pai, como disseste, de acordo com nossa fé, tu farias algo em nós. Sei que seria perda de tempo falar e não esperar que usasses nossas palavras. Assim, agradeço-te desde já pelas vidas que irás transformar".

A primazia da pregação

Este capítulo não foi escrito com a pretensão de dar uma explanação completa sobre minha filosofia de pregação. Para isso, seria necessário outro livro. Meu propósito aqui foi somente destacar algumas sugestões práticas que podem fazer grande diferença na mensagem pregada aos sem--igreja, não importa qual seja seu estilo.

A pregação parece entrar e sair de moda em muitas denominações. Num mundo de alta tecnologia como o nosso, a pregação é muitas vezes criticada por se tornar um meio de comunicação ultrapassado e desinteressante. Concordo que muitos estilos que já funcionaram bem deixaram hoje de ser eficientes para a comunicação com os não-cristãos. No que diz respeito a mudanças radicais de vida nos indivíduos, nada pode substituir a pregação ungida pelo Espírito. Todos esses anos de crescimento da Saddleback, a despeito de ginásios, tendas com goteiras e falta de estacionamento, têm mostrado que as pessoas podem suportar muitas inconveniências e limitações se as mensagens atenderem às necessidades delas.

Parte cinco

Construindo a igreja

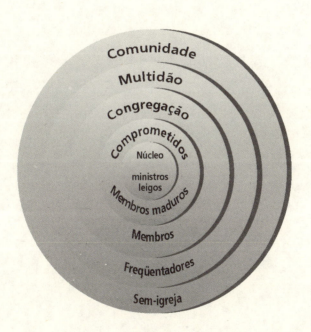

17
Transformando frequentadores em membros

Vocês já não são estrangeiros nem forasteiros, mas concidadãos dos santos e membros da família de Deus.
Efésios 2.19

Em Cristo nós, que somos muitos, formamos um corpo, e cada membro está ligado a todos os outros.
Romanos 12.5

Uma vez formada a multidão de frequentadores, você precisa começar a importante missão de transformá-los em congregação, ou seja, em membros. A multidão deve tornar-se igreja. Em nosso diagrama do processo de desenvolvimento de vida, chamamos essa etapa de "levando as pessoas à primeira base". Fazemos isso por assimilação, processo que consiste em levar alguém a tomar conhecimento da existência da sua igreja para depois frequentá-la e, finalmente, tornar-se um membro ativo dela. A comunidade fala sobre "*aquela* igreja". A multidão faz referência a "*esta* igreja", mas a congregação diz "*nossa* igreja". Os membros têm senso de propriedade. São contribuintes, não apenas consumidores.

Costumo classificar alguns cristãos dos Estados Unidos como "flutuantes". Em qualquer lugar do mundo, ser cristão significa estar ligado a uma igreja local. Você raramente encontra um cristão solitário em outros países. Muitos cristãos americanos, porém, pulam de uma igreja para outra sem nenhuma identidade, responsabilidade ou compromisso. Essa é uma consequência direta do descontrolado individualismo americano. Não foram ensinados que a vida cristã envolve mais que somente *crer*: envolve também *participar*. Crescemos em Cristo estando em relacionamento com outros cristãos. Em Romanos 12.10, lemos: "Dediquem-se uns aos outros com amor fraternal".

C. S. Lewis escreveu um artigo sobre o assunto, lembrando que a palavra "membresia" tem origem cristã, mas foi tomada pelo mundo e esvaziada de seu significado original. Hoje, a maioria das pessoas associa o termo "membro" a companheiros de jogo, rituais sem significado, regras bobas, apertos de mãos e ter o nome em algum rol empoeirado. Paulo, no entanto, tinha um conceito bem diferente. Para ele, ser membro de igreja não significava a fria afiliação a uma instituição, e sim o ato de tornar-se membro vital do corpo de Cristo (Rm 12.4,5; 1Co 6.15; 12.12-27). Precisamos recuperar essa imagem. O órgão retirado do corpo não apenas irá fazer falta, deixando de cumprir a finalidade que lhe foi destinada, como também irá definhar e morrer rapidamente. O mesmo acontece com os cristãos que não têm compromisso com uma igreja local.

A integração de novos membros à comunhão de sua igreja não acontece automaticamente. Se você não tiver um sistema e uma estrutura para acolhê-los e *mantê-los*, eles não irão permanecer. Você verá pessoas saindo e entrando o tempo todo.

Muitas igrejas agem erroneamente, dizendo que, uma vez que as pessoas receberam Cristo, a venda foi consumada, e agora é problema do recém-convertido manter firme seu compromisso e se juntar à igreja. Isso não faz sentido! Os bebês na fé não sabem de que precisam! É responsabilidade da igreja tomar a iniciativa de integrá-los à congregação.

Acredito que, quando Deus quer integrar os bebês na fé, ele procura a incubadora mais apropriada. As igrejas que fazem da integração uma prioridade e têm planos para executá-la são abençoadas com o crescimento. Já as igrejas que não cuidam dos novos membros ou são descuidadas nesse item simplesmente não experimentam crescimento. Neste capítulo, gostaria de compartilhar a estratégia que usamos na Saddleback para incorporar e manter os membros em nossa comunidade.

Desenvolva um plano de integração

Uma vez que nossa igreja tem história, cultura e índice de crescimento diferente, você precisa responder a algumas perguntas fundamentais. As respostas irão determinar o plano de integração que melhor se encaixa em sua comunidade. Em Provérbios 20.18, lemos: "Os conselhos são importantes para quem quiser fazer planos". Aqui estão as perguntas:

1. O que Deus espera dos membros de nossa igreja?
2. O que esperamos de nossos membros neste momento?
3. O que pensam as pessoas sobre nossa congregação?
4. Que mudanças ocorrerão nos próximos cinco a dez anos?
5. Quais são nossos valores?
6. Quais as necessidades mais importantes de nossos novos membros?
7. Quais as maiores necessidades de nossos membros mais antigos?
8. Como podemos tornar a membresia mais significativa?
9. Como assegurar que os membros se sintam amados e queridos?
10. Qual nossa real obrigação para com nossos membros?
11. Que recursos e serviços podemos oferecer aos nossos membros?
12. Como melhorar o que já oferecemos?

Em seguida, você precisa reconhecer que os membros têm igualmente perguntas a fazer. Essas perguntas também irão influenciar o desenvolvimento de seu plano de integração. Antes de se comprometer com sua igreja, eles querem saber a resposta às seguintes perguntas:

Eu me encaixo aqui? Essa pergunta diz respeito à *aceitação*. A melhor resposta é estabelecer grupos de afinidade em sua igreja. Assim, membros com idades, interesses, problemas ou histórias similares poderão se relacionar uns com os outros. Todos nós necessitamos do aconchego de pequenos grupos. Eles desempenham o papel crucial de atender a essas necessidades. Você deve mostrar que em sua igreja há um lugar para todos.

Alguém aqui se interessa em me conhecer? Essa pergunta diz respeito à amizade. Você pode responder criando oportunidades para que os membros desenvolvam relacionamentos no ambiente da congregação. Existem maneiras ilimitadas de fazer isso, mas é necessário planejamento. Lembre-se: todos procuram uma igreja amigável, todos procuram amigos. O tratamento deve ser personalizado.

Precisam de mim aqui? Essa pergunta diz respeito ao desejo de ser *útil*. Todos querem dar alguma contribuição ao grupo, querem sentir que têm importância. Se você mostrar aos membros que eles podem, com seus dons e talentos, acrescentar algo à igreja, todos desejarão se envolver. Faça de sua comunidade um lugar aberto à criatividade e a todo tipo de talentos e dons, não somente a cantores, recepcionistas e professores da escola bíblica dominical.

Qual a vantagem de me unir a esta igreja? Essa pergunta diz respeito aos benefícios pessoais. Você deve estar preparado para explicar de maneira clara e concisa as vantagens de ser membro de sua igreja. Apresente as razões bíblicas, práticas e pessoais que recomendam tal atitude.

O que esperam de mim? Essa pergunta diz respeito a satisfazer as *expectativas*. Você deve estar preparado para explicar as responsabilidades de tornar-se membro de sua igreja tão claramente quanto enumera os benefícios. Todos têm o direito de saber o que a congregação espera deles.

Esclareça a importância de ser membro de uma igreja

Unir-se a uma igreja era um hábito na sociedade americana. A pessoa se filiava a uma igreja porque era o que todo mundo fazia. Agora as regras mudaram, e a conformidade não é mais um fator de motivação. Na verdade, George Gallup descobriu que a maioria dos americanos acredita que é possível ser um "bom cristão" sem se unir a (ou até mesmo frequentar) uma igreja local.

No entanto, tornar-se membro de uma igreja hoje é um ato de compromisso. A forma de você motivar as pessoas a se unir à sua igreja é mostrar-lhes os benefícios que receberão com o compromisso assumido.

Existem muitos benefícios em tornar-se membro de uma igreja:

1. A pessoa é identificada como cristão verdadeiro (Ef 2.19; Rm 12.5).
2. Proporciona ao cristão uma família espiritual para apoiá-lo e motivá-lo na caminhada com Cristo (Gl 6.1,2; Hb 10.24,25).

3. Oferece um lugar propício à descoberta dos dons ministeriais (1Co 12.4-27).

4. Dá ao novo membro proteção espiritual de líderes que seguem a Deus (Hb 13.17; At 20.28,29).

5. Desperta a consciência para a necessidade de crescer (Ef 5.21).

No capítulo 6, sugeri que você personalizasse os propósitos da igreja. Isso é fundamental para quem quer convencer os frequentadores a fazer parte da congregação. Você precisa enfatizar que a igreja proporciona benefícios que não podem ser achados em nenhum outro lugar do mundo:

- A adoração ajuda o membro a se concentrar em Deus. Ela o prepara espiritual e emocionalmente para a semana que está se iniciando.
- A comunhão ajuda o membro a enfrentar os problemas, por meio do apoio e encorajamento recebido de outros cristãos.
- O discipulado ajuda o membro a fortalecer a fé, proporcionando-lhe conhecimento da Palavra de Deus e oportunidade para aplicar os princípios bíblicos ao seu estilo de vida.
- O ministério ajuda o membro a descobrir e desenvolver seus talentos e a usá-los para servir ao próximo.
- O evangelismo ajuda o membro a cumprir a missão de alcançar os amigos e a família para Cristo.

Há muitas analogias sobre o cristão que não é filiado a nenhuma igreja: um jogador de futebol sem time, um soldado sem tropa, uma ovelha sem rebanho. A mais compreensível (e bíblica) é a figura da criança sem família. Em 1Timóteo 3.15, Paulo refere-se à igreja como os que pertencem à família de Deus. Essa família é a igreja do Deus vivo, coluna e fundamento da verdade. Deus não quer que seus filhos cresçam isolados uns dos outros. Ele criou uma família espiritual neste mundo. Em Efésios 2.19, lemos: "Vocês já não são estrangeiros nem forasteiros, mas concidadãos dos santos e membros da família de Deus". O cristão sem a família eclesiástica é um órfão.

É fundamental destacar a igreja como família, em vez de instituição. Desde a década de 1960, os americanos vêm se tornando cada vez mais antiinstitucionais. A expressão "religião organizada" é usada com sarcasmo. Apesar de tudo, as pessoas estão ansiosas para fazer parte de uma família ou de uma comunidade.

Vários fatores têm contribuído para fragmentar o núcleo da família na cultura atual: o alto índice de divórcios, casais que se unem sem se casar, a ênfase na individualidade, estilos de vida "alternativos", a mulher que trabalha fora, entre outros. A mobilidade fácil é outro fator. Em nossa sociedade móvel, o povo não cria raiz. Não estão mais cercados pela família — tios e tias, avôs e avós e irmãos e irmãs —, fator que proporcionava segurança às gerações anteriores.

Hoje temos um número recorde de adultos solteiros nos Estados Unidos. Vance Packard chama este país "uma nação de estranhos". Como resultado, estamos experimentando uma epidemia de solidão em nossa sociedade. Uma pesquisa do Gallup diz que quatro entre dez americanos admitem ter sentimentos de "intensa solidão". Os americanos são, na verdade, o povo mais solitário do mundo.

Para onde quer que se olhe, são perceptíveis os sinais de pessoas ansiosas por comunhão, comunidade e sentimento familiar. Os comerciais de cerveja, por exemplo, não vendem cerveja: vendem amizade. Ninguém é visto bebendo sozinho. O comercial mostra sempre pessoas desfrutando a companhia de outras. Esta frase acompanha uma propaganda: "Não há nada melhor que isso!". Os comerciais descobriram que a nova geração de mentalidade independente se encontra em um estado de saudosismo e deseja companhia à medida que vai amadurecendo.

Esse "desejo de fazer parte" oferece às igrejas uma oportunidade única. Apresentar sua igreja como "uma extensão da família" ou como "um lugar onde tomarão conta de você" tocará profundamente os corações solitários.

Estabeleça um curso de membresia obrigatório

Estudos demonstram que a forma em que as pessoas se unem a uma organização influencia grandemente sua atuação dentro dela, depois que se tornam membros. Isso também acontece com a igreja. A *maneira* pela qual alguém se une à congregação irá determinar sua continuidade como membro por muitos anos.

Acredito que o curso mais importante em uma igreja é o de membresia, porque dará o rumo e o nível de expectativa de tudo o que virá a seguir. A melhor hora de solicitar um forte compromisso do membro é no momento em que ele se une à igreja. Se você requer muito pouco de um candidato a membro, muito pouco também deverá esperar dele depois.

Assim como um curso fraco de membresia gera uma congregação fraca, um curso sólido gera uma comunidade forte. Note que *sólido* aqui não significa necessariamente *prolongado*. O curso de membresia da Saddleback (classe nº 1) tem apenas quatro horas de duração e é ensinado num único dia. Mesmo assim, produz alto nível de compromisso, pois os participantes descobrem exatamente o que se espera delas como membros. A força de um curso de membresia é determinada pelo conteúdo e por seu apelo ao compromisso, e não por sua duração.

Por uma série de razões, acredito que o pastor da igreja deve ministrar a essa classe, pelo menos parcialmente. A oportunidade de conhecer a perspectiva de igreja do pastor, o amor que ele sente pelos membros e seu compromisso em cuidar, alimentar e liderar é fundamental para o novo membro. A carta reproduzida a seguir, de um novo membro, expressa o que muitos têm escrito sobre nosso curso:

> Caro pastor Rick,
>
> Obrigado pela aula ministrada no curso de membresia. Ficamos sensibilizados ao ouvir sua expressão de amor e de compromisso para com o rebanho e sua perspectiva para o futuro. Pena não termos participado dessa classe há mais tempo! Os comentários e sugestões que fizemos quando visitamos Saddleback pela primeira vez parecem triviais, agora que entendemos a filosofia, a estratégia e a visão da igreja. Será um privilégio seguir sua liderança e estar sob seu cuidado. Estamos muito felizes por termos encontrado, nesta igreja, um lugar onde servir.

Em algumas igrejas, os cursos de membresia utilizam o material errado. O conteúdo baseia-se no crescimento espiritual e em doutrinas básicas.

Embora esses assuntos sejam vitais, são mais apropriados aos cursos de ensino doutrinário.

O curso de membresia deve responder às seguintes perguntas:

- O que é uma igreja?
- Qual é o propósito de uma igreja?
- Quais são os benefícios de ser membro?
- O que é requerido de um membro?
- Quais são as responsabilidades do membro?
- Como a igreja é organizada?
- Como posso me envolver no ministério?
- O que fazer, agora que sou membro?

Se sua igreja tem como alvo os sem-igreja, você precisa incluir uma explicação clara a respeito da salvação em seu curso de membresia, pois pode ser que haja não-cristãos entre os que desejam unir-se à sua igreja. Na Saddleback, sempre explicamos que confiar em Cristo é o primeiro passo para tornar-se membro da igreja. Em todas as turmas, ocorrem conversões a Cristo!

Há muitos elementos que podem contribuir para tornar seu curso de membresia interessante e interativo: vídeo, currículos a serem preenchidos, interação em pequenos grupos — e boa comida, é claro! Não se esqueça de incluir histórias que personalizem a trajetória, os valores e os rumos de sua comunidade. Em nossa igreja, fazemos até uma prova no final da aula, a fim de verificar se os futuros membros aprenderam os propósitos e os conceitos mais importantes.

Participar do curso de membresia é item obrigatório para se tornar membro da Saddleback. Quem não demonstra interesse em conhecer os propósitos e estratégias da igreja não é apto para o tipo de compromisso que exigimos. Quem não se preocupa em saber suas responsabilidades não poderá cumpri-las depois de se unir à igreja. Existem muitas outras congregações às quais ele pode se filiar, nas quais nenhuma responsabilidade é exigida.

É importante também levar em consideração as diferentes faixas etárias quando se ensina um curso de membresia. Oferecemos três versões: uma para crianças (de responsabilidade de nosso pastor de crianças); uma para adolescentes (ensinada pelo nosso pastor de jovens) e uma para adultos.

Desenvolva um pacto de membresia

Por que vemos nas igrejas tantos membros e tão pouca ou nenhuma evidência de compromisso com Cristo ou até mesmo de conversão? Por que é difícil para tantas igrejas motivar os membros a contribuir, servir, orar e compartilhar sua fé? A resposta é que a igreja permite que os membros se unam a ela sem manifestar nenhuma expectativa em relação a eles. Elas têm hoje exatamente o que pediram.

Paulo menciona dois tipos diferentes de compromisso: "... não somente fizeram o que esperávamos, mas entregaram-se primeiramente a si mesmos ao Senhor e, depois, a nós, pela vontade de Deus" (2Co 8.5). Na Saddleback, chamamos isso de "compromisso de primeira base". Você se compromete com Cristo para a salvação e depois se compromete com outros cristãos para se tornar membro da família eclesiástica. Definimos *koinonia* (comunhão) como "ser comprometido uns com os outros, assim como temos um compromisso com Jesus Cristo".

O Senhor disse que nosso amor mútuo é a marca do discipulado (v. Jo 13.34,35). É lamentável que a maioria dos cristãos tenha memorizado João 3.16, mas nem saibam que 1João 3.16 existe: "Nisto conhecemos o que é o amor: Jesus Cristo deu a sua vida por nós, e devemos dar a nossa vida por nossos irmãos". Qual foi a última vez que você ouviu um sermão sobre esse versículo? A maioria das igrejas faz silêncio sobre esse nível de compromisso recíproco.

A expressão "uns aos outros" e similares aparece mais de 50 vezes no Novo Testamento. Recebemos ordem para amar uns aos outros, orar uns pelos outros, encorajar uns aos outros, admoestar uns aos outros, saudar uns aos outros, servir uns aos outros, ensinar uns aos outros, aceitar uns aos outros, honrar uns aos outros, suportar os fardos uns dos outros, perdoar uns aos outros, cantar uns para os outros, submeter-nos uns aos outros e nos devotar uns aos outros. Todos esses mandamentos mostram o que significa ser membro de um corpo local de cristãos. São as responsabilidades da membresia. Na Saddleback, esperamos de nossos membros somente o que a Bíblia claramente espera de todos os cristãos e resumimos essas expectativas em nosso pacto de membresia.

A parte mais importante da cerimônia de casamento é quando o homem e a mulher trocam votos, fazendo promessas um ao outro perante as testemunhas e diante de Deus. Esse pacto é a essência do casamento. Da mesma forma, a essência de ser membro da igreja reside na disposição em fazer o pacto de membresia.

Por toda a história da Bíblia e da Igreja, pactos espirituais foram firmados entre pessoas para edificação e responsabilidade mútuas. Na Saddleback, há quatro requisitos para tornar-se membro: 1) confissão pessoal de Cristo como Senhor e Salvador; 2) batismo por imersão como símbolo de profissão pública de fé; 3) ingresso no curso de membresia; 4) compromisso de permanecer fiel ao pacto de membresia da Saddleback.

Insisto em que você adote um pacto semelhante em sua congregação, caso ainda não tenha um. Isso pode revolucionar sua igreja. Talvez você esteja preocupado com o fato de que, se adotá-lo, alguns deixarão sua igreja. Você está certo. Alguns sempre saem. Mas isso sempre acontece, *não importa o que você faça*. Não se preocupe. Até Jesus foi abandonado. Quando sua congregação adota um pacto de membresia, pelo menos você pode escolher com que tipo de pessoas vai congregar.

Faça seus membros se sentirem especiais

Ao concluir o curso de membresia, a pessoa já se sente parte do corpo. Quando se une à igreja, o membro precisa sentir-se bem-vindo e amado. Precisa ser reconhecido, aceito e festejado pela congregação — precisa sentir-se *especial*. Uma igreja pequena pode ser capaz de fazer isso informalmente. À medida que cresce, porém, você precisa criar um "ritual de iniciação", algo que expresse publicamente: "Agora você é um de nós!".

O batismo de novos cristãos é um evento que obviamente se encaixa em outra categoria. Nossos batismos mensais são sempre grandes celebrações. Há muitos sorrisos, aplausos e gritos de alegria. Temos um fotógrafo profissional que fotografa cada pessoa, antes de ser batizada. Depois, presenteamos os que foram batizados com uma foto do batismo e com um certificado (dentro de uma linda moldura de couro, que as pessoas gostam de mostrar para todo mundo).

Quando a Saddleback era menor, costumávamos alugar um clube de campo chamado Mission Viejo a cada três meses, onde oferecíamos um banquete aos novos membros. Os membros mais antigos pagavam a conta. Cada novo membro era apresentado e dava um testemunho de dois minutos. Jamais consegui passar um período de testemunho sobre mudança de vida sem chorar.

Currículo do curso *Comprometidos com a membresia* da Saddleback

I. Nossa salvação
  A. Tendo certeza de que você é cristão
  B. Os símbolos da salvação
    1. Batismo
    2. Comunhão
II. Nossas declarações
  A. Declaração de propósito: *A razão de nossa existência*
  B. Declaração de visão: *O que queremos fazer*
  C. Declaração de fé: *O que cremos*
  D. Declaração de valores: *O que fazemos*
III. Nossa estratégia
  A. Breve história da Saddleback
  B. Quem estamos tentando alcançar (nosso alvo)
  C. Nosso Processo de Desenvolvimento de Vida, que o ajudará a crescer
  D. A estratégia da Saddleback
IV. Nossa estrutura
  A. Como nossa igreja se organiza para o crescimento
  B. Nossa filiação
  C. O que significa ser membro
  D. Qual o próximo passo depois de me tornar membro?
V. Teste de conhecimentos

Durante muitos anos, Kay e eu oferecemos um café informal em nossa casa, no quarto domingo de cada mês. Nós o chamávamos "Bate-papo com o pastor". Era uma oportunidade de encontro com os novos membros e visitantes dos últimos meses, para que eles pudessem fazer as perguntas que desejavam. Uma lista ficava à entrada do templo, onde os que quisessem nos visitar podiam se inscrever. O "bate-papo" ia das 19 às 22 horas. Esse ato simples de hospitalidade trouxe centenas de novos membros e estabeleceu muitos relacionamentos pessoais. A hospitalidade faz que a igreja cresça saudável

Existem muitas outras formas de fazer um membro se sentir especial: enviar uma carta no aniversário, escrever para ele em seu primeiro aniversário como membro da igreja, escrever em outras ocasiões (nascimento de um filho, casamento, aniversário, formatura, datas importantes em geral), ter um testemunho lido no culto, promover reuniões com a equipe e depois enviar uma carta, dizendo: "Nós oramos por você", respondendo a um pedido de oração. A verdade é que as pessoas necessitam de algo mais que um aperto de mão no final do culto para se sentir parte do grupo.

Crie oportunidades para construir relacionamentos

Ajudar os membros a desenvolver amizades dentro da igreja é absolutamente imprescindível. Os relacionamentos são a cola que mantém a igreja unida. As amizades são a chave para manter os membros na igreja.

Um amigo contou-me sobre uma pesquisa que fez. Ele perguntou: "Por que você se uniu a essa igreja?". Dos membros, 93% responderam: "Viemos para cá por causa do pastor". "E se o pastor sair da igreja, você sai também?". Noventa e três por cento dos entrevistados responderam: "Não". Quando perguntou: "Por que você não sairia?", eles responderam: "Porque temos amigos aqui!". Note a transferência de lealdade. Isso é normal e saudável.

Lyle Schaller realizou uma extensa pesquisa, que revelou que quanto mais amigos uma pessoa tem numa congregação menores são as possibilidades de ela se tornar inativa ou sair da igreja. Também li uma pesquisa feita com 400 pessoas que haviam deixado sua igreja: "Por que você deixou sua igreja?". Mais de 75% responderam: "Ninguém se importava se estávamos lá ou não".

Não passa de mito a ideia de que você precisa conhecer todo mundo na igreja para se sentir parte dela. O membro da igreja conhece, em média, 67 pessoas numa congregação típica dos Estados Unidos, não importando se a igreja tem 200 ou 2 mil membros. O membro não é obrigado a conhecer todos os outros membros para sentir que está na igreja dele, mas é necessário que conheça *algumas* pessoas.

Embora alguns relacionamentos se desenvolvam espontaneamente, o fator amizade é importante demais para ser deixado ao acaso. Você não deve simplesmente *esperar* que os membros façam amigos em sua igreja. Em vez disso, deve encorajar e planejar atividades para facilitar esses relacionamentos.

Pense em termos de relacionamentos. Crie o máximo de oportunidades possíveis para que os membros possam se encontrar e conhecer uns aos outros. Muitas reuniões da igreja consistem somente em preleções. Os membros podem muito bem entrar e sair da igreja um ano inteiro sem desenvolver uma amizade sequer. Tente incluir algum tipo de atividade cada vez que a igreja estiver reunida, algo simples como dizer: "Vire-se, apresente-se a alguém e descubra algo interessante a respeito dele".

Mesmo que tenhamos usado todos os tipos de eventos para construir relacionamentos dentro da família de nossa igreja (jantares, esportes, jogos, piqueniques etc.), nossos retiros de final de semana têm sido a ferramenta mais eficiente para cultivar novas amizades. Considere isto: um membro passa mais tempo com os outros cristãos em um único retiro de 48 horas que nos domingos de um ano inteiro somados. Se você é um implantador de igrejas e quer desenvolver relacionamentos rapidamente em sua comunidade, leve todos para um retiro.

A maioria das pessoas tem dificuldade para lembrar nomes, especialmente em uma igreja grande. Use adesivos com o nome das pessoas sempre que possível. Nada envergonha mais que não saber o nome de alguém que frequenta a igreja há anos.

Encoraje cada membro a se unir a um pequeno grupo

Uma das maiores preocupações dos membros em relação ao crescimento da igreja é a respeito de como manter o sentimento de "igreja pequena" e comunhão depois que ela cresce. O antídoto para esse receio é desenvolver pequenos grupos dentro da comunidade. Os grupos de afinidade proporcionam o cuidado pessoal e a atenção que cada membro merece, não importando quanto a igreja cresça.

Desenvolva uma rede de pequenos grupos para atender a diferentes propósitos, interesses, faixas etárias, geografia ou qualquer outra coisa. Para ser honesto, não importa muito que tipo de raciocínio você usa para começar novos grupos. Apenas continue criando. É improvável que os novos membros se unam a pequenos grupos já *existentes*. Eles se encaixarão melhor em novos grupos. Você pode iniciar novos grupos até mesmo para os que estão saindo do curso de membresia — os novos membros têm uma "novidade" em comum.

Uma das frases que costumo repetir à nossa equipe e a nossos líderes é: "Nossa igreja precisa crescer e diminuir ao mesmo tempo". O que quero dizer com isso é que temos de equilibrar o grande grupo das celebrações e os pequenos grupos de células. Ambos são importantes para a saúde da igreja.

A celebração em grandes grupos passa às pessoas o sentimento de que são parte de algo importante. As reuniões de celebração são impressionantes para os não-cristãos e encorajadoras para os membros. Contudo, você não pode compartilhar um pedido pessoal de oração no meio de muita gente. Os grupos de afinidade, por outro lado, são perfeitos para criar o sentimento de intimidade e comunhão. É lá que todo mundo sabe seu nome e que sua ausência é notada.

> Nossa igreja precisa crescer e diminuir ao mesmo tempo.

Como nossa igreja existiu por muitos anos sem prédio próprio, dependíamos bastante dos pequenos grupos para a instrução e a comunhão. Mesmo agora, com nossa área de 3 mil metros quadrados, continuamos usando os lares para essas reuniões. Podemos destacar quatro vantagens dos pequenos grupos:

- Podem expandir ilimitadamente (as casas estão por todos os lados).
- Não estão limitados geograficamente (você pode ministrar em uma área maior).

- São uma boa demonstração de mordomia (você usa um local comprado com dinheiro de outras pessoas, tendo mais dinheiro disponível para o ministério).
- Facilitam os relacionamentos (as pessoas ficam mais à vontade num ambiente familiar).

Quanto mais a igreja cresce, mais importantes se tornam os pequenos grupos para o exercício do cuidado pastoral. Eles dão aquele toque de intimidade do qual todos necessitam, especialmente em momentos de crise. Em nossa comunidade, gostamos de dizer que a igreja toda é o navio, e os pequenos grupos, os botes salva-vidas.

Não tenho espaço para explicar em detalhes nossa estratégia para pequenos grupos e a estrutura deles. Direi somente isto: *a utilização de pequenos grupos é a melhor maneira de trancar a porta de sua igreja.* Nunca tivemos medo de perder pessoas que participam de pequenos grupos. Sabemos que já fazem parte de nosso efetivo.

Mantenha abertas as linhas de comunicação

É vital que as linhas de comunicação estejam abertas em sua igreja. As pessoas não participam se não forem informadas. Os membros informados são eficientes, enquanto os desinformados, não importando o talento que tenham, não podem fazer muita coisa. Desenvolva um sistema de comunicação redundante, utilizando vários canais para disseminar informações à congregação.

Em nossa igreja, usamos todos os recursos possíveis para comunicar mensagens importantes à congregação: fax, vídeo, cartas, cassetes, correntes de oração, artigos no jornal, cartões de visita e até mesmo a Internet! (Para os que estão conectados à rede, nosso endereço é: http://www.saddleback.com.)

O pacto de membresia da Igreja Saddleback

Já recebi Cristo como meu Senhor e Salvador, fui batizado e, estando de acordo com as declarações da Igreja Saddleback, sua estratégia e estrutura, sinto-me guiado pelo Espírito Santo a me unir à família da Igreja Saddleback. Fazendo isso, comprometo-me com Deus e com os outros membros a fazer o seguinte:

1. Proteger a unidade de minha igreja
... agindo com amor para com os outros membros;
... recusando-me a fazer fofoca;
... seguindo os líderes.
"Esforcemo-nos em promover tudo quanto conduz à paz e à edificação mútua" (Rm 14.19).
"Agora que vocês purificaram a sua vida pela obediência à verdade, visando ao amor fraternal e sincero, amem sinceramente uns aos outros e de todo o coração" (1Pe 1.22).
"Nenhuma palavra torpe saia da boca de vocês, mas apenas a que for útil para edificar os outros, conforme a necessidade, para que conceda graça aos que a ouvem" (Ef 4.29).
"Obedeçam aos seus líderes e submetam-se à autoridade deles. Eles cuidam de vocês como quem deve prestar contas. Obedeçam-lhes, para que o trabalho deles seja uma alegria e não um peso, pois isso não seria proveitoso para vocês" (Hb 13.17).

2. Compartilhar a responsabilidade de minha igreja
... orando por seu crescimento;
... convidando os sem-igreja a frequentá-la;
... dando calorosamente boas-vindas aos visitantes.
"... à igreja [...] Sempre damos graças a Deus por todos vocês, mencionando-os em nossas orações" (1Ts 1.1,2).
"Então o senhor disse ao servo: 'Vá pelos caminhos e valados e obrigue-os a entrar, para que a minha casa fique cheia' " (Lc 14.23).
"Aceitem-se uns aos outros, da mesma forma que Cristo os aceitou, a fim de que vocês glorifiquem a Deus" (Rm 15.7).

3. Servir no ministério de minha igreja
... descobrindo meus dons e talentos;
... sendo equipado pelos pastores para servir;
... desenvolvendo um coração de servo.

> "Cada um exerça o dom que recebeu para servir os outros, administrando fielmente a graça de Deus em suas múltiplas formas" (1Pe 4.10).
>
> "Ele designou alguns para apóstolos, outros para profetas, outros para evangelistas, e outros para pastores e mestres, com o fim de preparar os santos para a obra do ministério, para que o corpo de Cristo seja edificado" (Ef 4.11,12).
>
> "Cada um cuide, não somente dos seus interesses, mas também dos interesses dos outros. Seja a atitude de vocês a mesma de Cristo Jesus, que [veio] para ser servo" (Fp 2.4-7).
>
> 4. Apoiar o testemunho de minha igreja
> ... frequentando fielmente;
> ... vivendo uma vida cristã;
> ... ofertando regularmente.
>
> "Não deixemos de reunir-nos como igreja, segundo o costume de alguns, mas procuremos encorajar-nos uns aos outros, ainda mais quando vocês veem que se aproxima o Dia" (Hb 10.25).
>
> "Não importa o que aconteça, exerçam a sua cidadania de maneira digna do evangelho de Cristo, para que assim, quer eu vá e os veja, quer apenas ouça a seu respeito em minha ausência, fique eu sabendo que vocês permanecem firmes num só espírito, lutando unânimes pela fé evangélica" (Fp 1.27).
>
> "No primeiro dia da semana, cada um de vocês separe uma quantia, de acordo com a sua renda, reservando-a para que não seja preciso fazer coletas quando eu chegar" (1Co 16.2).
>
> "Todos os dízimos da terra, seja dos cereais, seja das frutas, pertencem ao Senhor; são consagrados ao Senhor" (Lv 27.30).

A informação no sentido congregação-liderança é tão importante quanto a informação no sentido liderança-congregação. Ela deve fluir em ambas as direções. Em Provérbios 27.23, lemos: "Esforce-se para saber bem como suas ovelhas estão, dê cuidadosa atenção aos seus rebanhos". O mais importante dos rebanhos é o rebanho de Deus. Por isso, damos toda a atenção ao que acontece com ele. Usamos os cartões de boas-vindas, o telefone e os relatórios dos pastores leigos para monitorar as batidas do coração das famílias de nossa igreja.

O cartão de boas-vindas. Já expliquei como usamos esse cartão em nosso culto para os não-cristãos. É uma ferramenta de comunicação incrível, considerando-se sua simplicidade. Qualquer pessoa pode lhe escrever um bilhete, a qualquer hora. Nossos membros sabem que leio esses cartões e os levo muito a sério. Eles são um fluxo contínuo de informação. Preciso de duas secretárias de tempo integral e uma equipe com dezenas de voluntários para processar todos os cartões que recebemos. Eles permitem que os pastores e nossa equipe estejam "próximas ao consumidor".

Telefonemas do CARE. O acróstico CARE [cuidar] significa: "Contatar, Assistir, Relacionar e Encorajar". Esse ministério de liderança leiga tem a tarefa de ligar sistematicamente para nossos membros, a fim de saber o que está acontecendo na vida deles. As ligações são feitas no princípio da noite, e a telefonista faz três perguntas: 1) "Como vai você?"; 2) "Tem algum pedido de oração?"; 3) "Há alguma coisa que você gostaria que disséssemos ao pastor Rick ou a alguém da equipe?". Cada uma das telefonistas do CARE anota as ligações em um formulário, para assegurar uma informação precisa. Depois informam às pessoas contatadas os eventos futuros ou as últimas notícias da igreja. É mais uma forma de manter um contato com os membros e dizer: "Nós nos importamos com você".

Relatórios dos pastores leigos. Esses relatórios são feitos pelos pastores leigos, responsáveis pelos pequenos grupos. Eles nos posicionam sobre a saúde do grupo e nos falam sobre o que está acontecendo na vida de cada um dos participantes.

Estamos juntos nessa

Na conclusão deste capítulo sobre membresia, quero ressaltar a importância de enfatizar continuamente aos membros a natureza coletiva da vida cristã. Pregue, ensine e fale sobre isso. Pertencemos uns aos outros e precisamos uns dos outros. Estamos ligados uns aos outros, como parte de um corpo. Somos uma família.

Quase todos os dias, recebo cartas de pessoas que se juntaram à nossa igreja e têm experimentado o poder curativo da *koinonia*. Esta é uma das que recebi recentemente:

Caro pastor Rick,

Tenho carregado a dor do abuso físico em silêncio por muito tempo. Há um ano, depois de sofrer uma grande perda, mudei-me para cá, para o sul da Califórnia. Não tinha nenhum contato e estava muito só. Chorei sem parar durante três semanas.

Finalmente, decidi que deveria procurar uma igreja. Desde o momento em que assisti ao primeiro culto da Igreja Saddleback, senti que este era meu lugar.

Para encurtar a história: Cristo se fez real para mim. Filiei-me à igreja e agora estou servindo num ministério que significa muito para mim. Amo fazer parte de tudo isso!

Sei que a dor de cada pessoa é diferente, mas todos nós precisamos de Deus. Minha dor era quase insuportável, sem uma igreja familiar. Tive de segurar as lágrimas de alegria, certa vez, no curso de membresia, quando você se referiu à Saddleback como família. Isso ela realmente é! Estou muito agradecida aos meus irmãos e irmãs daqui e por esta igreja, a qual posso chamar de lar!

18
Desenvolvendo membros maduros

... com o fim de preparar os santos para a obra do ministério,
para que o corpo de Cristo seja edificado.
EFÉSIOS 4.12

Nossa oração é que vocês sejam aperfeiçoados.
2CORÍNTIOS 13.9

O Novo Testamento deixa bem claro que Deus deseja que todo cristão seja espiritualmente maduro. Ele quer que cresçamos. Paulo diz, em Efésios 4.14: "O propósito é que não sejamos [...] jogados para cá e para lá por todo vento de doutrina e pela astúcia e esperteza de homens que induzem ao erro".

O alvo maior do crescimento espiritual é se tornar como Cristo. O plano de Deus desde o princípio é que sejamos como o Senhor, "pois aqueles que de antemão conheceu, também os predestinou para serem conformes à imagem de seu Filho, a fim de que ele seja o primogênito entre muitos irmãos" (Rm 8.29). Deus quer que todo cristão desenvolva um caráter semelhante ao de Cristo.

A grande pergunta é: "Como o crescimento espiritual acontece?"; ou: "Como posso me tornar maduro em Cristo?".

Mitos sobre a maturidade espiritual

Antes de compartilhar a estratégia para desenvolver cristãos maduros, quero desmistificar algumas concepções populares sobre crescimento espiritual e maturidade. É importante que cada estratégia seja baseada em uma informação correta.

Mito nº 1 – O crescimento espiritual é automático após você nascer de novo

Muitas igrejas não possuem uma estratégia ampla para desenvolver a maturidade dos seus membros. Elas deixam tudo ao acaso, achando que os cristãos irão crescer e amadurecer sozinhos se frequentarem os cultos. Pensam que basta encorajar as pessoas a participar das reuniões, e o trabalho será feito.

Isso não é verdade. O crescimento espiritual não acontece após você ser salvo, mesmo que frequente todos os cultos. As igrejas estão cheias de pessoas que assistem aos cultos durante toda a vida e, ainda assim, são bebês espirituais. Membro integrado não é o mesmo que membro maduro. Em nosso diagrama do processo de desenvolvimento de vida, a missão de equipar as pessoas com os hábitos necessários à maturidade espiritual é chamado "Levando as pessoas à segunda base".

O crescimento espiritual não é automático com o decorrer do tempo. O autor da carta aos Hebreus tristemente observa que, "embora a esta altura já devessem ser mestres, vocês precisam de alguém que lhes ensine novamente os princípios elementares da palavra de Deus. Estão precisando de leite, e não de alimento sólido!" (Hb 5.12). Milhares de cristãos envelheceram ser ter crescido.

A verdade é esta: o crescimento espiritual é provocado. Requer compromisso e esforço. O cristão deve querer crescer, decidir crescer e esforçar-se para crescer. O discipulado começa com uma decisão, não necessariamente complexa, mas deve ser sincera. Os discípulos não entendiam todas as implicações de sua decisão quando deixaram tudo para seguir Cristo: eles simplesmente expressaram o desejo de segui-lo. Jesus pegou essa decisão simples, mas sincera, e trabalhou nela.

Em Filipenses 2.12,13, lemos: "Ponham em ação a salvação de vocês com temor e tremor, pois é Deus quem efetua em vocês tanto o querer quanto o realizar, de acordo com a boa vontade dele". Note que Deus quer que desenvolvamos nossa salvação. Não existe nada que possamos acrescentar ao que Cristo já fez para nos salvar. Paulo está falando aqui do crescimento espiritual de quem já é salvo. O importante é que Deus tem parte em nosso crescimento, e nós também!

Tornar-se como Cristo é resultado de compromissos que assumimos. Tornamo-nos aquilo que nos comprometemos a ser! Assim como o Compromisso com o Grande Mandamento e a Grande Comissão faz crescer uma grande igreja, ele também fará crescer um grande cristão. Sem o compromisso de crescer, qualquer crescimento que ocorra será circunstancial, e não intencional. O crescimento espiritual é importante demais para ser conduzido pelas circunstâncias.

O crescimento espiritual que leva à maturidade começa com o compromisso descrito em Romanos 6.13. "Não ofereçam os membros do corpo de vocês ao pecado, como instrumentos de injustiça; antes ofereçam-se a Deus como quem voltou da morte para a vida; e ofereçam os membros do corpo de vocês a ele, como instrumentos de justiça". Explicarei depois como levar as pessoas a esse tipo de compromisso.

> **Tornamo-nos aquilo que nos comprometemos a ser!**

Mito nº 2 – O crescimento espiritual é místico, e a maturidade é alcançada por poucos

Mencionar o termo "espiritualidade" hoje em dia faz que as pessoas imaginem alguém com uma beca branca, sentado numa posição de ioga, queimando incenso e gemendo com os olhos fechados. Outros pensam em monges que se enclausuram e estão fora do mundo real, sujeitando-se à pobreza, castidade e solidão.

Infelizmente, muitos cristãos imaginam a maturidade espiritual como algo fora de seu alcance e nem sequer tentam atingi-la. Têm na mente aquela imagem mística e idealizada. A maturidade, acreditam, é somente para os "supersantos". Alguns biógrafos do cristianismo são em parte responsáveis por essas lendas, ao minimizar a humanidade de pessoas que viveram para Deus e passar a sensação de que, se você não ora dez horas por dia, não anda sobre a água e não pretende morrer como mártir, pode esquecer a aspiração de ser maduro. Isso é bastante desencorajador para o cristão mediano, que acaba se contentando em ser um cristão de "segunda classe".

A verdade é que o crescimento espiritual é bastante prático. Qualquer cristão pode crescer e alcançar a maturidade, se desenvolver os hábitos necessários. Devemos desmistificar o processo de crescimento e convencer o cristão de que ele pode se tornar maduro espiritualmente por meio de hábitos que podem ser praticados no dia-a-dia.

Paulo costumava comparar o treinamento para a vida cristã com a preparação física dos atletas: "Rejeite [...] as fábulas profanas e tolas, e exercite-se na piedade. O exercício físico é de pouco proveito; a piedade, porém, para tudo é proveitosa, porque tem promessa da vida presente e da futura" (1Tm 4.7,8). O caminho da "formação" espiritual é tão prático quanto o que leva à forma física ideal.

> Nosso caráter é formado pelos hábitos que desenvolvemos.

Qualquer um pode ter uma boa forma física se fizer regularmente determinados exercícios e adquirir bons hábitos alimentares. A "boa forma" espiritual é igualmente resultado de alguns exercícios espirituais que, praticados com disciplina, se tornam hábitos. Nosso caráter é formado pelos hábitos que desenvolvemos.

Em nossa comunidade, damos bastante ênfase ao desenvolvimento de hábitos *espirituais*. Temos presenciado um crescimento incrível na vida de nossos membros depois que eles reconhecem que o crescimento espiritual pode ser alcançado por meio de ações práticas e hábitos do cotidiano.

Mito nº 3 – A maturidade espiritual pode ocorrer imediatamente, se você usar a "chave" certa

Esse é um erro bastante difundido. Pelos títulos de alguns livros cristãos — que estão entre os mais vendidos! —, é de se esperar que muitos cristãos acreditem que tal concepção seja verdadeira. Livros que prometem "quatro passos fáceis para a maturidade" ou oferecem "a chave para a santidade instantânea" reforçam a lenda de que o caráter cristão pode ser conseguido da noite para o dia.

Muitos cristãos sinceros passam a vida inteira buscando uma experiência, uma conferência, um reavivamento, um livro, uma fita cassete ou uma verdade que possa transformá-los instantaneamente em cristãos maduros. Essa busca é inútil. Apesar de termos café instantâneo, purê de batata instantâneo e agora até métodos de emagrecimento instantâneos, não existe "maturidade espiritual instantânea".

A verdade é que o crescimento espiritual é um processo que leva tempo. Assim como Deus levou Josué e os israelitas a conquistar a terra prometida "aos poucos" (Dt 7.22), a mudança que nos torna semelhantes a Cristo também é gradual. Não existem atalhos para a maturidade.

Em Efésios 4.13, lemos: "... até que todos alcancemos a unidade da fé e do conhecimento do Filho de Deus, e *cheguemos* à maturidade, atingindo a medida da plenitude de Cristo". Isso significa que a maturidade é um destino aonde *chegamos*, ou seja, é precedido por uma jornada. Mesmo com o desejo de acelerar o processo, o crescimento espiritual é uma caminhada que dura toda a vida.

Tenho passado muito tempo tentando entender os componentes desse processo e achar uma maneira de comunicá-los de forma simples, que nossos membros possam compreender e lembrar. Estou convicto de que os cristãos irão crescer mais rápido se você lhes designar uma trilha a ser por eles percorrida. O resultado é nossa filosofia de edificação, ou seja, o processo de desenvolvimento de vida, já mencionado.

Usamos o campo de beisebol como analogia para o crescimento porque é algo muito conhecido nos Estados Unidos. É fácil para nosso povo entender o processo de amadurecimento quando lhes explicamos o crescimento espiritual usando como ilustração cada uma das bases. Esclarecemos que nosso objetivo é ajudá-los a se deslocar para cada uma das bases da vida. Queremos que o Saddleback Sam (lembra-se?) marque *pontos!*

Como mencionei no capítulo 8, você não dá crédito aos jogadores que continuam em sua base ao final do jogo! Por essa razão, designamos um pastor auxiliar para cada uma das bases: membresia, maturidade, ministério e missões. Cada pastor serve como "técnico de base", alguém que ajuda os corredores a se deslocar para a base seguinte.

> Os cristãos irão crescer mais rápido se você lhes designar uma trilha a ser por eles percorrida.

Se você convencer os membros da importância de marcar pontos e der a eles um técnico para auxiliá-los em cada uma das bases, o processo será facilitado, e eles poderão alcançar o *home plate* ou o gol. Da mesma forma, se você os levar ao compromisso de crescer espiritualmente, ensinar-lhes alguns hábitos básicos e orientá-los enquanto progridem de uma base para outra, sem dúvida haverá crescimento. É o que tem acontecido em nossa igreja.

Mito nº 4 – A maturidade espiritual é medida pelo conhecimento bíblico

Muitas igrejas avaliam a maturidade espiritual pela capacidade que tem o membro de identificar as personagens bíblicas, interpretar passagens, memorizar versículos e explicar termos teológicos. A intimidade com temas doutrinários é considerada por alguns a maior prova de espiritualidade. O conhecimento bíblico é imprescindível para a maturidade espiritual, porém não é a única forma de medi-la.

A verdade é que a maturidade espiritual é demonstrada mais pelas atitudes que pelas crenças. A vida cristã não consiste apenas em crenças e convicções: implica também conduta e caráter. As crenças devem estar apoiadas em atitudes. Nosso comportamento deve ser compatível com o que cremos.

O Novo Testamento repetidamente ensina que nossas ações e atitudes revelam nossa maturidade, mais que nossas afirmações. Tiago 2.18 deixa isso bem claro: "Alguém dirá: 'Você tem fé; eu tenho obras'. Mostre-me a sua fé sem obras, e eu lhe mostrarei a minha fé *pelas obras*". Tiago também diz: "Quem é sábio e tem entendimento entre vocês? Que o demonstre por seu bom procedimento, mediante obras praticadas com a humildade que provém da sabedoria" (3.13). Se sua fé não mudou seu estilo de vida, ela não vale muito.

> A maturidade espiritual é demonstrada mais pelas *atitudes* que pelas crenças.

Paulo acreditava na ligação entre crença e atitude. Em cada uma de suas cartas, enfatizou a importância de praticarmos o que cremos. Em Efésios 5.8, lemos: "Outrora vocês eram trevas, mas agora são luz no Senhor. *Vivam como filhos da luz*".

Jesus resume a questão desta maneira: "Vocês os reconhecerão por seus frutos" (Mt 7.16). Pelos "frutos", e não pelo conhecimento, é demonstrada a maturidade do cristão. Se não puser em prática o que sabe, você é um tolo, "que construiu a sua casa sobre a areia" (v. Mt 7.24-27).

Como já disse, o conhecimento bíblico é somente uma medida de crescimento espiritual. Mentalidade, convicções, habilidades e caráter também são instrumentos para medir a maturidade espiritual. Esses "cinco níveis de aprendizado" são os blocos de construção que usamos para edificar os cristãos espiritualmente. Na seção "Planejando sua estratégia", compartilharei com você como buscamos desenvolver discípulos que sejam fortes nessas cinco áreas.

O perigo de ter apenas conhecimento, sem os outros quatro componentes, é que "o conhecimento traz orgulho, mas o amor edifica" (1Co 8.1). O conhecimento deve ser temperado pelo caráter. Alguns dos cristãos mais carnais que conheci eram verdadeiros depósitos de conhecimento bíblico. Eles podem explicar qualquer passagem e defender qualquer doutrina, mas não têm amor, são orgulhosos e gostam de julgar os outros. É impossível ter maturidade espiritual e orgulho ao mesmo tempo.

Outra implicação de ter conhecimento é que isso aumenta a responsabilidade. "Quem sabe que deve fazer o bem e não o faz, comete pecado" (Tg 4.17). Com o conhecimento mais profundo da Palavra, vem o julgamento mais forte, se falharmos em aplicá-la. Por isso, devemos ter convicção e caráter para praticar aquilo que conhecemos. Qualquer estratégia para promover o amadurecimento dos cristãos em sua igreja deve levá-los não apenas a conhecer a Palavra, mas também a amá-la e praticá-la, isto é, a viver de acordo com os preceitos nela contidos.

Mito nº 5 – O crescimento espiritual é uma questão estritamente pessoal

O culto ao individualismo na cultura americana tem influenciado até mesmo nosso conceito de crescimento espiritual. A maioria dos ensinamentos sobre formação espiritual tende a ser centralizada na pessoa, sem qualquer referência ao relacionamento com os outros cristãos. Isso é antibíblico e viola diversos princípios neotestamentários.

A verdade é que os cristãos necessitam de relacionamentos para crescer. Não crescemos isolados uns dos outros, pois nos desenvolvemos num ambiente de comunhão. Constantemente, encontramos esse conceito no Novo Testamento. Em Hebreus 10.24,25, lemos: "Consideremos uns aos outros para nos incentivarmos ao amor e às boas obras. Não deixemos de reunir-nos como igreja, segundo o costume de alguns, mas procuremos encorajar-nos uns aos outros, ainda mais quando vocês veem que se aproxima o Dia". Deus quer que cresçamos em família.

No capítulo anterior, mencionei que os relacionamentos são a "cola" que mantém os cristãos unidos na igreja. Mas os relacionamentos têm um papel ainda mais importante: eles são absolutamente essenciais ao processo de amadurecimento espiritual. A Bíblia ensina que a comunhão não é algo opcional para os cristãos: é um mandamento. O cristão que não está unido em um relacionamento de amor com os outros irmãos está desobedecendo à Palavra.

> Os cristãos necessitam de relacionamentos para crescer. Não crescemos isolados uns dos outros, pois nos desenvolvemos num ambiente de comunhão.

João afirma que a prova de que andamos na luz é que temos "comunhão uns com os outros" (1Jo 1.7). Se você não mantém um relacionamento regular com os outros cristãos, considere seriamente a possibilidade de estar se afastando da luz.

Na mesma carta, o apóstolo sugere até que questionemos nossa salvação, se não amamos nossos irmãos em Cristo: "Sabemos que já passamos da morte para a vida porque amamos nossos irmãos. Quem não ama permanece na morte" (3.14). Se o relacionamento com os outros membros é tão importante, por que as igrejas não dão mais ênfase a isso?

João diz também que a qualidade de nosso relacionamento com Cristo pode ser avaliada pela qualidade de nosso relacionamento com os outros irmãos. "Se alguém afirmar: 'Eu amo a Deus', mas odiar seu irmão, é mentiroso, pois quem não ama seu irmão, a quem vê, não pode amar a Deus, a quem não vê" (4.20). Note que João diz que é impossível amar a Deus se você não ama os filhos de Deus.

Jesus também ensinou que, sem comunhão com nossos irmãos, nossa adoração é vã (v. Mt 5.23,24). O cristão não pode estar em comunhão com Deus e, ao mesmo tempo, sem comunhão com os irmãos em Cristo.

Uma das razões pelas quais muitos cristãos nunca falam de Jesus a ninguém é por não saberem se relacionar com as pessoas. Como nunca estiveram em um pequeno grupo nem fizeram amizades, têm pouca habilidade para desenvolver relacionamentos. Não conseguem se relacionar com os não-cristãos porque são incapazes de se relacionar até mesmo com os *cristãos*. Os cristãos devem ser ensinados a cultivar amizades. Mesmo sendo isso tão óbvio, poucas igrejas despendem o tempo necessário para ensinar os membros a se relacionar uns com os outros.

Mito nº 6 – Você precisa de estudos bíblicos para crescer

Muitas igrejas evangélicas foram construídas sobre esse mito. São as igrejas "sala de aula". Elas tendem a ser orientadas pelo lado esquerdo do cérebro. Geralmente enfatizam o conteúdo e a doutrina bíblica, mas dão pouca ênfase ao desenvolvimento emocional e relacional dos cristãos. "Tudo que eles precisam é ser maduros espiritualmente", declara o pastor de uma conhecida igreja, que se encaixa nessa categoria.

A verdade é que a maturidade espiritual só é atingida após uma série de experiências com Deus. A maturidade espiritual genuína implica ter um coração que adora e louva a Deus, construir e desfrutar relacionamentos em amor, utilizar os dons e talentos em benefício do próximo e compartilhar a fé com os não-cristãos. Toda estratégia elaborada para levar os membros da igreja à maturidade espiritual deve incluir estes elementos: adoração, comunhão, estudo bíblico, evangelismo e ministério. Em outras palavras, o crescimento espiritual ocorre com a participação dos cinco propósitos de Cristo para a igreja. O cristão maduro faz mais que estudar a vida cristã: ele a *experimenta*.

Pelo fato de algumas igrejas erroneamente enfatizarem as experiências emocionais, negligenciando a sã doutrina, muitas igrejas evangélicas têm deixado de lado o papel da experiência pessoal no crescimento.

> O crescimento espiritual ocorre com a participação dos cinco propósitos de Cristo para a igreja.

Elas reagem à exaltação de tal experiência por determinados grupos removendo *qualquer* menção a esse item, vendo toda experiência espiritual como suspeita, especialmente quando envolve a emoção.

Infelizmente, isso nega o fato de que Deus dotou o ser humano com emoções, e não apenas com a razão. Ele nos deu sentimentos com um propósito definido. A remoção desse tipo de experiência do processo de crescimento cristão terá como resultado um credo estéril e intelectual, que pode ser estudado, mas nunca desfrutado ou praticado no transcurso da vida.

Em Deuteronômio 11.2, lemos: "Lembrem-se hoje de que não foram os seus filhos que *experimentaram* e viram a disciplina do Senhor". A experiência é uma grande professora. Algumas lições *só* podem ser aprendidas por meio dela.

Certa vez, ouvi o conhecido professor da Bíblia Gene Getz dizer: "O estudo bíblico *por si só* não produz espiritualidade. Se *não for praticado*, produzirá somente carnalidade".

Isso é verdade. O estudo sem prática produz cristãos que gostam de julgar e que denotam uma indisfarçável soberba espiritual.

Se o cristianismo fosse uma filosofia, a atividade principal sem dúvida seria o estudo. Mas o cristianismo é relacionamento, é vida. As palavras normalmente usadas para definir a vida cristã são: *amor, dar, crer* e *servir*. Jesus não disse: "Eu vim para que vocês tenham algo que estudar". Na verdade, a palavra "estudo" aparece poucas vezes no Novo Testamento. Contudo, se você observar as atividades de muitas igrejas, terá a impressão de que frequentar estudos bíblicos é a única obrigação dos cristãos.

A *última* coisa que os cristãos precisam agora é de outra classe de estudos bíblicos. Eles já sabem muito mais do que praticam. O que eles precisam é de experiência no ministério e no evangelismo, *aplicando* o que já sabem; de experiência em relacionamentos (como nos pequenos grupos), assumindo *responsabilidades* com base no que já sabem; de experiência na adoração, *expressando* gratidão a Deus pelo que já sabem.

Tiago alerta: "Sejam praticantes da palavra, e não apenas ouvintes, enganando-se a si mesmos" (Tg 1.22). Podemos usar aqui a ilustração do lago que recebe água, mas não tem como escoá-la, ficando estagnada. Quando a vida do cristão se resume a frequentar estudos bíblicos, sem ter como escoar os ensinamentos recebidos, seu crescimento espiritual fica estagnado. Com o perdão de tanta rima, a impressão sem expressão leva à depressão.

As igrejas prestam um grande desserviço a seus membros quando os saturam de conhecimento bíblico que não pode ser aplicado por falta de tempo. Os cristãos arquivam as lições e acabam esquecendo-se delas antes de conseguir materializá-las e praticá-las. Eles se iludem, pensando que estão crescendo espiritualmente à medida que preenchem seus cadernos com anotações. Isso é tolice!

Por favor, não pense que não valorizo o estudo da Palavra. Pelo contrário. Até já escrevi um livro sobre métodos de estudo bíblico. Devemos estar firmados na Palavra se quisermos ser discípulos de Cristo. O que quero dizer é que é um erro pensar que o estudo bíblico *por si só* produz maturidade. Ele é apenas um dos componentes do processo de amadurecimento. Os cristãos precisam também de experiências para crescer na vida cristã. As igrejas necessitam de uma estratégia equilibrada para formar discípulos.

Planejando sua estratégia

A estratégia da Saddleback para o desenvolvimento de discípulos é baseada em seis verdades que identifiquei, em oposição a cada um dos mitos que acabo de mencionar. Acreditamos que o crescimento espiritual começa com o compromisso, é um processo gradual, envolve o desenvolvimento de hábitos, é mensurável por cinco fatores, é estimulado por relacionamentos e requer a participação em todos os cinco propósitos da igreja.

Amplie o nível de compromisso

Sempre gostei da definição de igreja de Elton Trueblood: "companhia de comprometidos".* Seria maravilhoso se todas as igrejas fossem conhecidas pelo *compromisso* de seus membros. Infelizmente, elas são formadas por grupos de avulsos, e não por comprometidos.

Um meio de descobrir se sua igreja está amadurecendo espiritualmente é verificar se os padrões da liderança ficam mais rígidos com o decorrer do tempo, isto é, se o nível de compromisso exigido é mais profundo e se existe constante crescimento espiritual. No início de nossa igreja, a única exigência para ser professor da escola bíblica dominical era não estar morto. Com o passar dos anos, aprofundamos nossas exigências. Fizemos o mesmo com nossos pastores leigos, músicos e outros membros que fazem parte do ministério.

---

*The Company of the Committed (New York: Harper & Row), 1961 [N. do E.].

Toda vez que você eleva os padrões para a liderança, acaba elevando um pouco os padrões para todos os membros. Como diz o ditado popular, "quando a maré sobe, os barcos também sobem". Concentre-se em elevar o nível de compromisso da liderança. Você descobrirá que isso também elevará as expectativas dos outros cristãos.

Como fazer que as pessoas se comprometam com o processo de crescimento espiritual?

Solicite compromisso dos membros da igreja. Se não o fizer, você não obterá compromisso nenhum. Se você não solicitar compromisso, esteja certo de que outros grupos o farão: clubes, partidos políticos, ministérios paraeclesiásticos. A questão não é se os membros da igreja irão se comprometer ou não, e sim *com quem* irão assumir compromisso. Se sua igreja não insiste no compromisso de seus membros, eles concluirão que ela é menos importante que os outros grupos com os quais se relacionam.

Sempre me impressiono com o fato de que muitas organizações requerem mais de seus participantes que as igrejas locais. Aqui nos Estados Unidos, se seu filho participa de um grêmio esportivo, ele tem de assumir uma série de compromissos como lanches, transporte, equipamento e até festinhas, quando o time é vitorioso. Além disso, você deve comparecer aos jogos. Não há nada de *voluntário* nessa participação!

Uma das atitudes mais acertadas da igreja em relação ao povo é esclarecer quais compromissos devem ser assumidos e quais devem ser deixados. A razão de termos tantos cristãos fracos é porque estão comprometidos com outras causas, esquecendo-se do que realmente é importante. Uma barreira para o crescimento espiritual de muitos cristãos não é falta de compromisso, e sim compromisso exagerado com coisas secundárias ou erradas. As pessoas devem ser ensinadas a assumir compromissos de maneira sábia.

Mostre-se confiante ao solicitar compromisso. Jesus sempre se expressava de forma clara e inspirava confiança quando solicitava algum compromisso. Ele nunca relutou em pedir a alguém que deixasse tudo e o seguisse. Um fenômeno interessante é que, geralmente, quanto maior o compromisso solicitado, maior a resposta obtida.

> A questão não é se os membros da igreja irão se comprometer ou não, e sim *com quem* irão assumir compromisso.

O ser humano *deseja* firmar compromisso com algo que dê significado à sua vida. Ele corresponde a responsabilidades significativas e se sente atraído pelos desafios. Em geral, ninguém é motivado por apelos fracos ou por pedidos de ajuda medíocres. Jesus sabia disso, pois diz em Lucas 14.33: "Qualquer de vocês que não renunciar a tudo o que possui não pode ser meu discípulo". Ele exige compromisso total.

Certo domingo, ao concluir a mensagem, passei um cartão especial de compromisso de vida no qual pedia às pessoas que assumissem um compromisso *total* com Jesus Cristo, entregando-lhe tudo: tempo, dinheiro, ambições, hábitos, relacionamentos, carreira, casa, vigor. A coisa mais impressionante para mim não foi receber de volta milhares de cartões, mas que 177 deles foram assinados por pessoas que nem sequer haviam preenchido o cartão de registro normal — embora indicassem que estavam frequentando a igreja há anos! Para eles, não valia a pena preencher o cartão de registro. Às vezes, é mais fácil solicitar um grande compromisso que um pequeno.

Alguns pastores evitam solicitar um compromisso mais profundo, temendo que isso afaste o povo da igreja. No entanto, ninguém se ofende por ser convidado a assumir um compromisso sério, se houver um grande propósito por trás dele. Vale lembrar que as pessoas são cativadas pela perspectiva que lhes apresentamos, e não pela necessidade. Essa é a razão pela qual muitas campanhas de levantamento de fundos não funcionam: são concentradas nas necessidades, e não na visão da igreja.

> Ninguém se ofende por ser convidado a assumir um compromisso sério, se houver um grande propósito por trás dele.

Seja específico quando solicitar um compromisso. Outra chave para obter compromisso é ser específico. Diga ao povo exatamente o que você espera dele. Em nosso trabalho, não dizemos simplesmente: "Seja comprometido com Cristo", mas explicamos em detalhes o que isso significa. Pedimos às pessoas que se comprometam com Cristo, depois com o batismo, depois com a membresia, depois com os hábitos de maturidade, depois com o ministério e, finalmente, com o plano de Deus para a vida delas. Como já disse, desenvolvemos quatro pactos ou alianças que explicam exatamente o que cada um desses compromissos representa.

Explique cada um dos benefícios do compromisso. Outra chave para obter compromisso é identificar seus benefícios. Deus faz isso constantemente nas Escrituras. Muitos dos mandamentos estão vinculados a promessas maravilhosas. Seremos abençoados sempre que formos obedientes.

Explique todos os benefícios: pessoais, familiares e os relativos ao corpo de Cristo e à sociedade em geral — além dos benefícios *eternos* envolvidos no compromisso de crescer espiritualmente. O ser humano tem o desejo inato de aprender, crescer e melhorar, mas às vezes é preciso despertar esse desejo, relacionando os alvos do aprendizado e os objetivos do crescimento com seu valor e seus benefícios.

De vez em quando, fico impressionado ao ver como os publicitários conseguem passar a ideia de que produtos comuns como desodorantes, detergentes e sabão em pó podem dar novo significado e proporcionar alegria à nossa vida. Eles são mestres na arte da "embalagem". É irônico que a igreja tenha o *real* segredo do propósito, do significado e da satisfação da vida e não consiga apresentar isso de forma interessante nem agradável. Compare a qualidade da propaganda de sua igreja com a publicidade de um produto qualquer e verá imediatamente a diferença.

Ao iniciar as aulas dos cursos *Comprometidos com a membresia*, *Comprometidos com a maturidade*, *Comprometidos com o ministério* e *Comprometidos com Missões*, declaramos os valores e benefícios aos participantes, dizendo: "Aqui está o que este curso fará por você". Também explicamos claramente os benefícios de se comprometer com cada um dos quatro pactos.

Construindo sobre um compromisso; não para um compromisso. Mesmo que você diga ao povo para onde o está conduzindo (desafiando-o com um grande compromisso), é fundamental começar com um compromisso que ele esteja disposto a assumir, não importando quão fraco pareça esse compromisso.

Desafiamos as pessoas a assumir compromissos e depois crescer neles. É como decidir ser pai. Poucos pais se sentem prontos para criar os filhos até ter o primeiro. De alguma forma, depois que a decisão é tomada, e nasce o primeiro bebê, o casal começa a amadurecer no papel da paternidade.

Também não é ruim dividir um grande compromisso em pequenos passos e conduzir as pessoas gradualmente. Como já vimos, essa é a ideia do processo de desenvolvimento de vida (o "campo de beisebol"). Não esperamos que as pessoas saltem da condição de novos convertidos para um nível de compromisso como o de Billy Graham da noite para o dia. Deixamos que aprendam a andar, como os bebês. Usando o campo de beisebol como ilustração, no processo de maturidade as pessoas podem ver quanto já caminharam e quanto ainda têm pela frente.

É importante festejar cada vez que alguém se compromete a ir para a base seguinte. Assumir e manter compromissos é sinal de maturidade, e a pessoa merece ser reconhecida e recompensada por isso. Crie eventos de celebração, como rituais de passagem, nos quais o crescimento seja reconhecido publicamente. Ao final de cada ano, realizamos uma festa, em que parabenizamos todos os que assinaram o pacto de maturidade e renovaram seus compromissos por mais um ano.

Os eventos de celebração dão às pessoas um senso de missão cumprida, motivando-as a progredir. Certo dia, um homem comentou comigo: "Frequento a escola bíblica dominical há mais de 30 anos. Nunca vou me formar?". Nos eventos de celebração, abra espaço para testemunhos, onde os cristãos possam contar como a ampliação do compromisso abençoou a vida deles.

Tenho lido muitos artigos e livros que dizem que a geração presente não se compromete com nada. Isso simplesmente não é verdade! O que acontece é que todos esperam receber algo correspondente ao seu compromisso. Se são cautelosos em assumir compromissos, é porque existem hoje muitas opções. Mas todos estão buscando desesperadamente algo de valor, em que possam investir sua vida.

Ajude os cristãos a desenvolver hábitos de crescimento espiritual

A maneira mais prática e eficaz de conduzir os cristãos à maturidade é estabelecer hábitos que promovam o crescimento espiritual, geralmente denominados *disciplinas espirituais*. Usamos o termo "hábito" porque é menos ameaçador para os novos convertidos. Ao mesmo tempo que ensinamos que ser discípulo requer disciplina, acreditamos que esses hábitos devem ser desfrutados, e não suportados. Não queremos ver nenhum cristão com medo dos exercícios espirituais, que na verdade irão fortalecê-lo e conduzi-lo à maturidade.

Dostoievski disse certa vez: "A segunda parte da vida de um homem é movida por hábitos que ele adquiriu na primeira parte". Pascal disse que "a força da virtude de um homem é medida pelas suas ações habituais". O ser humano desenvolve-se por meio de hábitos. Se você não desenvolve bons hábitos, irá desenvolver maus hábitos.

> O ser humano desenvolve-se por meio de hábitos. Se você não desenvolve bons hábitos, irá desenvolver maus hábitos.

Existem dezenas de bons hábitos que precisamos desenvolver para crescer espiritualmente. Quando planejei o curso *Comprometidos com a maturidade*, passei muito tempo decidindo quais hábitos fundamentais deveriam ser aprendidos primeiramente, para que houvesse crescimento.

Quais os pré-requisitos mínimos? Quais os principais hábitos, que fazem nascer todos os outros? Enquanto estudava, sempre retornava aos hábitos que influenciam nosso tempo, nosso dinheiro e nossos relacionamentos. Se Cristo for o Senhor dessas três áreas de nossa vida, então ele realmente estará no controle.

O curso *Comprometidos com a maturidade* concentra-se em estabelecer quatro hábitos básicos de disciplina: leitura da Palavra de Deus, oração, dízimo e comunhão. São hábitos baseados em declarações feitas por Jesus, que definem o discipulado. O discípulo segue a Palavra de Deus (Jo 8.31,32), ora e dá fruto (Jo 15.7,8), não é escravo de seus bens (Lc 14.33) e expressa amor pelos outros cristãos (Jo 13.34,35).

Depois de ensinar o "que", o "porquê", o "quando" e o "como" desses quatro itens, o curso aborda os passos práticos para começar e manter outros hábitos. Em Neemias 9.38, lemos que todos os judeus fizeram um pacto espiritual por escrito, que seus líderes assinaram como testemunhas.

Concluído o curso *Comprometidos com a maturidade*, todos assinam um pacto de maturidade. Os cartões de compromisso assinados são coletados, e eu assino como testemunha. Cada cartão é plastificado e devolvido para que os cristãos o carreguem na carteira. Todos os anos, renovamos os compromissos e emitimos novos cartões. Descobrimos que o compromisso anual ajuda os desencorajados e os que deixaram de lado seus hábitos a começar tudo de novo.

Os que concluem essa classe já são cristãos maduros? É claro que não! O propósito é fazer que iniciem a jornada. Eles saem dali comprometidos com o processo e os hábitos necessários ao crescimento. Ainda que tenham dificuldades no caminho, as mudanças após essa etapa são permanentes. É sempre emocionante vê-los comprometer seu tempo, dinheiro e relacionamentos com Cristo. Percebemos no rosto deles a esperança e a expectativa de que irão crescer. E crescem mesmo!

Construa um plano equilibrado de discipulado

Já mencionei os cinco instrumentos para medir o crescimento espiritual: conhecimento, perspectiva, convicções, habilidades e caráter. Esses níveis de aprendizado são os blocos que constroem a maturidade.

Na Saddleback, nosso programa de educação cristã é construído em torno desses cinco níveis de aprendizado. Não existe espaço para falar de todos os treinamentos oferecidos pelo nosso *Instituto de Desenvolvimento de Vida*, mas quero explicar o programa-chave que implementamos para facilitar cada nível de aprendizado.

Conhecimento da Palavra. Para começar a construir um currículo de crescimento espiritual, você precisa fazer duas perguntas: "O que eles já sabem?"; "O que mais precisam saber?". Os novos membros de uma igreja que aumenta de tamanho principalmente por crescimento biológico (conversão dos filhos dos membros) e por transferência com certeza já atingiram um nível razoável de conhecimento bíblico. Mas esse não é o caso de uma igreja planejada para alcançar os não-cristãos. Você não pode presumir que seus novos membros saibam alguma coisa de Bíblia, por isso deve começar do zero.

Recentemente, batizamos 63 novos convertidos, incluindo ex-budistas, ex-mórmons, judeus e uma ex-freira. Adicione a isso ex-adeptos da Nova Era e outros pagãos, e você tem uma grande mistura a ser trabalhada. O analfabetismo bíblico é quase universal entre os não-cristãos. Eles sequer conhecem as histórias e personalidades proeminentes da Bíblia.

Tom Holladay, nosso pastor que lidera a equipe de maturidade, contou-me certa vez a conversa que tivera com um novo convertido que passava por tribulações. Holladay abriu a Bíblia no capítulo 1 de Tiago e explicou-lhe o propósito das tribulações. O homem pareceu satisfeito. Ao sair da sala, declarou: "Pensei que minhas aflições fossem resultado de pecados que cometi numa vida anterior". Holladay percebeu que o homem necessitava de mais que uma explicação sobre as aflições da vida: precisava entender a visão da Bíblia sobre a vida.

A igreja precisa oferecer regularmente estudos bíblicos para os novos convertidos, apresentando-lhes o Antigo e o Novo Testamentos. Certa vez, utilizamos 27 noites de quarta-feira para cobrir cada um dos 27 livros do Novo Testamento. Há muitos livros disponíveis para esse tipo de estudo.

O maior programa da Saddleback para desenvolver o conhecimento da Palavra é um curso com duração de nove meses, elaborado e ministrado por nossos professores leigos. O curso baseia-se nos métodos que descrevo em meu livro *Dynamic Bible Study Methods* [Métodos de estudo bíblico dinâmico]. Cada seção inclui dever de casa, lições e divisão em pequenos grupos para a discussão do dever de casa. O curso começa em setembro de cada ano e termina em junho.

Ainda que todos os livros da Bíblia sejam importantes, na Saddleback ministramos em primeiro lugar os cinco principais, que são: Gênesis, João, Romanos, Efésios e Tiago.

Perspectiva. Significa a compreensão de algo que você vê de maneira ampliada. É a habilidade de perceber como as coisas estão interligadas e depois julgar comparativamente sua importância. No sentido espiritual, significa ver a vida do ponto de vista de Deus. Na Bíblia, as palavras *entender*, *sabedoria* e *discernimento* têm relação direta com a perspectiva. Os antônimos de *perspectiva* são: *dureza de coração, cegueira* e *mediocridade.*

Em Salmos 103.7, lemos: "Ele manifestou os seus *caminhos* a Moisés, os seus *feitos* aos israelitas". O povo de Israel viu *o que* Deus fez. Moisés, porém, entendeu *por que* Deus fez. Essa é a diferença entre conhecimento e perspectiva. Conhecimento é aprender o que Deus disse e fez. Perspectiva é saber por que Deus disse e fez. A perspectiva responde aos porquês da vida.

Meu pacto de crescimento neste ano

☐ Um período diário com Deus
Marcos 1.35

Leitura da Bíblia e oração

☐ Dízimo mensal para Deus
1Coríntios 16.2

Dar 10% de minha renda

☐ Uma equipe comprometida
com Deus
Hebreus 10.25

Ter comunhão com cristãos
em um pequeno grupo

Assinatura

Pastor

---

*Rejeite, porém, as fábulas profanas e
tolas, e exercite-se na piedade.*

1Timóteo 4.7

Nome: _____

Endereço: _____

A Bíblia ensina que os não-cristãos não possuem perspectiva espiritual e que a falta de perspectiva é evidência de imaturidade. A reclamação constante de Deus contra a nação de Israel era que lhe faltava perspectiva, e os profetas repreenderam o povo por essa fraqueza. No entanto, ter perspectiva é sinal de maturidade espiritual. Em Hebreus 5.14, lemos: "O alimento sólido é para os adultos, os quais, pelo exercício constante, *tornaram-se aptos para discernir tanto o bem quanto o mal*". Há muitas vantagens em aprender a ver tudo pela perspectiva de Deus. Mencionarei apenas quatro delas.

> A perspectiva responde aos porquês da vida.

1. A perspectiva faz que amemos a Deus ainda mais. Quanto melhor entendemos a natureza e os caminhos de Deus, mais o amamos. Paulo orou: "Oro para que [...] vocês possam, juntamente com todos os santos, compreender a largura, o comprimento, a altura e a profundidade..." (Ef 3.17,18).

2. A perspectiva ajuda-nos a resistir às tentações. Quando olhamos para uma situação do ponto de vista de Deus, reconhecemos que as consequências do pecado a longo prazo são maiores que qualquer prazer que ele possa nos proporcionar. Sem perspectiva, seguimos nossas inclinações naturais. "Há caminho que parece certo ao homem, mas no final conduz à morte" (Pv 14.12).

3. A perspectiva ajuda-nos a suportar as tribulações. Quando temos a perspectiva de Deus, reconhecemos que "Deus age em todas as coisas para o bem daqueles que o amam, dos que foram chamados de acordo com o seu propósito" (Rm 8.28) e que "a prova da sua fé produz perseverança" (Tg 1.3). A perspectiva foi uma das razões pelas quais Jesus conseguiu suportar a cruz (Hb 12.2). Ele olhou para além da dor, para a alegria que estava mais adiante.

4. A perspectiva protege-nos do erro. Se houve um tempo em que os **cris**tãos precisavam ser fundamentados na verdade, certamente esse tempo é hoje. Vivemos numa sociedade que rejeita a verdade absoluta e atribui o mesmo valor a qualquer opinião. O pluralismo criou uma cultura muito confusa. O problema não é que nossa cultura não crê em nada, e sim que ela crê *em tudo*. Nosso maior inimigo é o sincretismo, e não o ceticismo.

Hoje, precisamos desesperadamente de pastores e professores que ensinem claramente a perspectiva de Deus sobre trabalho, dinheiro, prazer, sofrimento, bem e mal, relacionamentos e outras questões cruciais da vida. Precisamos de perspectiva, para "que não sejamos mais como crianças, levados de um lado para outro pelas ondas, nem jogados para cá e para lá por todo vento de doutrina e pela astúcia e esperteza de homens que induzem ao erro" (Ef 4.14). A perspectiva produz estabilidade na vida do ser humano.

O programa da Saddleback para ensinar perspectiva é denominado *Fundamentos*.* É essencialmente um curso de teologia sistemática elaborado por minha mulher, Kay, e por Tom Holladay. Ele abrange 12 doutrinas cristãs essenciais e é ministrado por Kay e pelos professores leigos de nossa igreja duas vezes por semana, durante 27 semanas. O formato é uma combinação de lições e discussões em grupo.

Convicções. Os dicionários normalmente definem a palavra "convicção" como "uma crença firme e forte", porém é mais que isso. Suas convicções incluem seus valores, compromissos e motivações. Gosto da definição que uma vez ouvi de Howard Hendricks: "Crença é algo que você defende. *Convicção* é algo pelo qual você entrega sua vida". Saber *o que* fazer (conhecimento), *por que* fazer (perspectiva) e *como* fazer (habilidades) não tem valor nenhum se não existe uma convicção para motivar tudo isso!

Ao se tornar um cristão, você geralmente faz as coisas simplesmente porque pessoas ao seu redor lhe sugerem ou porque você as imita. Quando você ora, lê a Bíblia ou frequenta os cultos está apenas seguindo o exemplo de outros. Isso não é problema para o novo convertido, pois as crianças pequenas aprendem da mesma maneira. Quando você cresce, porém, torna-se necessário entender os motivos de seus atos. Esses motivos são as convicções. As convicções bíblicas são essenciais à maturidade espiritual.

> Saber *o que* fazer (conhecimento), *por que* fazer (perspectiva) e *como* fazer (habilidades) não tem valor nenhum se não existe uma convicção para motivar tudo isso!

Uma das canções mais tocadas na década de 1980 foi "Karma Chameleon", de Boy George. Uma frase dizia tudo: "I'm a man without conviction" [Sou um homem sem convicção]. Infelizmente, existem muitas pessoas desnorteadas quanto aos seus valores, prioridades e compromissos. James Gordon disse: "Um homem sem convicção é fraco como a porta segura apenas pelo ferrolho".

A pessoa sem convicção está à mercê das circunstâncias. Se você mesmo não determinar o que é importante para sua vida e como vai viver, outras

---

*Disponível em português pelo Ministério Propósitos, no *site* <www.propositos.com.br> [N. do E.].

pessoas irão fazê-lo. Pessoas sem convicção costumam seguir a multidão sem pensar. Acredito que Paulo está falando de convicção em Romanos 12.2: "Não se amoldem ao padrão deste mundo, mas transformem-se pela renovação da sua mente, para que sejam capazes de experimentar e comprovar a boa, agradável e perfeita vontade de Deus".

A igreja *precisa* ensinar convicções bíblicas para fazer frente aos valores seculares, aos quais os cristãos são expostos constantemente. Um velho ditado americano diz: "Se você não se levanta para o que crê, acaba caindo toda hora". O mais irônico é que as pessoas geralmente possuem convicções fortes sobre questões menores (esportes, moda etc.), enquanto têm convicções fracas sobre questões importantes (certo e errado etc.).

A convicção ajuda-nos a ser diligentes no processo de crescimento espiritual. O crescimento requer tempo e esforço. Sem convicção sobre a necessidade de crescimento, as pessoas desanimam e acabam deixando tudo de lado.

> Sem convicção sobre crescimento, as pessoas se desanimam e acabam deixando tudo de lado.

Ninguém permanece em uma missão difícil, a não ser que esteja convencido de que existe uma boa razão para fazê-lo. A igreja pode ensinar as pessoas a orar, a estudar a Bíblia e a dar testemunho de Jesus. Se não lhes transmitir as convicções correspondentes, porém, ninguém irá aprender nada.

As pessoas que causaram maior impacto neste mundo, para o bem ou para o mal, não foram necessariamente as mais inteligentes, as mais ricas ou as mais cultas. Foram pessoas com as convicções mais fortes e mais profundas. Marx, Gandhi, Buda, Colombo e Lutero são alguns exemplos de pessoas que mudaram o mundo por meio de suas convicções.

Em 1943, 100 mil jovens com camisetas marrons encheram o Estádio Olímpico de Munique, na Alemanha, o maior do mundo na época. Os corpos unidos formaram um painel em homenagem a um fanático que estava de pé atrás de um pódio. A mensagem era: "Hitler, somos seus". O compromisso deles permitiu que os nazistas conquistassem a Europa. Anos depois, um grupo de jovens estudantes chineses comprometeu-se a memorizar e viver a filosofia de um livro que quase ninguém lia: *The Sayings of Chairman Mao* [Citações do líder Mao]. O resultado foi a

Revolução Cultural, que ainda hoje mantém mais de 1 bilhão de pessoas sob a escravidão do comunismo. Esse é o poder da convicção.

A vida de Jesus foi dominada pela convicção de que fora enviado para fazer a vontade do Pai. Essa convicção produziu uma consciência profunda do propósito de sua vida e fez o Senhor não se distrair com outros assuntos. Para desenvolver um nível de convicção semelhante ao de Jesus, estude todas as vezes que Jesus usou a frase: "Eu tenho...". Quando as pessoas desenvolvem convicções semelhantes às de Cristo, desenvolvem também um propósito de vida.

Fundamentos

Doutrina	Perspectiva principal
Deus	Deus é maior e melhor do que eu posso imaginar.
Jesus	Jesus é Deus revelado a nós.
Espírito Santo	Deus dentro e por meio de mim agora.
Revelação	A Bíblia é o guia inerrante de Deus para minha vida.
Criação	Nada acontece por si só.
Salvação	Graça é a única forma de se relacionar com Deus.
Santificação	A vontade de Deus para que cresçamos semelhantes a Cristo.
Bem e mal	Deus permite o mal para nos dar uma opção de escolha. Deus pode extrair coisas boas de acontecimentos ruins.
Após a vida	A morte não é o fim, mas o começo. O céu e o inferno são lugares reais.
A Igreja	A única "superpotência mundial" é a Igreja. Ela durará para sempre.
Oração	A oração pode fazer qualquer coisa que Deus pode fazer.
Segunda vinda	Jesus está voltando para julgar o mundo e reunir os filhos de Deus.

A convicção exerce grande fascínio sobre as pessoas, o que explica a popularidade de muitas seitas. Por mais erradas e ilógicas que sejam suas doutrinas, elas são aceitas com forte convicção. Igrejas sem convicções claras e fortes jamais atrairão o nível de compromisso que Cristo merece. Precisamos manter acesa a chama da convicção de que o Reino de Deus é a maior causa do mundo. Vance Havner costumava dizer: "Jesus requer uma lealdade maior que a exigida por qualquer ditador. A diferença é que Jesus tem o *direito* de exigi-la".

Na Saddleback, ensinamos as convicções bíblicas em todos os programas, cursos, seminários e mensagens, mas elas também são *percebidas* no dia-a-dia e se espalham melhor por meio de relacionamentos. A convicção é contagiosa: pessoas de um mesmo grupo a transmitem umas às outras. Esse é um dos motivos por que enfatizamos os pequenos grupos como parte de nosso processo de desenvolvimento de vida. A associação com pessoas de convicções fortes frequentemente produz influência maior que a dos sermões.

Habilidades. Habilidade é a capacidade de fazer alguma coisa com facilidade e precisão. Você não desenvolve uma habilidade por ouvir uma lição, mas pela prática e pela experiência. Na vida cristã, você precisa desenvolver determinadas habilidades para amadurecer: habilidade no estudo bíblico, habilidades ministeriais, habilidade no testemunho, habilidade na administração do tempo e muitas outras.

As habilidades são o "passo-a-passo" do crescimento espiritual. O conhecimento e a perspectiva dizem respeito ao saber. A convicção e o caráter dizem respeito ao *ser*. As habilidades estão relacionadas ao *fazer*. Devemos ser "não apenas ouvintes" (Tg 1.22). Nossas ações provam que somos parte da família de Deus. Jesus disse: "Minha mãe e meus irmãos são aqueles que ouvem a palavra de Deus e a praticam" (Lc 8.21).

> As habilidades são o "passo-a-passo" do crescimento espiritual.

Muitos cristãos hoje são frustrados porque sabem *o que* fazer, mas nunca ninguém lhes ensinou *como* fazer. Eles já ouviram várias mensagens sobre a importância de estudar a Bíblia, mas ninguém mostra como fazê-lo. Sentem-se culpados por não ter uma vida de oração, mas ninguém reserva tempo para lhes explicar como fazer uma lista de oração, como louvar o caráter de Deus usando seus nomes ou como interceder pelos outros. A exortação sem explicação leva à frustração. Quando exortamos as pessoas a fazer algo, temos também a responsabilidade de explicar como fazê-lo.

Se você quer que sua igreja produza cristãos eficientes, ensine-lhes as habilidades necessárias para a vida e para o ministério cristão. A habilidade é o segredo da eficiência. Lembre-se do versículo que compartilhei no capítulo 2. "Se o machado está cego e sua lâmina não foi afiada, é preciso golpear com mais força; *agir com sabedoria assegura o sucesso*" (Ec 10.10).

O programa da Saddleback para o desenvolvimento de habilidades é chamado "Seminário de habilidades de vida". Dura de quatro a oito horas e normalmente é ensinado no mesmo dia. Descobrimos que as pessoas acham mais fácil passar um período longo num único dia que assistir a seis palestras de uma hora durante seis semanas. Às vezes, porém, esticamos o seminário por algumas semanas, pois é muito material para ser estudado em apenas um dia.

Cada seminário concentra-se em uma habilidade específica: como estudar a Bíblia, como orar com mais eficiência, como resistir à tentação, como administrar o tempo para servir no ministério e como se relacionar com outras pessoas. Identificamos nove habilidades básicas, necessárias a todos os cristãos, e oferecemos seminários em outras áreas quando percebemos que existe uma necessidade particular em nossa igreja.

Caráter. Um caráter semelhante ao de Cristo é o alvo maior de toda a educação cristã. Acomodar-se a qualquer outra coisa é não entender o significado do crescimento cristão. Nosso alvo é que "todos alcancemos a unidade da fé e do conhecimento do Filho de Deus, e cheguemos à maturidade, atingindo a medida da plenitude de Cristo" (Ef 4.13).

Desenvolver o caráter de Cristo é a missão mais importante da vida, pois é a única coisa que levaremos para a eternidade. Jesus deixou isso bem claro no Sermão do Monte, ao dizer que as recompensas no céu serão proporcionais ao caráter que demonstrarmos aqui.

Isso significa que o objetivo de nosso ensinamento deve ser mudar vidas, não somente compartilhar informações. Paulo disse a Timóteo que o propósito de seu ensinamento era desenvolver o

> O caráter *nunca* é construído em uma sala de aula, e sim nas circunstâncias da vida.

caráter daqueles a quem ensinava: "O objetivo desta instrução é o amor que procede de um coração puro, de uma boa consciência e de uma fé sincera" (1Tm 1.5).

O caráter *nunca* é construído em uma sala de aula, e sim nas circunstâncias da vida. A sala de aula é simplesmente o local para se *identificar* as qualidades do caráter e aprender como ele pode ser desenvolvido. Se entendermos que Deus utiliza as circunstâncias para nos desenvolver o caráter, reagiremos corretamente quando ele nos puser em situações construtivas. O desenvolvimento do caráter sempre envolve uma escolha. Quando fazemos a escolha certa, nosso caráter é aprimorado e se torna mais semelhante ao de Cristo.

Toda vez que reagimos a uma situação à maneira de Deus, e não de acordo com nossa inclinação natural, estamos desenvolvendo nosso caráter. Escrevi um livro sobre o fruto do Espírito, intitulado *Poder para mudar sua vida*,* que explica esse conceito mais profundamente.

Para ter uma ideia de um caráter semelhante ao de Cristo, um bom lugar para começar é a lista de nove qualidades que Paulo enumera em Gálatas 5.22,23: "O fruto do Espírito é amor, alegria, paz, paciência, amabilidade, bondade, fidelidade, mansidão e domínio próprio". O fruto do Espírito é um retrato perfeito de Cristo. Ele personificava essas nove qualidades. Se você quer um caráter semelhante ao dele, deve também apresentar essas qualidades em sua vida.

Como Deus produz o fruto do Espírito em nossa vida? Fazendo-nos passar por circunstâncias adversas, obrigando-nos a tomar uma decisão. Deus nos ensina como realmente amar, pondo ao nosso redor pessoas "não amáveis" (não é necessário ter caráter para amar os que nos amam), e como ser feliz nas horas de tristeza (a felicidade está no interior). A alegria depende do que está acontecendo, mas a felicidade independe das circunstâncias. Ele desenvolve paz em nós, situando-nos no meio do caos, para que possamos aprender a confiar nele (não é preciso ter caráter para estar em paz quando tudo está bem).

Deus está muito mais preocupado com nosso caráter que com o nosso conforto. Seu plano é nos aperfeiçoar, e não nos mimar. Por essa razão, ele permite todos os tipos de circunstâncias que aprimorem nosso caráter: conflitos, desapontamentos, dificuldades, tentações, escassez e demora.

---

* Vida, 2001 [N. do E.].

Uma das maiores responsabilidades do programa de educação de sua igreja é preparar os membros com conhecimento, perspectiva, convicções e habilidades necessárias para suportar tais situações. Se você fizer isso, o caráter deles será aperfeiçoado.

Há um século, Samuel Smiles fez a seguinte observação:

> Plante um pensamento e colherá um ato;
>
> Plante um ato e colherá um hábito;
>
> Plante um hábito e colherá um caráter;
>
> Plante um caráter e colherá um destino.

Existe uma ordem lógica na edificação do cristão maduro. Você deve começar com o alicerce do conhecimento. Como o conhecimento espiritual é baseado na Palavra de Deus, o primeiro nível de aprendizado é o conhecimento bíblico. As perspectivas e convicções devem ser baseadas na Bíblia.

Sobre o conhecimento da Palavra, adicione a perspectiva. Quanto melhor você conhece a Palavra de Deus, mais capacidade terá de ver a vida do ponto de vista divino. A convicção cresce naturalmente da perspectiva.

Depois de passar a enxergar as coisas da perspectiva divina, você começa a desenvolver convicções bíblicas. A compreensão do propósito e do plano de Deus muda suas motivações.

As convicções lhe dão a motivação para cultivar hábitos espirituais. Ao final, por meio da repetição, esses hábitos se transformam em habilidades.

> **Cinco níveis de aprendizado**
> (medidas de maturidade)
> Conhecimento
> Perspectiva
> Convicção
> Habilidade
> Caráter

Quando você junta conhecimento da Palavra, perspectiva, convicção e habilidades correspondentes, o resultado é o caráter! Primeiro você sabe, depois entende, em seguida crê de todo o coração e, finalmente, faz.

Estas são as cinco perguntas que você deve fazer sobre seu programa de educação cristã:

- Os membros estão aprendendo o conteúdo e o significado da Bíblia?
- Estão vendo a si mesmos da perspectiva de Deus?

- Estão tendo seus valores alinhados com os valores divinos?
- Estão se tornando mais habilidosos para servir a Deus?
- Estão se tornando como Cristo?

Esses são os objetivos pelos quais trabalhamos continuamente. Paulo diz, em Colossenses 1.28: "Nós o proclamamos, advertindo e ensinando a cada um com toda a sabedoria, para que apresentemos todo homem perfeito em Cristo".

Nossa visão para a maturidade espiritual é dar glórias a Deus, formando o maior número possível de discípulos semelhantes a Cristo, antes de sua volta.

19
Transformando membros em ministros

*Somos criação de Deus realizada em Cristo
Jesus para fazermos boas obras, as quais Deus
preparou antes para nós as praticarmos.*
EFÉSIOS 2.10

*"... com o fim de preparar os santos para a obra do ministério,
para que o corpo de Cristo seja edificado..."*
EFÉSIOS 4.12

Certa vez, Napoleão apontou para um mapa da China e disse: "Ali repousa um gigante adormecido. Se um dia acordar, nada poderá detê-lo". Acredito que cada igreja é um gigante adormecido. A cada domingo, os bancos da igreja estão cheios de cristãos que não estão fazendo nada com sua fé, a não ser mantê-la.

A designação de membro "ativo" na maioria das igrejas indica aqueles que a frequentam regularmente e contribuem com ofertas e dízimos. Nada mais se espera dele. Deus, porém, tem expectativas muito mais abrangentes para os cristãos. Ele espera que cada um use seus dons e talentos no ministério. Se conseguirmos despertar e utilizar a massa de talentos, recursos, criatividade e vigor adormecida em cada igreja, o cristianismo explodirá em um crescimento sem precedentes.

A maior necessidade das igrejas evangélicas é que os membros se tornem ministros. Uma pesquisa do Gallup descobriu que somente 10% dos membros das igrejas americanas são ativos em algum tipo de ministério e que 50% de todos os membros não têm interesse em assumir nenhum tipo de atividade. Pense sobre isso! Não importa quanto a igreja promova o envolvimento de líderes, pelo menos metade dos membros continuam meros expectadores.

A boa notícia é que a pesquisa do Gallup descobriu que 40% dos membros demonstram interesse em se envolver em algum ministério, mas nunca foram convocados ou simplesmente não sabem como fazê-lo. Esse grupo é uma mina de ouro inexplorada! Se você puder mobilizar esses 40% e adicionar os 10% que já estão servindo, sua igreja poderá ter 50% de membros envolvidos em algum tipo de atividade! Você não ficaria feliz se metade de sua igreja fosse formada de líderes? Muitos pastores iriam pensar que haviam morrido e ido para o céu se isso acontecesse.

Mesmo que as grandes igrejas tenham muitas vantagens sobre as pequenas, uma coisa que realmente não gosto nas grandes é que é fácil para um talento se esconder na multidão. A não ser que tomem a iniciativa de revelar seus dons e especialidades, membros talentosos podem ficar sentados no meio da multidão semana após semana sem que você sequer tenha ideia do que são capazes de fazer. Isso me preocupa e perturba, pois um talento que fica na prateleira apodrece se não for usado. É como um músculo: se não for utilizado, acabará se atrofiando.

Certa vez, conversava com algumas pessoas no pátio da igreja depois do culto e mencionei que estava precisando de alguém para criar um vídeo para um evento. Uma delas disse: "Por que você não pede a ela?". E apontou uma mulher a poucos metros de distância. Fui até a mulher, perguntei seu nome e o que fazia. Ela disse: "Sou diretora de produção da Disney". Ela estava frequentando a igreja havia um ano!

Em outra ocasião, mencionei que precisava de uma florista para decorar nossa tenda para o Dia das Mães. Alguém me indicou um homem na multidão e disse: "Ele é quem desenha os carros alegóricos que ganham os prêmios na Parada das Rosas". Fico assustado ao saber que um talento como esse pode ficar sem uso por causa de minha ignorância.

Sua igreja nunca será mais forte que seu núcleo de líderes, que executa as várias atividades da igreja. Toda congregação precisa de um sistema bem planejado para descobrir, mobilizar e apoiar os talentos de seus membros. Você deve desenvolver um processo para levar os cristãos a um compromisso mais profundo e ao serviço do Reino. Esse processo levará seus membros do círculo dos comprometidos para dentro do núcleo de líderes. Em nosso diagrama do processo de desenvolvimento de vida, chamamos isso de "levar as pessoas à terceira base".

A maioria das igrejas evangélicas acredita no conceito de que cada membro é um ministro. Muitas até dão grande ênfase à questão em sua pregação e ensino. Ainda assim, a maioria dos membros não faz nada além de frequentar as reuniões e contribuir. O que é necessário para transformar ouvintes em um exército? Como você transforma espectadores em participantes? Neste capítulo, explico o sistema que desenvolvemos para equipar, fortalecer e preparar nossos membros para o ministério.

Ensine a base bíblica "cada cristão é um ministro"

Tenho tentado enfatizar, neste livro, a importância de estabelecer fundamento bíblico em cada coisa que você faz. As pessoas precisam saber o "porquê" antes de você ensiná-las "como". Invista tempo ensinando aos cristãos as bases bíblicas para o ministério leigo. Ensine isso em classes, por meio de cursos, sermões, seminários, estudo bíblico nos lares ou outro meio eficaz. Você *nunca* deve deixar de ensinar o importante fato de que cada membro tem um ministério.

Resumimos tudo que pensamos sobre ministério em uma "Declaração de missão ministerial". Com base em Romanos 12.18, acreditamos que a igreja é construída sobre os quatro pilares do ministério leigo. Ensinamos as verdades sobre esses quatro pilares, para que fiquem profundamente arraigadas no coração de nossos membros.

Pilar nº 1 – Cada cristão é um ministro

Nem todos os cristãos são pastores, mas todos são chamados ao ministério. Deus chama *todos* para ministrar ao mundo e à igreja. O serviço à igreja não é opcional. No exército de Deus, o alistamento não é voluntário.

Ser cristão é ser como Jesus. Ele disse: "Nem mesmo o Filho do homem veio para ser servido, mas para *servir* e *dar* a sua vida em resgate por muitos" (Mc 10.45). Servir e dar são características do estilo de vida semelhante ao de Cristo.

Em nossa igreja, ensinamos que cada cristão é *criado* para o ministério (Ef 2.10), *salvo* para o ministério (2Tm 1.9), *chamado* para o ministério

(1Pe 4.10), *autorizado* para o ministério (Mt 28.18-20), *designado* para o ministério (Mt 20.26-28), *preparado* para o ministério (Ef 4.11,12), *necessário* ao ministério (1Co 12.27), *responsável* pelo ministério e que será *recompensado* por seu ministério (Cl 3.23,24).

Pilar nº 2 – Todo ministério é importante

Não existem pessoas "pequenas" no corpo de Cristo, assim como não há ministérios "insignificantes". *Todo* ministério é importante.

> Deus dispôs cada um dos membros no corpo, segundo a sua vontade. Se todos fossem um só membro, onde estaria o corpo? Assim, há muitos membros, mas um só corpo. O olho não pode dizer à mão: "Não preciso de você!" Nem a cabeça pode dizer aos pés: "Não preciso de vocês!" Ao contrário, os membros do corpo que parecem mais fracos são indispensáveis (1Co 12.18-22).

Alguns ministérios são visíveis, outros ficam atrás dos bastidores, mas todos são igualmente valiosos. Em nossas reuniões mensais de treinamento de ministérios (SALT), enfatizamos e reconhecemos igualmente todos os ministérios.

Os ministérios pequenos geralmente fazem grande diferença. A luz mais importante em minha casa não é a do lustre grande e caro da sala de jantar, e sim a da pequena lâmpada do corredor que nos ajuda a caminhar por ele à noite. É pequena, porém mais útil que o lustre, que quase não usamos (Kay sempre diz que minha luz *favorita* é a que acende quando abro a porta da geladeira).

Pilar nº 3 – Dependemos uns dos outros

Não somente cada ministério é importante: cada ministro está também interligado aos demais. Nenhum ministério é independente. Uma vez que nenhum ministério por si só pode realizar tudo que a igreja é chamada a fazer, devemos depender uns dos outros e nos unir uns aos outros. É como um quebra-cabeça, sendo cada peça necessária para completar o quadro. A primeira coisa que você nota é a peça que está faltando.

Quando uma parte do corpo não funciona bem, as outras partes também não funcionam. Um componente que falta à igreja contemporânea é a compreensão da interdependência. Devemos trabalhar juntos. A preocupação de nossa cultura com o individualismo e a independência deve ser substituída pelos conceitos bíblicos de interdependência e cooperação.

Pilar nº 4 – O ministério é uma expressão da minha FORMA

Esse é um distintivo da filosofia ministerial da Saddleback. Desenvolvi, há algum tempo, cinco elementos — formação espiritual, opções do coração, recursos pessoais, modo de ser e áreas de experiências — os quais determinam em qual ministério cada pessoa deve se envolver.

Quando Deus criou os animais, deu a cada um deles uma especialidade. Alguns animais correm, outros saltam, alguns nadam, outros escavam e alguns voam. Cada um tem um papel específico a desempenhar, segundo a maneira pela qual foram moldados por Deus. O mesmo é verdade em relação aos seres humanos. Cada um de nós foi exclusivamente projetado ou moldado por Deus para realizar determinadas tarefas.

A mordomia sábia de sua vida começa pela percepção da sua FORMA. Você é singular, maravilhosamente complexo, composto de muitos fatores diferentes. Deus o formou de acordo com o que ele quer que você *faça*. O seu ministério é determinado pelo seu modo de ser.

Se você não tem a percepção desses cinco elementos, acaba fazendo coisas que Deus nunca quis nem planejou para você. Quando seus dons não combinam com o papel que você desempenha na vida, isso o faz sentir-se como um quadrado tentando se encaixar num círculo. Isso é frustrante tanto para você quanto para os outros. Não somente os resultados são limitados, mas também é uma grande perda de talento, tempo e força.

Deus é coerente no plano que traçou para nossa vida. Ele não nos daria habilidades inatas, temperamentos, talentos, dons espirituais e experiências de vida para não serem usados! A percepção desses fatores nos fará descobrir a vontade dele para nossa vida — a forma única pela qual ele pretende que o sirvamos.

Deus o moldou para o ministério desde que você nasceu. Ou melhor, ele começou a formá-lo antes de você nascer:

Tu criaste o íntimo do meu ser e me teceste no ventre de minha mãe. Eu te louvo porque me fizeste de modo especial e admirável. Tuas obras são maravilhosas! Digo isso com convicção. Meus ossos não estavam escondidos de ti quando em secreto fui formado e entretecido como nas profundezas da terra. Os teus olhos viram o meu embrião; todos os dias determinados para mim foram escritos no teu livro antes de qualquer deles existir (Sl 139.13-16).

Formação espiritual. A Bíblia ensina claramente que Deus dá a cada cristão alguns dons espirituais para serem usados no ministério (v. 1Co 12; Rm 8; Ef 4). São, contudo, apenas parte do todo. Geralmente, os dons espirituais são superenfatizados em detrimento de outros talentos igualmente importantes. As habilidades naturais com as quais já nascemos também vêm de Deus, bem como nossas experiências. Os dons espirituais revelam uma *parte* da vontade divina para nosso ministério, mas isso não é tudo.

A maioria das igrejas diz: "Descubra seu dom espiritual e então saberá que tipo de ministério deve possuir". Isso é um atraso. Creio de um jeito oposto: experimente trabalhar em diferentes ministérios e, *então*, descobrirá seus dons! Até que comece realmente a se envolver no serviço, não saberá em que você é bom. Mesmo lendo todos os livros já publicados, você ainda pode ficar confuso sobre seus dons.

Não acredito muito na eficácia das "listas de dons espirituais" ou em outros testes disponíveis para a descoberta dos dons. Para começar, listas e testes requerem uma padronização, o que nega a forma única de Deus agir em cada vida. Os que têm o dom do evangelismo em sua igreja podem expressá-lo de forma bem diferente da que é manifestada na vida de Billy Graham. Tampouco existem definições para a maioria dos dons espirituais citados no Novo Testamento, portanto as definições atuais são arbitrárias, altamente especulativas e, em geral, representam preferências denominacionais.

Outro problema é que, quanto mais maduro o cristão se torna, mais é capaz de manifestar características semelhantes a dons. Ele pode demonstrar um coração de servo, mas isso pode não ser um dom, e sim a manifestação de sua maturidade espiritual.

Quando eu era adolescente, fiz um teste de dom espiritual e descobri que o único que tinha era o "dom do martírio"! Pensei: "Que bom! Esse é um dom que só precisarei usar uma vez!". Poderia ter feito centenas de testes sobre dons sem nunca ter descoberto que meu dom era a pregação e o ensino. Isso nunca me passaria pela cabeça, porque nunca fizera isso. Só depois que comecei a aceitar convites para pregar e vi os resultados, recebi confirmação de outros irmãos e reconheci: "Deus me dotou para isso".

Opções do coração. A Bíblia usa o termo "coração" para representar o centro de suas motivações, desejos, interesses e inclinações. Seu coração determina o modo de você se expressar (Mt 12.34), sentir (Sl 37.4) e agir (Pv 4.23).

Cada coração bate de maneira única. A batida do coração de cada pessoa segue um padrão ligeiramente diferente. Da mesma forma, Deus deu a cada um de nós uma "batida de coração" única, que acelera quando deparamos com atividades, assuntos ou circunstâncias que nos interessam. Instintivamente, nutrimos sentimentos mais profundos sobre determinadas coisas. Outra palavra para "coração" é "paixão". Há determinados assuntos que nos despertam paixão, enquanto outros nos são indiferentes. Essa é uma expressão de seu coração.

A motivação dada por Deus serve de sistema direcional interno para sua vida. Ela determina seus interesses e o que lhe traz mais satisfação. Ela também o motiva a ir em busca de alguns tipos de atividades, assuntos e ambientes. Não ignore seus interesses naturais. As pessoas raramente obtêm êxito em trabalhos que não gostam de fazer. As que alcançam seus objetivos são normalmente pessoas que gostam do que fazem.

Deus tem um propósito ao lhe conceder interesses inatos. Sua batida emocional de coração revela uma chave importante para o entendimento das intenções do Senhor em relação a você. Deus lhe deu um coração, mas é escolha sua usá-lo para o bem ou para o mal, para razões egoístas ou para servir a Deus e ao próximo. A Palavra recomenda: "Sirvam o Senhor de todo o coração" (1Sm 12.20).

Recursos pessoais. Os recursos pessoais são seus talentos naturais: você nasceu com eles. Algumas pessoas são hábeis com as palavras, parece que já nasceram falando! Outras têm habilidades esportivas, superam-se em atividades físicas (os melhores técnicos de basquete do mundo jamais poderão incutir em você o talento de Michael Jordan). Algumas pessoas são habilidosas com números, pensam matematicamente e não conseguem entender por que os outros não compreendem cálculo!

Em Êxodo 31.3, temos um exemplo de como Deus capacita as pessoas com "destreza, habilidade e plena capacidade artística" para alcançar seus propósitos. Nesse caso, eram habilidades artísticas, que foram empregadas na construção do tabernáculo. Acho muito interessante que o talento musical não conste na lista de "dons espirituais", mas certamente é uma habilidade natural que Deus utiliza na adoração. Outra habilidade é a sabedoria para auferir recursos: "Lembrem-se do Senhor, o seu Deus, pois é ele que lhes dá a capacidade de produzir riqueza" (Dt 8.18).

Uma das desculpas mais comuns de quem não quer se envolver no ministério é a de que não tem nenhum talento a oferecer. Nada mais longe da verdade. Muitos estudos feitos nos Estados Unidos provam que cada um de nós possui, em média, de 500 a 700 habilidades! O problema é que as pessoas precisam passar por algum processo para identificá-las. A maioria usa suas habilidades de modo inconsciente. Além disso, precisam também de um processo que as ajude a combinar suas habilidades com o ministério correspondente.

Existem cristãos em sua igreja com todo tipo de habilidade, mas que não estão sendo aproveitados. Há membros com habilidade para recrutar, pesquisar, escrever, entrevistar, promover, decorar, planejar, entreter, consertar, desenhar e até mesmo cozinhar. Nada deve ser jogado fora. "Há diferentes tipos de ministérios, mas o Senhor é o mesmo" (1Co 12.5).

Modo de ser. É óbvio que Deus não usa uma forma para criar as pessoas. Ele ama a variedade. Criou introvertidos e extrovertidos. Fez os que amam a rotina e os que amam a variedade; fez "pensadores" e "sentimentais"; pessoas que trabalham melhor sozinhas e outras que produzem mais em equipe.

A Bíblia nos dá várias provas de que Deus utiliza todos os tipos de personalidade. Pedro era sanguíneo. Paulo tinha um temperamento colérico. Neemias era melancólico. Quando você olha para as diferentes personalidades dos 12 discípulos que Jesus selecionou, fica fácil entender por que eles, de vez em quando, tinham conflitos entre si!

Não existe um temperamento "certo" ou "errado" para o ministério. Tudo que precisamos são personalidades para equilibrar a igreja e temperá--la. O mundo seria um lugar muito chato se tudo tivesse o mesmo sabor. Felizmente, as pessoas e os sorvetes têm centenas de sabores diferentes!

Sua personalidade afetará o modo e o lugar em que você usa seus dons espirituais e suas habilidades. Por exemplo: dois cristãos podem ter o dom do evangelismo, mas um é introvertido, e o outro, extrovertido. O mesmo dom será expressado de maneiras diferentes.

Os lenhadores sabem que é mais fácil cortar a madeira em determinado sentido. Da mesma forma, quando você é forçado a ministrar de um modo não condizente com seu temperamento, isso cria tensão e desconforto, requer maior esforço e vigor, além de produzir resultados insatisfatórios. Essa é a razão por que imitar o ministério de alguém nunca funciona, pois você não tem a personalidade de quem está imitando. Deus o fez para que você seja você mesmo! Você pode aprender com os exemplos dos outros, mas precisa filtrar as lições para que se encaixem em sua personalidade.

Quando ministra de maneira coerente com a personalidade que Deus lhe deu, você experimenta plenitude, fica satisfeito e produz resultados. Fazer exatamente o que Deus quer que você faça traz um incrível sentimento de realização.

Áreas de experiência. Deus nunca joga experiências fora. Em Romanos 8.28, lemos: "Sabemos que Deus age em todas as coisas para o bem daqueles que o amam, dos que foram chamados de acordo com o seu propósito".

Em nosso trabalho, ajudamos as pessoas a considerar cinco áreas de experiência que irão influenciar a escolha do ministério ao qual se adaptam melhor. 1) Experiências educacionais: quais eram suas matérias favoritas na escola? 2) Experiências vocacionais: em quais empregos você alcançou melhores resultados e mais gostou de trabalhar? 3) Experiências espirituais: Em que situações Deus tocou em sua vida de maneira mais clara? 4) Experiências ministeriais: como você serviu a Deus no passado? 5) Experiências dolorosas: com quais problemas, mágoas, tribulações você aprendeu mais?

Você foi formado soberanamente por Deus para alcançar os propósitos divinos. "Quem é você, ó homem, para questionar a Deus? Acaso aquilo que é formado pode dizer ao que o formou: 'Por que me fizeste assim?'. O oleiro não tem direito de fazer do mesmo barro um vaso para fins nobres e outro para uso desonroso?" (Rm 9.20,21). Em vez de tentar tomar outra forma para ser como outra pessoa, você deve celebrar a FORMA que Deus lhe deu.

> **Como Deus forma seu ministério**
> Formação espiritual
> Opções do coração
> Recursos pessoais
> Modo de ser
> Áreas de experiência

Quando usar seus dons espirituais e habilidades na área que seu coração deseja e da forma que sua personalidade e experiências se expressam melhor, você será mais eficiente e feliz em seu ministério. O resultado de um trabalho na área correta são bons frutos.*

Simplifique sua estrutura organizacional

O passo seguinte na construção de um ministério para leigos, depois de lhes ensinar as bases bíblicas, é simplificar sua estrutura organizacional. Muitos membros não são ativos na igreja por estarem tão ocupados frequentando reuniões que não têm tempo para o ministério propriamente dito. Sempre me pergunto o que aconteceria com o cristianismo se acabássemos com todas as reuniões. Afinal, Jesus não disse: "Eu vim para que vocês tenham reuniões". Mas se você perguntar a uma pessoa que não vai à igreja o que ele mais nota sobre o estilo de vida de seus vizinhos cristãos, ele provavelmente irá dizer: "Eles saem toda hora para ir à igreja". É assim que queremos ser conhecidos?

Tenho a impressão de que essas igrejas típicas seriam mais saudáveis se eliminassem metade das reuniões, dedicando mais tempo ao ministério e ao evangelismo pessoal. Uma das razões por que os membros de sua igreja não falam de Jesus aos vizinhos é porque não os conhecem. Os cristãos estão sempre no culto.

Há alguns anos, a Roper Organization fez uma pesquisa sobre o tempo livre que as pessoas têm nos Estados Unidos e descobriu que os americanos

---

*Se você estiver interessado numa explicação mais detalhada sobre sua FORMA, leia *Formado com um propósito*: busca e realização do seu propósito exclusivo para a vida, de Erik Rees (Vida, 2007) [N. do E.].

tinham menos tempo de diversão por volta de 1990 que na década de 1970. A média de tempo livre do americano era de 26,2 horas por semana em 1973. Em 1987, caiu para 16,6, uma perda de mais de 10 horas! Hoje, essa média é ainda menor.

O bem de maior valor que as pessoas podem oferecer à igreja é o tempo. Uma vez que o tempo livre é escasso, é melhor ter certeza de que está sendo utilizado da melhor maneira. Se um líder se dirige a mim e diz: "Pastor, tenho quatro horas por semana para dedicar ao ministério da igreja", a última coisa que eu faria seria pô-lo em alguma comissão. Quero envolvê-lo num ministério, e não na manutenção da igreja.

Ensine aos cristãos a diferença entre manutenção e ministério. Manutenção é o trabalho de igreja: orçamentos, construções, questões organizacionais etc. Ministério é "o trabalho da igreja". Quanto mais pessoas envolvidas em decisões sobre manutenção, mais você gasta o tempo delas, evitando que se engajem no ministério e criando oportunidades para conflitos. O trabalho de manutenção também condiciona as pessoas a pensar que suas responsabilidades já estão cumpridas após votarem sobre os negócios da igreja.

Um erro comum cometido por muitas igrejas é pegar os membros mais inteligentes e capacitados e torná-los burocratas, dando-lhes a tarefa de frequentar reuniões. Você pode drenar a vida das pessoas, agendando constantes reuniões. Não instituímos comissões na Saddleback. Temos, porém, 79 ministérios leigos.

Qual é a diferença entre uma comissão e um ministério leigo? As comissões discutem, os ministérios fazem. As comissões debatem, os ministérios agem. As comissões administram, os ministérios ministram. As comissões conversam e consideram, os ministérios servem e protegem. As comissões falam de necessidades, os ministérios vão ao encontro delas.

As comissões também tomam decisões que elas esperam que outras pessoas venham a implementar. Em nossa comunidade, os implementadores são os "tomadores de decisões". Os que trabalham nos ministérios têm oportunidade de tomar as próprias decisões sobre o ministério ao qual pertencem. Não separamos autoridade de responsabilidade; confiamos ambas aos nossos membros. Isso torna as comissões irrelevantes. Não delegamos autoridade para tomar decisões aos que não ministram.

Quem, então, faz a manutenção de nossa igreja? Nossos funcionários fazem isso. Não jogamos fora o valioso tempo de nossos membros. Os cristãos ficam realmente satisfeitos quando o tempo que dedicam à igreja é direcionado para um ministério de verdade.

Estou certo de que você está achando esse método bastante radical. A Saddleback é estruturada de uma forma *exatamente oposta* à maioria das igrejas. Em uma estrutura tradicional, os membros tomam conta da manutenção (administração) da igreja, e o pastor, supostamente, cuida do ministério. Não é de admirar que a igreja não cresça! Não existe possibilidade de um homem atender a todas as necessidades do rebanho. Cedo ou tarde, ele acabará "se queimando" e terá de mudar de igreja.

A razão deste livro não é compartilhar todas as minhas convicções sobre a estrutura bíblica da igreja. Permita-me, porém, pedir a você que considere esta questão: "O que as expressões "comissões", "eleições", "maioria", "juntas", "membros das juntas", "regras parlamentares", "votação" e "voto" têm em comum?". Nenhuma delas é encontrada no Novo Testamento. Impomos uma forma americanizada de governo na igreja, e, como resultado, a maioria delas está cheia de burocracia, assim como o governo. Demora muito tempo para alguma coisa ser feita. As estruturas organizacionais criadas pelo homem têm prejudicado o crescimento saudável da igreja, mais do que se possa imaginar.

As estruturas tradicionais ou impedem o crescimento da igreja ou controlam seu ritmo e proporção. Cada igreja, cedo ou tarde, terá de decidir se será estruturada para *controlar* ou para *crescer*. Essa é uma das principais decisões que sua igreja precisa tomar. Para que ela cresça, o pastor e os membros devem renunciar ao controle. Os membros devem renunciar ao controle da *liderança*, e o pastor precisa renunciar ao controle do *ministério*.

Depois que a igreja ultrapassa os 500 membros, nenhuma pessoa ou comissão poderá saber tudo que está acontecendo nela. Há anos que não sei o que acontece em minha igreja. Não preciso saber tudo que acontece! Você pode perguntar: "Então, como você a controla?". Minha resposta é: "Não a controlo. Não é meu trabalho controlar a igreja. Meu trabalho é *liderá-la*". Existe uma grande diferença entre liderar e controlar. Nossos pastores e nossa equipe são responsáveis por manter a igreja doutrinariamente saudável e no caminho certo, mas as decisões do dia-a-dia são tomadas pelos que fazem parte dos vários ministérios da igreja.

Se você leva a sério a mobilização de seus membros para o ministério, deve simplificar a estrutura para maximizar o ministério e simplificar a manutenção. Quanto mais máquina organizacional sua igreja possui, mais tempo, vigor e dinheiro são necessários para mantê-la — tempo precioso, vigor e dinheiro que poderiam ser investidos na ministração ao povo.

> Cada igreja, cedo ou tarde, terá de decidir se será estruturada para *controlar* ou para *crescer*.

Quando você libera os cristãos para o ministério e os poupa da manutenção, está criando um ambiente muito mais feliz, harmonioso e elevado. A plenitude vem por meio do ministério, e não da manutenção. Quando Deus se utiliza de você para mudar vidas, ele também muda sua atitude.

Em uma guerra, você sempre acha melhor relacionamento e senso de camaradagem entre os que lutam na linha de frente. Não há tempo para discutir e reclamar quando se está esquivando das balas. Quinze quilômetros atrás da linha, onde não há combate, os soldados reclamam da comida, dos chuveiros e da falta de diversão. As condições não são más quanto as dos que estão na linha de frente, mas quem não está na batalha tende a ser mais crítico. Quando encontro cristãos que só sabem reclamar e criticar, normalmente descubro que não estão envolvidos no ministério. Em geral, os que mais murmuram — em qualquer igreja — são os membros das comissões, que não têm nada para fazer.

> Você deve simplificar a estrutura para maximizar o ministério e simplificar a manutenção.

Nas poucas horas em que você realmente precisar de uma comissão para estudar algo, crie um grupo com objetivos específicos, com começo e fim previstos. Após o tempo determinado, desfaça a equipe. A maioria das comissões permanentes gasta uma quantidade enorme de tempo agendando reuniões desnecessárias.

Não decida funções ministeriais por meio do voto

Há uma série de razões pelas quais a Saddleback nunca escolhe ninguém para o ministério leigo por meio de voto.

Evite contendas. Se você convocar uma eleição para preencher funções no ministério, estará fechando as portas para os que têm medo da rejeição. Os tímidos e os que não têm muita confiança jamais irão se candidatar para servir, com medo de serem rejeitados pela comunidade ou por uma comissão.

Novos ministérios geralmente precisam ser desenvolvidos lentamente. Se você chamar muito a atenção do público sobre um ministério em seus primeiros dias, ele pode morrer. Às vezes, basta uma palavra negativa para arrancar a raiz de um ministério antes que ele tenha tempo de se firmar.

Novos membros envolvem-se mais facilmente. A votação deixa os novos membros em desvantagem. Um novo membro pode ser mais bem qualificado que um membro mais antigo, mas pode ser desconhecido das comissões que controlam o processo de indicação. Tenho visto pessoas capacitadas serem deixadas de fora do ministério durante anos por não fazerem parte do círculo fechado de decisão controlado pelos membros mais antigos da igreja.

Evite pessoas interessadas apenas em posição, poder ou privilégio. Quando elimina a votação, você atrai pessoas genuinamente interessadas em servir, em vez daqueles que só querem título. Certa vez, um homem reclamou comigo: "Estou deixando a igreja porque quero ser relator de uma comissão, e aqui não há comissões!". Pelo menos, ele foi honesto. Acabou encontrando uma igreja menor, onde podia ter um título para impressionar e se sentir como um peixe grande num lago pequeno. Ele não tinha nenhum interesse no ministério; estava interessado somente no poder.

Se houver falhas, a remoção será mais fácil. Se você eleger pessoas publicamente, deve removê-las publicamente, se elas se mostrarem incompetentes ou falharem no aspecto moral. No mundo de hoje, a exoneração pública pode ser uma "batata quente" do ponto de vista político, humano e legal. Alguns cristãos carnais preferem dividir a igreja a renunciar a uma função, podendo até se organizar para fechá-la. Quando o membro não é escolhido por voto, as falhas podem ser tratadas com mais privacidade.

Você pode atender mais rapidamente à voz do Espírito Santo. Quando um membro sugere um novo ministério, a igreja não deve esperar a reunião seguinte de planejamento. Em nossa comunidade, um ministério foi formado imediatamente após um culto, por causa de algo dito por mim durante a mensagem. Os interessados reuniram-se no pátio, e o trabalho começou naquele momento.

Certa ocasião, uma mulher veio até mim e disse:

— Precisamos de um ministério de oração.

— Concordo! Você é esse ministério! — respondi.

Surpresa, ela perguntou:

— Não preciso ser eleita ou passar por algum processo de aprovação?

Ela havia imaginado que teria de passar por várias instâncias políticas.

— É claro que não! — concluí. — Tudo que precisa fazer é anunciar a reunião no boletim e começar.

Ela fez isso.

Outra pessoa procurou-me e disse:

— Precisamos de um grupo de apoio para os pacientes de câncer em estado terminal.

— Boa ideia! Comece você mesmo — sugeri.

E ele começou.

Um homem veio até mim e disse: "Não posso ensinar, não sei cantar, mas sou bom em reformas de casas e pequenos trabalhos de carpintaria. Gostaria de começar um ministério chamado Ajuda nas Casas e fazer manutenção grátis para as viúvas de nossa igreja".

O ponto é que você não precisa decidir por voto se uma pessoa pode ou não usar os dons que Deus deu a ela no corpo de Cristo. Quando alguém expressa o desejo de ministrar, imediatamente começamos a inseri-la no que chamamos de processo de atribuição

Estabelecendo um processo de atribuição ministerial

Conduzir membros ao ministério deve ser um processo constante, e não uma ênfase especial. Existem três partes essenciais no Centro de Desenvolvimento Ministerial da Saddleback.

Um curso mensal. A cada mês, ministramos o curso *Comprometidos com o ministério* — uma aula de quatro horas que expõe as bases bíblicas para o ministério e as várias oportunidades ministeriais em nossa igreja. Ela é ensinada no segundo domingo de cada mês, no período da tarde, das 16 às 20h30, e inclui uma refeição gratuita. Simultaneamente, temos os cursos de *Comprometidos com a membresia* e *Comprometidos com a maturidade*). Dedicamos bastante atenção e promoção a esses cursos.

Um processo de atribuição. Nosso processo de atribuição envolve seis passos: 1) fazer o curso *Comprometidos com o ministério*; 2) comprometer-se a servir em um ministério e assinar o pacto de ministério da Saddleback; 3) completar o perfil FORMA (formação espiritual, coração, habilidades, personalidade e experiências); 4) ter uma entrevista com um facilitador para identificar duas ou três possíveis áreas no ministério; 5) encontrar-se com alguém da equipe ou com um dos líderes leigos que supervisiona o ministério desejado; 6) ser comissionado publicamente na reunião do SALT.

O processo de atribuição serve para fortalecer os cristãos, e não para preencher vagas. Você obterá muito mais sucesso com aqueles que integrar no ministério se concentrar seu interesse no indivíduo, e não nas necessidades da instituição. Lembre-se: o ministério é para pessoas, não para programas.

Trabalhe de maneira personalizada na administração do processo. Os cristãos necessitam de atenção individual e de liderança para descobrir o ministério com o qual se identificam. O simples fato de completar um curso não o fará alcançar esse objetivo. Cada membro merece atenção pessoal.

O Centro de Desenvolvimento Ministerial da Saddleback é liderado por nosso pastor de ministérios e por voluntários que servem nessa equipe. Eles fazem entrevistas com os membros que completaram o perfil FORMA, ajudando-os a encontrar o lugar mais adequado para servir. Ajudam também os membros que querem iniciar novos ministérios. Se eu estivesse começando uma igreja hoje, uma de minhas primeiras providências seria encontrar um voluntário que soubesse entrevistar e treiná-lo para ajudar os interessados nessa missão vital. Não precisa ser uma função remunerada, mas você precisa de alguém com personalidade certa e habilidade específica para esse trabalho.

Providencie treinamento no local de trabalho

Depois que começam a servir no ministério, os membros precisam de treinamento no local de trabalho. Isso é muito mais importante e eficaz que um treinamento antes do trabalho em si. Solicitamos apenas um treinamento mínimo antes do início da atividade ministerial, porque sentimos que eles nem mesmo sabem o que perguntar até estarem realmente envolvidos.

Outra razão de não adotarmos o treinamento antes do início do trabalho é que queremos envolver os membros da igreja o mais rápido possível no ministério. Um treinamento longo e arrastado antes do início do trabalho faz que percam o entusiasmo inicial. Isso os desgasta antes mesmo que comecem a trabalhar! Descobrimos que os que se dispõem a participar de um treinamento de 52 semanas *antes* de começar o trabalho nem sempre são eficientes quando começam a servir. A tendência é se tornarem alunos profissionais, que gostam mais de aprender sobre ministério que de exercê-lo. Queremos que mergulhem na água e se molhem o mais rápido possível, pois somente assim estarão motivados a aprender a nadar.

A peça-chave em nosso programa de treinamento de líderes é o SALT. É uma reunião de duas horas que realizamos nas noites do primeiro domingo de cada mês com o núcleo de nossa igreja. A programação das reuniões do SALT inclui um extenso período de adoração, reconhecimento de todos os ministérios, testemunhos do campo, comissionamento de novos líderes, oração em grupos, notícias da igreja, treinamento para o ministério e uma mensagem minha sobre nossos valores, nossa visão e as qualidades e habilidades de caráter necessárias ao ministério. Essas pregações mensais para nossos líderes leigos são chamadas "Encorajamento para a liderança". Elas são gravadas para que qualquer pessoa que tenha perdido a reunião possa ouvi-la depois. Também pomos as mensagens à disposição de outras igrejas por meio de nosso ministério Encouraging Word [Palavra de encorajamento]. Na reunião do SALT, damos o prêmio Exterminador de Gigantes ao líder que enfrentou o maior problema no mês anterior.

Tendo-me comprometido com a membresia e os hábitos essenciais à maturidade espiritual e concordando com a declaração de ministério da Igreja Saddleback, comprometo-me a...

descobrir minha FORMA no ministério e servir na área que melhor expressa o que Deus me criou para ser.

preparar-me para ministrar, participando do treinamento avançado de liderança (SALT) e dos cursos (Membresia, Maturidade, Ministério, Missões, Adoração).

demonstrar um coração de servo, servindo em ministério complementar e ficando à disposição da igreja.

cooperar com outros ministérios e priorizar o bem da igreja em detrimento das necessidades de meu ministério.

_____ Assinatura

_____ Data

ESTE CARTÃO CERTIFICA QUE

_____

é ministro de Jesus Cristo pela Saddleback Valley Community Church, investido das respectivas responsabilidades e privilégios.

_____
Rick Warren, pastor

Além dessas reuniões, oferecemos uma variedade de treinamentos para ministérios específicos, por meio de nosso *Instituto de Desenvolvimento de Vida*. O curso *Comprometidos com o ministério* ensina diferentes habilidades ministeriais e equipa os cristãos para servir em diversos ministérios da igreja. Por exemplo, essa classe é chamada "Então você quer ser um líder de pequenos grupos". Existem outros treinamentos: para o ministério de jovens, de crianças, de música, de aconselhamento e de pastores leigos, além de muitos outros.

Nunca comece um ministério sem um ministro

Jamais criamos uma atividade ministerial para depois preenchê-la. Isso não funciona. O fator mais importante em um novo ministério não é a ideia, e sim a liderança. Cada ministério se ergue ou cai por sua liderança. Sem o líder certo, o ministério fica somente capengando, com a possibilidade de fazer mais mal que bem.

Confie no tempo de Deus. A equipe da Saddleback nunca inicia novos ministérios por conta própria. As ideias apresentadas ficam no ar, até que Deus nos dê a pessoa certa para realizá-la. Já contei que não tivemos um ministério de jovens organizado até a igreja ter cerca de 500 pessoas frequentando e que não instituímos um ministério para solteiros até que alcançássemos cerca de mil pessoas. Por quê? Porque até então Deus não nos dera os líderes para essas atividades.

Nunca empurre ninguém para dentro do ministério. Se você fizer isso, ficará sujeito a um problema de motivação por toda a vida. A maioria das igrejas pequenas se apressa e tenta fazer muito mais do que são capazes. Ore e espere até que Deus traga a pessoa que tenha o perfil adequado para liderar o ministério que pretende criar. Os líderes devem pensar em termos de longo prazo a respeito do desenvolvimento da igreja. Um crescimento sólido leva tempo.

Estude o livro de Atos e descobrirá que todos os empreendimentos seguiam a orientação do Espírito Santo. Em lugar algum de Atos você encontra alguém organizando um ministério e depois orando: "Agora, Deus, abençoa nossa ideia". Deus tocava o coração de alguém, e um ministério começava espontaneamente a desabrochar. E, quando crescia, os cristãos proviam alguma estrutura para apoiá-lo.

Nossos ministérios têm se desenvolvido dessa forma. O ministério de mulheres, por exemplo, começou com um estudo bíblico que Kay ministrava em nossa casa. O trabalho começou a se expandir até que uma estrutura mínima e, mais tarde, funcionários tiveram de ser providenciados para apoiá-lo. Esse padrão tem se repetido continuamente.

Estabeleça o mínimo de padrões e diretrizes

É fundamental estabelecer alguns padrões mínimos para um ministério, porque as melhores intenções não são suficientes quando se trabalha com seres humanos. Na Saddleback, temos uma descrição de cada função ministerial, que esclarece questões como o tipo de compromisso necessário, os recursos que serão providenciados, as restrições a serem adotadas, a linha de autoridade e de comunicação e os resultados que esperamos.

Torne esses padrões claros e concisos. Não aborreça as pessoas com procedimentos e comissões. Permita que haja o máximo de liberdade possível. Em nossa igreja, qualquer membro que tenha concluído o curso *Comprometidos com o ministério* e participado de uma entrevista sobre sua personalidade pode começar um novo ministério, contanto que concorde em seguir três diretrizes básicas.

Diretriz nº 1: Não espere que a equipe trabalhe em seu lugar. Os cristãos costumam dizer coisas como: "Tenho uma grande ideia para nossa igreja"; ou: "Devemos fazer alguma coisa sobre...". Sempre peço que me expliquem o que querem dizer com "nós". Quando dizem: "A igreja deve...", geralmente querem dizer: "O pastor deve...".

Um membro me disse certa vez:

— Sinto o coração tão pesado pelas pessoas que estão nas prisões que tenho ido às cadeias ministrar estudos bíblicos. Acho que a igreja deveria fazer alguma coisa por aquelas pessoas!

— Para mim, ela já está fazendo alguma coisa. Você é a igreja! — respondi.

Na semana seguinte, falei à congregação: "Libero todos vocês para visitar os que estão na prisão, alimentar os famintos, vestir os pobres e abrigar os sem-teto. Não precisam de minha autorização para isso. Vão e façam! Representem sua igreja em nome de Jesus". Esse ministério não necessitou da supervisão de nossa equipe. Ajude as pessoas a reconhecer que elas são a igreja.

Diretriz nº 2: O ministério deve ser compatível com as crenças, os valores e a filosofia ministerial da igreja. Se você permitir a instituição de um ministério que não caminhe na mesma direção que a igreja, estará procurando confusão. Em vez de ajudar, tais ministérios irão inibir o que você está querendo fazer e podem até prejudicar o bom testemunho da congregação.

Na Saddleback, somos tremendamente precavidos quanto a ministérios apoiados por organizações de fora, pois elas geralmente têm ideias, valores e propósitos diferentes dos de nossa igreja, o que acaba dividindo a lealdade das pessoas.

Diretriz nº 3: Não é permitido levantar fundos. Se você permitir que cada ministério corra atrás de recursos, o pátio de sua igreja irá virar um bazar. Haverá barracas de comida e de artesanato por todo lado. A competição por dinheiro se tornará intensa, e os membros começarão a se ressentir com o número crescente de correspondência solicitando contribuições. Um orçamento unificado é essencial para manter a igreja unificada. Os líderes de cada ministério devem encaixar suas necessidades financeiras ao orçamento da igreja.

Permita que os cristãos deixem o ministério sem culpa

Para renunciar a um ministério, em algumas igrejas, você precisa morrer, abandonar a congregação ou estar disposto a conviver com uma culpa intensa. Devemos permitir que os cristãos tirem "férias" ou mudem de ministério sem se sentirem culpados, pois pode acontecer que venham a estagnar em suas atividades ou sentir necessidade de uma mudança de ritmo. Ou, talvez, estejam simplesmente necessitando de um tempo. Qualquer que seja a razão, é necessário ter substitutos prontos para preencher as vagas.

Nunca algemamos as pessoas ao ministério. A decisão de servir em um ministério não é um documento gravado em pedra. Se alguém não gostar ou não se adaptar à função que escolheu, deve ser encorajado a mudar de ministério, sem nenhuma vergonha.

Dê às pessoas liberdade para fazer experiências. Permita que sirvam em locais alternados. Como já disse, acreditamos que a experiência em diferentes ministérios é a melhor forma de descobrir seus dons. Apesar de pedirmos o compromisso de um ano em cada área, nunca forçamos o membro a isso. Se ele percebe que não combina com o ministério, não o fazemos se sentir culpado por renunciar. Denominamos isso de "*experiência*". Caso a pessoa falhe, nós a encorajamos a tentar outra coisa. Todos os anos, durante o Mês do Ministério Leigo, os cristãos são motivados a conhecer um novo ministério se não estiverem satisfeitos com o que estão fazendo.

Confie nas pessoas: delegue autoridade com responsabilidade

O segredo de motivar as pessoas a servir por um longo período de tempo é dar-lhes o sentimento de propriedade. Quero repetir isto: permita que os membros que lideram o ministério tomem as próprias decisões sem a interferência de comissões ou juntas administrativas. Por exemplo, os líderes do ministério do berçário podem decidir como as salas serão decoradas, o tipo e a quantidade de berços que irão adquirir e o método de controle de entrada e saída de crianças que irão adotar. Os membros envolvidos no dia-a-dia do ministério tomarão decisões mais corretas que uma comissão, que controla tudo a distância.

As pessoas correspondem quando recebem autonomia para gerenciar. Elas prosperam e crescem quando você confia nelas. Contudo, se você trata-las como crianças incompetentes, terá de trocar as fraldas e alimentá-las pelo resto da vida. Se lhes delegar autoridade com responsabilidade, você ficará maravilhado com a criatividade delas. O limite da criatividade das pessoas está na estrutura em que você as insere. Em nossa congregação, designamos um supervisor para cada um dos ministérios leigos. Na maioria das vezes, porém, deixamos que os líderes tomem as próprias decisões.

Confie o ministério aos membros, acreditando que darão o melhor de si. Algumas igrejas têm tanto medo de um *incêndio* na floresta que passam o tempo apagando até as fogueiras que aquecem a igreja! Se você é pastor, permita que os membros cometam erros! Não insista em cometê-los todos sozinho. Você desperta o que há de melhor nos membros da igreja quando lhes propõe um *desafio* ou lhes concede controle e — principalmente — *crédito*.

> O limite da criatividade das pessoas está na estrutura em que você as insere.

No início de nossa igreja, Kay e eu literalmente ajudávamos em todos os trabalhos: arrumação do local de culto, impressão de boletins, limpeza de banheiros, café, etiquetas com nomes, e assim por diante. Eu guardava todos os equipamentos — berços, equipamento de som etc. — em nossa garagem. Todo domingo de manhã, pegava emprestado uma caminhonete para transportar o equipamento até a escola que havíamos alugado. No primeiro ano, trabalhava cerca de 15 horas por dia, feliz de poder fazer a obra do Senhor.

A Saddleback tinha ainda poucos anos de existência quando meu vigor começou a diminuir. A igreja contava com centenas de pessoas, e eu ainda estava tentando me envolver em todos os aspectos e detalhes do ministério. Estava me "queimando", física e emocionalmente.

Em um culto no meio da semana, confessei à congregação que estava tão exausto que não podia mais continuar liderando a igreja e estar ao mesmo tempo envolvido em todos os ministérios. Disse-lhes que Deus não exigia que eu desempenhasse todas aquelas atividades. A Bíblia era bem clara em dizer que o trabalho do pastor era equipar os membros para os vários ministérios. Então falei: "Vou lhes propor um acordo. Se concordarem em participar de todos os ministérios desta igreja, eu lhes garanto a alimentação!". O povo gostou da proposta, e naquela noite assinaram um pacto: daquele dia em diante, se envolveriam no ministério, e eu as alimentaria e lideraria. Depois dessa decisão, a Saddleback explodiu em crescimento.

Desde o primeiro dia de nossa igreja, meu plano sempre foi "renunciar" ao ministério. Sempre que uma igreja está em seu início, normalmente é o pastor que a mantém unida em seus propósitos. Mas a igreja deve ser "desmamada" do pastor o mais rápido possível. Enquanto nossa igreja crescia, comecei a delegar responsabilidades aos líderes e aos membros de nossa equipe. Hoje, tenho apenas duas responsabilidades: *liderar* e *alimentar*, ainda assim essas tarefas agora são compartilhadas com outros seis pastores. Nossa equipe de administração pastoral me ajuda a liderar a igreja, e nossa equipe de pregação divide o tempo no púlpito. Por quê? Porque creio profundamente que a igreja não foi planejada para ser palco dos *shows* de um homem que acaba se tornando um *superstar*!

Todos nós sabemos o que acontece quando um ministério importante é construído ao redor de um indivíduo. Se ele morre, muda de igreja ou falha moralmente, o ministério entra em colapso. Se eu morresse hoje, a Saddleback continuaria crescendo, porque é uma igreja com propósitos, não é dirigida por uma personalidade. Provavelmente, perderíamos umas mil pessoas, que chamo de "turminha do Rick", frequentadores que gostam de me ouvir. Mas ainda haveria milhares de membros dedicados na congregação, entre os comprometidos e no núcleo.

Providencie o apoio necessário

Não espere que as pessoas tenham sucesso sem apoio. Cada ministério necessita de algum tipo de investimento.

Providencie apoio material. Os líderes precisam ter acesso a máquinas copiadoras, papel e a vários outros materiais e recursos. Necessitam também de telefone e, provavelmente, de um espaço para se reunir. Em um dos prédios que estamos construindo, planejamos ter uma grande sala onde teremos nossas "incubadoras de ministérios" — divisórias pequenas e privativas para os coordenadores de ministérios leigos, equipadas com mesa, telefone, computador e fax. Arquimedes disse: "Dê-me um ponto de apoio, e moverei o mundo". Considere os líderes tão importantes quanto os funcionários remunerados da igreja. Quando você providencia um espaço para alguém, esse ato comunica a seguinte mensagem: "O que você está fazendo é importante".

Providencie um sistema de comunicação. Desenvolva meios de se manter em contato com seus líderes. As ferramentas que usamos para estar em contato com os membros (cartão de boas-vindas, telefonemas do CARE e relatório dos pastores leigos) também podem ser úteis.

Providencie apoio promocional. É importante manter os ministérios de sua igreja visíveis à população. Existem incontáveis maneiras para promover os trabalhos desenvolvidos. Aqui estão algumas sugestões:

- Permita que os ministérios tenham uma mesa na entrada do auditório cada domingo, para que todos tenham a oportunidade de ver o que está acontecendo em cada área. Se o espaço for um problema, faça um rodízio entre os ministérios.
- Dê a cada um dos líderes uma etiqueta com o nome impresso, para que os membros possam saber quem está envolvido e em qual ministério.
- Faça uma Feira de ministérios. Pelo menos duas vezes por ano, temos uma Feira de ministérios, em que cada ministério divulga seus enfoques, programas e eventos.
- Faça um folheto sobre cada ministério e publique artigos dos diferentes ministérios nas cartas que envia aos membros.
- Faça referência aos ministérios em suas mensagens. Dê testemunho de como um ministério em particular ajudou a mudar a vida de alguém.

Dê apoio moral. Expresse continuamente sua apreciação, tanto em público quanto pessoalmente, aos que servem em sua igreja. Planeje eventos, como jantares especiais e retiros da liderança, para recompensar seu grupo principal de ministros. Conceda o prêmio mensal Exterminador de Gigantes aos ministros que se destacaram.

Ao longo deste capítulo, tenho usado repetidamente o termo "líder" e "ministro leigo" para que os leitores não pensem que falo de líderes remunerados. Na verdade, não gosto muito do termo "ministro leigo",* porque dá uma conotação de cidadania e competência de segunda classe. Você permitiria que um "cirurgião leigo" fizesse uma cirurgia em você ou que um "advogado leigo" o defendesse?

Não existem leigos numa igreja bíblica. Há somente ministros. A ideia de duas classes de cristãos, o clero e o laicato, é uma criação da Igreja Romana. Aos olhos de Deus, não existe diferença entre ministros voluntários e ministros remunerados. Devemos tratar os que não recebem salário com o mesmo respeito que dispensamos aos que são remunerados pelos seus serviços.

---

*Preferencialmente nesta edição, usa-se o termo "líder" [N. do E.].

Renove sua visão regularmente

Mantenha viva sua perspectiva de ministério perante o povo. Ressalte a importância dos ministérios. Quando recrutar um ministro, enfatize o significado eterno de ministrar em nome de Jesus. Nunca use culpa ou pressão para motivar alguém ao trabalho. É a *visão* que motiva. A culpa e a pressão apenas desencorajam o povo. Ajude o povo a se convencer de que não existe causa maior que a do Reino de Deus.

Lembra-se do "princípio de Neemias", que mencionei no capítulo 6? Ele declara que a visão deve ser renovada a cada 26 dias — praticamente, uma vez por mês. É por isso que a reunião mensal do SALT é tão importante para nosso núcleo. É onde nossos líderes ouvem sobre a visão e os valores são continuamente restaurados. Se estou doente, não hesito em deixar de falar a uma multidão de 10 mil pessoas, mas preciso estar morrendo para deixar de comparecer à reunião do SALT. É minha oportunidade de enfatizar o privilégio de servir a Cristo.

Sempre digo à nossa congregação: "Imagine que você morreu, e daqui a 50 anos alguém chega ao céu e vem falar com você, dizendo: 'Muito obrigado'. Você responde: 'Desculpe, acho que não o conheço'. Então ele explica: 'Você era líder na Saddleback. Serviu, sacrificou-se e construiu a igreja que me alcançou para Cristo depois de você morrer. Estou no céu agora por sua causa'. Não acha que seus esforços valem a pena?".

Se eu conhecesse um modo mais significativo de investir minha vida fora do serviço de Cristo, eu o faria, porém não existe nada mais importante. Assim, não peço desculpas a ninguém quando digo a alguém que a coisa mais importante que ele pode fazer é se unir à igreja, se envolver num ministério e servir a Cristo e ao próximo. O efeito do ministério para Cristo dura muito mais que carreira, passatempos ou qualquer coisa que se possa fazer.

O segredo mais bem guardado da igreja é que o ser humano está ansioso para dedicar sua vida a alguma causa. Fomos feitos para o ministério. A igreja que entende isso e faz o possível para que cada membro expresse seus dons e habilidades no ministério experimentará vitalidade impressionante, saúde e crescimento. O gigante adormecido será acordado. E o mais importante: ninguém poderá detê-lo!

20
O propósito de Deus para sua igreja

A ele seja a glória na igreja e em Cristo Jesus, por todas as gerações, para todo o sempre! Amém!
EFÉSIOS 3.21

Tendo, pois, Davi servido ao propósito de Deus em sua geração, adormeceu...
ATOS 13.36

Um de meus *hobbies* é jardinagem. Acho que combina com a personalidade que Deus me deu: gosto de ver as coisas crescerem. Sempre me fascinei com as formas diferentes em que as plantas se desenvolvem. Não existem duas plantas que cresçam da mesma forma, na mesma velocidade ou que atinjam o mesmo tamanho. Cada planta cresce num padrão único. O mesmo acontece com as igrejas. Duas igrejas nunca irão crescer de maneira idêntica. Deus quer que a igreja em que você ministra seja única.

De todos os padrões de crescimento que já observei como jardineiro, o do bambu-chinês é o mais impressionante. Ele cria raízes na terra e, por quatro ou cinco anos (às vezes até por mais tempo), nada acontece! Você põe água e fertilizante, põe água e fertilizante e põe água e fertilizante, mas não vê nenhuma evidência de que algo esteja acontecendo. Absolutamente nada! Cerca de cinco anos depois, porém, as coisas começam a acontecer rapidamente. Num período de seis semanas, o bambu-chinês cresce 30 metros! A *World Book Encyclopedia* registra o caso de um bambu que cresceu 7 metros num período de 24 horas. Parece incrível que uma planta fique aparentemente adormecida vários anos e, de repente, tenha um crescimento dessa magnitude, mas isso acontece com todos os bambus-chineses.

Na conclusão deste livro, quero oferecer um conselho final: não se preocupe demasiadamente com o crescimento de sua igreja. Concentre-se nos propósitos. Continue aguando, fertilizando, cultivando e podando. Deus fará que sua igreja cresça até atingir o tamanho que ele deseja e na velocidade que melhor combinar com sua situação.

O Senhor talvez permita que você trabalhe vários anos com poucos resultados visíveis. Não desanime! Sob a superfície, estão acontecendo coisas que você não pode ver. As raízes estão crescendo, preparando-se para o que está por vir. Mesmo quando não entende o que Deus está fazendo, você deve confiar nele. Aprenda a viver com a segurança de que ele sabe o que está fazendo.

> Não se preocupe demasiadamente com o crescimento de sua igreja. Concentre-se nos propósitos.

Lembre-se de Provérbios 19.21: "Muitos são os planos no coração do homem, mas o que prevalece é o propósito do Senhor". Se você está construindo um ministério no propósito eterno de Deus, não há como falhar. Ele prevalecerá. Continue fazendo o que você sabe que é certo, mesmo que se sinta desencorajado. "Não nos cansemos de fazer o bem, pois no tempo próprio colheremos, se não desanimarmos" (Gl 6.9). Assim como o bambu-chinês, quando a hora chegar Deus mudará as coisas, da noite para o dia. O mais importante é que você se mantenha fiel aos propósitos divinos.

Seja uma pessoa com propósitos

As igrejas com propósitos são lideradas por líderes com propósitos. Atos 13.36, um de meus versículos favoritos, revela que Davi era dirigido por propósitos: "Tendo, pois, Davi servido ao propósito de Deus em sua geração, adormeceu...". Não consigo pensar em melhor epitáfio. Imagine a seguinte declaração inscrita em seu túmulo: "Ele serviu ao propósito de Deus em sua geração". Minha oração é que Deus possa dizer isso de mim quando eu morrer. Minha motivação, ao escrever este livro, é que Deus possa dizer isso a seu respeito quan-

> Muitos cristãos se servem da igreja, mas não a amam.

do você morrer. O segredo do ministério eficiente é realizar ambas as partes dessa declaração.

"Ele serviu ao propósito de Deus"

A principal meta destas páginas foi definir os propósitos divinos para a igreja e identificar suas aplicações práticas. Os propósitos de Deus para a igreja são também os propósitos de Deus para cada cristão. Na condição de seguidores de Cristo, devemos aplicar nossa vida à adoração, ao ministério, ao evangelismo, ao discipulado e à comunhão. A igreja permite que façamos isso juntos. Não estamos sós.

Espero que você tenha percebido minha paixão pela igreja, ao ler minhas experiências. Amo a igreja de todo o meu coração. Não há conceito mais brilhante. Se pretendemos ser como Jesus, temos de amar a igreja como ele a ama e ensinar outros a amá-la também. "... assim como Cristo amou a igreja e entregou-se por ela [...]. Além do mais, ninguém jamais odiou o seu próprio corpo, antes o alimenta e dele cuida, como também Cristo faz com a igreja, pois somos membros do seu corpo" (Ef 5.25,29,30). Muitos cristãos se servem da igreja, mas não a amam.

O melhor discernimento que tenho da vontade de Deus me motiva a ter apenas duas aspirações: ser pastor de uma igreja local por toda a minha vida e encorajar outros pastores. Pastorear uma congregação de seguidores de Cristo é a maior responsabilidade, o maior privilégio e a maior honra que posso imaginar. Já escrevi que, se soubesse de alguma forma mais estratégica de investir minha vida, eu o faria, porque não quero gastá-la à toa. A maior missão que alguém pode cumprir neste mundo é trazer pessoas a Cristo, torná-las membros de sua família, desenvolver a maturidade nelas, fortalecê-las, equipá-las para o ministério pessoal e enviá-las a cumprir o plano de Deus para a vida delas. Não tenho dúvidas de que vale a pena viver e morrer por isso.

"Em sua geração"

A segunda parte do epitáfio de Davi é tão importante quanto a primeira. Ele serviu aos propósitos de Deus "em sua geração". A verdade é que *não* podemos servir a Deus em outra geração que não seja a nossa. O ministério deve ser realizado no contexto de nossa geração e de nossa cultura. Devemos ministrar às pessoas dentro do universo delas e não por métodos antigos idealizados em nossa mente. Podemos nos beneficiar da sabedoria e da experiência de grandes líderes cristãos que viveram antes de nós, mas não podemos pregar e ministrar da forma que eles, porque vivemos outra geração.

O ministério de Davi foi tão relevante quanto moderno para sua época. Ele serviu aos propósitos do Deus eterno e imutável em sua geração (passageira e mutável). Ele era ortodoxo e contemporâneo, bíblico e relevante.

Ser contemporâneo sem abrir mão da verdade tem sido nosso objetivo desde o princípio. A cada nova geração, as regras mudam um pouco. Se você fizer as coisas da maneira pela qual foram feitas no passado, nunca progredirá. O passado está atrás de nós. A nós, cabe viver o presente e preparar-nos para o amanhã. Devemos viver as palavras do poema de Charles Wesley, musicado por Lowell Mason há mais de cem anos:

> Chamado sei que fui pra Deus glorificar
>
> Os pecadores vou buscar e ao céu encaminhar.
>
> A esta geração de pronto atender,
>
> Que ao Mestre eu possa assim servir e sempre obedecer.*

Medindo o sucesso

Como você mede o sucesso no ministério? Uma definição bem conhecida de evangelismo bem-sucedido é a seguinte: "Compartilhar o evangelho no poder do Espírito Santo, deixando os resultados com Deus". Gostaria de adaptar essa declaração e oferecer minha definição de sucesso no ministério: "Edificar a igreja nos propósitos de Deus e no poder do Espírito Santo e *esperar* os resultados da parte de Deus".

> Minha definição de sucesso no ministério: "Edificar a igreja nos propósitos de Deus e no poder do Espírito Santo e *esperar* os resultados da parte de Deus".

---

*Em inglês: "A charge to keep I have, a God to glorify/ A never-dying soul to save, and fit it for the sky/ To serve the present age, my calling to fulfill/ O may it all my powers engage, to do my Master´s will!" [N. do E.].

Não sei como os capítulos finais da história da Saddleback serão escritos, mas tenho uma certeza: "Aquele que começou boa obra em vocês, vai completá-la até o dia de Cristo Jesus" (Fp 1.6). Deus termina tudo que começa. Ele é o Alfa e o Ômega, o Princípio e o Fim. Ele continuará a realizar seus propósitos em minha congregação e em todas as outras igrejas com propósitos.

Jesus disse: "Que lhes seja feito segundo a fé que vocês têm!" (Mt 9.29). Chamo isso de "fator fé". Há muitos fatores que influenciam seu ministério, sobre os quais você não tem nenhum controle: sua história de vida, nacionalidade, idade e dons que possui. Eles foram determinados pela soberania divina, mas existe um fator importante, que você pode controlar: quanto você escolhe confiar em Deus!

Em meus estudos sobre igrejas que crescem, descobri, nos últimos anos, um fator comum a todas elas, não importando a denominação ou o lugar onde estão situadas: *a liderança não tem medo de crer em Deus*. As igrejas que crescem são lideradas por pessoas que esperam que suas igrejas cresçam. São pessoas de fé, que acreditam nas promessas de Deus, mesmo nas horas mais desencorajadoras. Esse é o segredo por trás de tudo que tem acontecido na Igreja Saddleback. Acreditamos no Deus que faz grandes milagres e esperamos que ele nos use, por sua graça, por meio da fé. Essa é nossa escolha. E deve ser sua escolha também.

Em determinados momentos, a situação na igreja pode parecer sem esperança, do ponto de vista humano, mas, baseado na experiência de Ezequiel (Ez 37), estou firmemente convencido de que, não importa quão secos os ossos estejam, Deus pode soprar nova vida neles. Qualquer igreja pode ter vida se permitirmos que o Espírito Santo implante em nós um novo sentido com relação a seu propósito. Essa é a razão de ser de uma igreja com propósitos.

Minha esperança é que este livro tenha fortalecido sua fé, aumentado sua visão e aprofundado seu amor por Cristo e sua igreja. Espero que você o compartilhe com aqueles que você ama em sua congregação. Aceite o desafio de implantar uma igreja com propósitos! As maiores igrejas da História ainda não foram erguidas. Você está disposto a aceitar essa missão? Oro para que Deus use sua vida no cumprimento de seus propósitos nesta geração. Não existe melhor maneira de aproveitar nossa vida neste mundo!

Posfácio

Impactar vidas, dar diretrizes seguras e firmes para um ministério produtivo, ampliar a visão de um líder no trabalho do Mestre, é o que este livro faz. Meu lamento é que ele só tenha chegado às minhas mãos já no entardecer de meu ministério.

Desde que foi publicado no Brasil, em 1997, foram vendidos mais de 56.900 exemplares, o que, por si, fala muito sobre o valor e o conteúdo desta obra. Nos Estados Unidos foram vendidos mais de 1 milhão de exemplares.

Uma igreja com Propósitos conta a mais bela e bem-sucedida história de uma das igrejas batistas que mais cresce e que recebeu o nome do vale onde está localizada. Já no próprio nome da igreja — no qual a palavra "batista" não é mencionada —, Rick Warren ensina que, por amor ao Reino de Deus, vale a pena sacrificar algo precioso, se necessário for.

Este livro levará você, leitor, a conhecer a trajetória dessa grande igreja, que iniciou há vinte e sete anos com apenas três pessoas e que hoje tem uma frequência semanal de mais de 20 mil pessoas e tem sido uma inspiração para a formação de muitas outras igrejas com o mesmo propósito.

Rick ensina os princípios bíblicos para uma igreja crescer e, logo a seguir, mostra como ele os aplicou. O autor não é um teórico, mas, sim, alguém que conhece a teoria, fala dela e já a vivenciou. Por isso, pode conduzir-nos passo a passo escrevendo *o que fez* e *como fez*.

Ao ler este livro, você será desafiado a pensar grande, motivado a fazer algo sério e duradouro na causa, não por vã banalidade, mas no Espírito de Cristo, ancorado na Palavra, para a glória de Deus Pai. Aprenderá também a definir mais claramente o propósito e a razão de ser de sua igreja.

O leitor é confrontado com algo que para muitos no Brasil e no mundo seria uma heresia: a escolha do público-alvo que se quer alcançar para

Jesus. Creio que em nosso país temo-nos preocupado muito pouco com esse importante fato, se é que o temos. Com brilhantes exceções, queremos ser tudo para todos e terminamos não sendo nada para ninguém! Cuidado, leitor. O capítulo nove pode levá-lo a pensar que Rick e sua igreja só pensam nos ricos e nos de boa formação cultural. Não é assim, pois estive lá.

O autor valoriza todas as igrejas, grandes e pequenas, ricas e pobres, dizendo: "Nenhuma igreja é capaz de alcançar todos os tipos de pessoas. Assim, todos os tipos de igrejas são necessários para alcançar todos os tipos pessoas". E mais: "Igrejas pequenas se tornam mais efetivas quando se especializam naquilo que fazem de melhor". O autor está convencido de que toda igreja precisa escolher o seu "público-alvo", o seu "nicho". Warren diz com propriedade:

> A Bíblia determina a nossa mensagem, mas o nosso público-alvo determina *quando*, *onde* e *como* vamos comunicar a mensagem.

Depois de nos levar a determinar a quem vamos alcançar, o autor nos conduz a dar os passos para atingirmos nossa meta. Nesse ponto, ele é ainda mais rico em seus exemplos. Falamos muito no Brasil sobre sermões evangelísticos, isto é, a mensagem que Jesus veio, viveu, morreu e ressuscitou para nos salvar. Warren reconhece que essa é a mensagem que ele gostaria de ouvir logo no início. A maioria das pessoas modernas não está interessada em *verdades*, mas em *alívio imediato*. Embora saibamos que não devemos comprometer a mensagem, é estratégico mostrarmos que a Bíblia é relevante e fala de maneira clara, aliviando o coração ansioso, deprimido, solitário. Com isso, não quer dizer que para ser relevante a mensagem deva ser de auto-ajuda.

O homem de hoje, ao procurar na Bíblia orientação para a vida profissional e conjugal, e para as inúmeras situações que nos rodeiam, logo é despertado a conhecer a pessoa de Cristo e a se reconhecer como perdido e pecador diante de um Deus que verdadeiramente salva. Desse momento em diante, homens e mulheres descobrem que a Palavra é coerente e apresenta respostas a suas necessidades, passando a centralizar a vida em Jesus Cristo.

Warren também trata da música na igreja. Em resumo, ele fala sobre quase todas as áreas da igreja, do púlpito ao estacionamento.

Estou convencido de que temos em *Uma igreja com propósitos* um manual bíblico, prático e muito eficaz, para que, como líderes, possamos conduzir nossas igrejas a um crescimento numérico rápido, porém com qualidade, alegria e sem comprometer a mensagem.

Cuidado! Aqui não está um livro para dizermos: "Vamos fazer igualzinho ao que foi feito no sul da Califórnia". É óbvio que Paraná, Ceará e Amazonas e todo o nosso território não são o sul da Califórnia, onde Rick distribuiu convites e 205 pessoas apareceram no primeiro culto. Nosso povo tem um lastro católico apostólico romano, eivado de um sincretismo religioso oriental, africano. Portanto, os valiosos princípios de *Uma igreja com propósitos* terão de ser adaptados ao nosso contexto.

Irmãos, nosso Brasil precisa de igrejas com propósitos! Que privilégio estarmos envolvidos nesta gloriosa tarefa de apresentar aos homens aquele que os tira do reino das trevas e os transporta, com toda a segurança, para o Reino do Filho. "Quem, porém, é suficiente para estas coisas? [...] A nossa suficiência vem de Deus".

ARY VELLOSO
Fundador da Igreja Batista do Morumbi. Atualmente
inicia a Igreja Batista Catuaí em Londrina, Paraná.
É missionário da Sepal há 40 anos.

Esta obra foi composta em *Adobe Garamond Pro*
e impressa por Piffer Print sobre papel
Polen Bold 70 g/m² para Editora Vida.